ДАНИЭЛА СТИЛ

ОТНЫНЕ и ВОВЕК

ИЗДАТЕЛЬСТВО
Москва
1999

ББК 84 (7США)
С80

Danielle Steel
NOW AND FOREVER
1978

Перевод с английского

Серийное оформление А.А. Кудрявцева

Печатается с разрешения автора и его литературных
агентов Morton L.Janklow Associates и
"Права и переводы"

Стил Д.
С80 Отныне и вовек: Роман / Пер. с англ. – М.: ООО
"Фирма "Издательство АСТ", 1999. – 464 с.

ISBN 5-237-02164-6

Хотя Джессика и Ян женаты уже семь лет, их отношения по-
прежнему полны новизны и волнующих переживаний. Ян –
начинающий писатель, стремящийся попасть на литературный
Олимп, а Джессика – владелица престижного магазина модной
одежды. Но разница характеров и взглядов на жизнь не омрачает
их любви, пока случайный и неосмотрительный поступок Яна не
ставит под угрозу их счастье. Возможно, навсегда...

Посвящается Беатрисе
за то, что она была
такой замечательной
и всегда любящей.

Д.С.

Есть три вида душ,
Три вида молитв.
Один:
Я предаю себя в руки твои, Господи.
Дай мне сил не рассыпаться в прах.
Второй:
Избави меня, Господи,
Ибо силы мои на исходе.
Третий:
На все воля Твоя, и кто опечалится,
Если я выбьюсь из сил!
Выбирай!

Из «Послания к Греко»
Никоса Казанцакиса

Глава 1

Погода была восхитительной. Стоял ясный солнечный день с белоснежными облаками, застывшими на ярко-синем небе. Настоящее бабье лето. Как жарко! Жара, казалось, расплавила все кругом, сделав податливым, как воск, и чувственным. Это совсем не походило на Сан-Франциско, что было только к лучшему. Ян сидел, освещенный полуденными лучами, за небольшим столиком из розового мрамора на своем привычном месте в ресторане Энрико на Бродвее. А рядом деловито жужжал поток машин, неторопливо шли на ленч пары. Жара вызывала непередаваемые ощущения.

Он положил ногу на ногу, слегка задев стол, три маргаритки качнулись в стакане. Хлеб был свежим и мягким. Тонкими, изящными пальцами отломил кусочек. Две девушки наблюдали за ним и хихикали. Он был не просто «мил», он был сексуален. Даже они знали это. А еще красив. Привлекателен. Элегантен. У него был класс. Высокий худощавый блондин с голубыми глазами, высокими скулами, длинными ногами, руками, которые обращали на себя внимание, лицом, от которого невозможно было оторваться... телом, которым любовались. Красивый мужчина — ничего не скажешь. И Ян Кларк отдавал себе в этом отчет, относясь к данному факту совершенно спокойно. Знал он, знала и его жена. Ну и что? Она тоже выглядела великолепно. Они и не задумывались о таких вещах. А вот другие... Люди любили разглядывать их с тем жадным интересом, с каким рассматривают знаменитостей в надежде узнать, что они говорят, куда направляются, с кем знакомы, что едят... как будто какая-то часть их шарма может исчезнуть. На самом деле такого никогда не произойдет. С этим нужно родиться. Или потратить огромные деньги на то, чтобы научиться так притворяться. Яну не нужно было притворяться. Природа и так щедро наградила его этим даром.

Женщина в розовом платье тоже не обошла его вниманием. Она пристально смотрела на Яна сквозь узор ячеек своей большой шляпы из натуральной соломки. Ей был виден даже светлый пушок на его обнаженных руках, — от жары он закатал рукава рубашки. Женщина расположилась за несколько столиков от Яна, и тем не менее ни одна деталь не ускользнула от нее. Как, впрочем, и прежде. Он же ни разу ее не заметил. Да и зачем ему? Удовлетворив свое любопытство, незнакомка отвела глаза. Ян и не подозревал о ее существовании. Его занимал открывающийся вид.

Жизнь была невероятно прекрасной, полновесной, щедрой и легкой. Все утро он проработал над третьей главой, и теперь персонажи оживали, становясь похожими на людей, которые гуляли сейчас по Бродвею... смеялись, перебрасывались шутками. Для него герои нового романа были так же полны жизни. Ян знал их как свои пять пальцев. Он был их отцом, другом, создателем. Они сделались его закадычными друзьями. Новая книга, — какой необыкновенный прилив сил ощущал он сейчас. Какие восхитительные чувства овладели им. Новые лица, новые люди. Стуча по клавишам машинки, Ян почти физически ощущал их присутствие в комнате. Невероятно, но и прикосновение к клавишам было приятно его пальцам.

Ян имел все: город, который он любил, новый роман, жену, с которой ему по-прежнему было весело и нескучно и с которой он с удовольствием занимался любовью. После семи лет брака ему так же нравился ее смех, улыбка, взгляд, то, как она сидела обнаженная в его студии, устроившись в старом плетеном кресле-качалке, потягивая пиво и читая только что написанные им страницы. Все казалось замечательным, особенно теперь, когда его роман готов был распуститься как цветочный бутон. Волшебный день. И Джесси должна вернуться домой. Эти три недели были такими плодотворными, но внезапно его охватило одиночество и, как ни странно, желание... Джесси.

Ян закрыл глаза и отгородился невидимой стеной от звуков транспортного потока... Джесси... изящные ножки, гладкие как атлас светлые волосы, зеленые глаза с золотистыми крапинками... Два часа ночи. Жена ест хлеб с изюмом, намазанный арахисовым маслом и абрикосовым джемом, и спрашивает его мнение о весеннем ассортименте товаров для ее магазина... «Ян, скажи мне честно, что ты думаешь о новой весенней коллекции? Нравится тебе она или нет? С мужской точки зрения... будь откровенен...» Как будто мнение мужчин имело какое-нибудь значение. Такие большие зеленые глаза, всматривающиеся в него, точно спрашивая, все ли у нее в порядке, любит ли он ее... О да.

Ян думал о жене, потягивая джин с тоником, и в который раз почувствовал себя в долгу перед ней. От этой мысли он ощутил холодок где-то в груди. Да, он многим был обязан ей. Джесси столько пришлось вынести. Его преподавание за гроши, подмены, которые приносили ему еще меньше. Работа в книжном магазине, которую она ненавидела из-за того, что это унижало его достоинство. У Яна даже был легкий флирт с журналистикой после того, как провалился его первый роман.

И тут неожиданно свалившееся наследство жены, которое решило столько проблем. Их, но не его.

— Знаете ли, миссис Кларк, однажды вам до смерти надоест быть женой нищего писателя. — Ян внимательно следил за выражением ее лица в тот момент три года назад, когда она покачала головой и улыбнулась в ответ...

— Ты не похож на человека, у которого нет ни гроша за душой. — Джесси слегка похлопала его по животу и нежно поцеловала в губы. — Я люблю тебя, Ян.

— Ты, должно быть, сумасшедшая. Но я тоже люблю тебя. — Для него это было трудное лето. За восемь месяцев он не заработал ни цента. У Джесси, конечно, были деньги. Черт бы их побрал.

— Почему? Потому что я уважаю твою работу? Потому что я считаю тебя хорошим мужем, даже если ты больше не работаешь на Мэдисон-авеню? Так? Ты жалеешь об этом или будешь мучить себя до конца жизни тем, что произошло? — В ее голосе чувствовался гнев с легким привкусом горечи. — Почему ты не можешь просто получать удовольствие от того, кто ты есть?

— А кто я?

— Писатель. Хороший писатель.

— Неужели?

— Критики именно так и говорят.

— А мои гонорары — нет.

— Ну и черт с ними, с твоими гонорарами. — Джесси выглядела такой серьезной, что он не мог сдержать смех.

— Их размеры не позволяют мне продолжать это занятие, не говоря уже о том, чтобы получать удовольствие.

— Замолчи... зануда. Иногда ты сводишь меня с ума. — Ее лицо потеплело от улыбки, Ян наклонился и поцеловал жену. Джесси медленно провела пальцем по его бедру, наблюдая за ним с ласковой улыбкой, и он почувствовал, как по всему телу пробежала волнующая дрожь.

Ян все еще помнил то ощущение. Прекрасно помнил.

— Я обожаю тебя, злая женщина. Поехали домой. — Они ушли с пляжа, держась за руки, как два подростка, и на их лицах блуждала счастливая улыбка. Проехав несколько миль, Ян заметил узкий залив недалеко от дороги и остановил машину. Они занялись любовью под деревьями, почти у самой воды, окруженные звуками буйного лета. Он по-прежнему помнил, как потом они лежали на мягкой земле в одних рубашках, пальцами ног играя с песком и мелкими камешками. Ему казалось, что он никогда не поймет, что же так привязало его к ней... И почему? А ее к нему? Вопрос, который предпочитают не произносить вслух... Почему? Да из-за твоих денег, дорогая, почему же еще? Никто в здравом уме не задавал подобных вопросов, но иногда его так и подмывало спросить. Порой Ян со страхом думал, что Джесси привязала к нему вера в его талант писателя. Он гнал от себя эту мысль, но в какой-то мере дело обстояло именно так.

Все эти ночные споры за чашкой кофе и бутылкой вина в его студии. Джесси всегда была так чертовски самоуверенна. Когда ему это было нужно.

— Я знаю, у тебя получится, Ян. Вот увидишь. Я уверена.

Что за женщина! Вот почему она заставила его отказаться от работы на Мэдисон-авеню, потому что не сомневалась в нем. Или хотела, чтобы он был зависим от нее? Временами Ян задумывался и об этом.

— Но откуда, черт возьми, ты знаешь? Откуда ты можешь знать, что у меня получится? Это — мечта, Джесси. Фантазия. Великий американский роман. А ты представляешь, сколько полных ничтожеств кропают потихоньку, надеясь подарить миру шедевр?

— Кого это, черт побери, волнует? Они не ты.

— Может быть, и так. — Однажды, когда Ян так выразился, Джесси запустила в него стаканом с вином, что его позабавило. Они помирились, занимаясь любовью на пушистом меховом ковре. Вино капало с его подбородка ей на грудь, и они вместе смеялись.

Вот почему сейчас он хотел написать хороший роман. Должен. Для нее. Для самого себя. На этот раз непременно. Шесть лет упорного труда принесли ему один ужасный роман и сборник рассказов, который критики ставили в один ряд с признанными шедеврами. Сборник разошелся тиражом менее семисот экземпляров. Роман не набрал и того. Но эта вещь — совсем иное дело. Он знал это. Новый роман был вызовом ее «Леди Джей».

«Леди Джей» — так назывался бутик Джесси. Она сделала из него конфетку. Безупречный вкус, художественное чутье, умение тонко улавливать веяния времени. Джесси относилась к той породе людей, которые обращают в золото все, к чему они прикасаются. Свеча, шарф, украшение, яркое цветовое пятно, намек на улыбку, ощущение тепла, всплеск шика и стиля. Бездна стиля. Джесси родилась с чувством стиля. Она купалась в нем. Даже представая перед ним обнаженная и с закрытыми глазами, она несла свой стиль.

И так же она влетала в его студию во время ленча с развевающейся гривой волос, улыбающимися глазами, целуя мужа в шею, и неожиданно роскошная чайная роза падала на его бумаги. Неправдоподобной красоты роза или великолепный желтый тюльпан в хрустальной вазе рядом с его кофейной чашкой, несколько тонко нарезанных ломтиков острой копченой ветчины, ароматная дыня, сыр бри... «Нью-Йорк таймс» или «Фигаро». У нее был волшебный дар. Дар придавать всему, что ее окружало, особую неповторимость и красоту.

Ян улыбнулся еще раз, вспоминая о жене, когда его взгляд скользил по публике за другими столиками. Если бы Джесси была здесь, она надела бы что-то экстравагантное: платье с глубоким вырезом на спине, но полностью скрывающее руки, или наглухо закрытое, но с разрезом, дающим возможность оценить ее стройные ноги, а может — замысловатого фасона шляпку, из-под которой бы блеснули проницательные зеленые глаза. Эти мысли привлекли его внимание к незнакомке в соломенной шляпе. Ян не замечал ее раньше. Но в жаркий солнечный полдень после двух порций джина с тоником ему показалось, что дама стоила того, чтобы на нее посмотреть. Он едва мог разглядеть ее лицо. Только подбородок.

У женщины были тонкие изящные руки, на пальцах ни одного кольца. Ян наблюдал, как она потягивала что-то пенистое через соломинку, и вдруг почувствовал смутное волнение, которое возникало, когда он думал о своей жене. Он стал присматриваться к девушке в шляпке. Как досадно, что Джесси не было дома. Самое время отправиться на пляж и поплавать, поваляться на песке и смазывать друг друга кремом для загара... То, как незнакомка в шляпке двигала ртом соломинку в стакане, возбудило его. Заставило захотеть Джесси. Немедленно.

Принесли его канеллони*, неудачный выбор. Слишком жирные, слишком горячие и слишком их много. Надо было заказать салат. После едва пригубленного ленча кофе ему тоже не хотелось. Слишком чудесный был день, чтобы наказывать себя. Проще походить, погулять. Совершенно безобидное занятие. Яну было хорошо у Энрико, как и всегда. Здесь он мог расслабиться, понаблюдать за посетителями, встретиться с писателями, которых знал, и полюбоваться женщинами.

Без каких-либо особых на то причин он позволил официанту принести ему третью порцию спиртного. Ян редко пил что-

---

* Трубочки из теста с мясной, сырной и т.п. начинкой. — *Здесь и далее примеч. ред.*

нибудь, кроме белого вина, однако на этот раз джин был холодным и приятным на вкус. Третья порция не причинит ему вреда. Было что-то такое в жарких деньках в обычно прохладном климате, что сводило с ума.

Публика в ресторане Энрико убывала и прибывала, заполняя столики поближе к тротуару и избегая красных кабинок внутри. Бизнесмены освобождали свои шеи от галстуков, модели прихорашивались, художники рисовали, уличные музыканты играли, а поэты шутили. Музыка и голоса заглушали шум транспорта. Это напомнило Яну последний день в школе. Топлес-бары по другую сторону от ресторана были безмолвны, их неоновые вывески мертвы до наступления темноты. Так ему казалось гораздо лучше. Настоящим. Молодым, энергичным, с оттенком игры.

Девушка в шляпе так и не показала своего лица, когда Ян уходил. Однако она все время следила за ним. Затем молча пожала плечами и сделала знак, чтобы ей принесли счет. Она всегда могла вернуться назад или... Какого черта...

Ян размышлял о ней на пути к машине, слегка навеселе, но не настолько, чтобы это было заметно. Он сочинял строки «Оды прекрасной незнакомке». Ян засмеялся, проскользнув за руль автомобиля жены, мечтая так же легко овладеть и ею. Он был очень возбужден, ведя маленький красный «морган». И получал необычайное удовольствие от машины. Это был роскошный подарок, подумал Ян, прибавляя скорость. Чертовски роскошный. Для чертовски роскошной женщины. Он купил для нее автомобиль на аванс за сборник рассказов, отдав сразу всю сумму. Сумасшествие. Но Джесси обожала машину. А он точно так же обожал ее.

Ян развернулся и снова выехал на Бродвей, остановился у светофора и, проезжая мимо ресторана Энрико по пути домой, краем глаза заметил, как справа промелькнуло что-то розовое.

Шляпа крутилась на одном пальце, в то время как ее лицо было обращено к небу, бедра грациозно покачивались, когда она шла мимо в босоножках на высоких каблуках. Розовое платье облегало фигуру, а рыжие волосы легкомысленными кудряшками обрамляли лицо. В розовом она выглядела необычайно привлекательно и так чертовски сексуально. Такой зрелой и такой юной... Двадцать два? Двадцать три? Ян почувствовал тот же голод, какой у него появился, когда он смотрел на нее некоторое время назад. В ее медных волосах отражалось солнце. Он хотел дотронуться до них, вырвать шляпу у нее из рук и убежать, чтобы посмотреть, последует ли она за ним. Ему захотелось поиграть с ней.

Ян медленно ехал за девушкой, когда та обернулась, ее лицо залила краска, и она отвела взгляд, как будто не ожидала увидеть его опять, и это все изменило. Девушка повернула голову, вновь взглянула на него, удивление в ее глазах уступило место медленной улыбке. Она едва заметно пожала плечами. Судьба. В конце концов сегодняшний день оказался тем самым днем. Именно для этого она оделась и теперь была рада. Под его пристальным взглядом девушка, казалось, не хотела идти. Он тоже не двигался. Просто сидел, в то время как она стояла на углу и смотрела в его сторону. Незнакомка оказалась не такой уж молоденькой, как он подумал сначала. Двадцать шесть?.. Двадцать семь? Но все еще свежей. Достаточно свежей после трех порций джина с тоником и не такой обильной еды.

Ее глаза пробежали по его лицу, цепляясь за детали, но осторожно. Затем она подошла поближе, и он увидел хорошо развитую грудь, резко контрастировавшую с подростковой худобой ее рук.

— Мы знакомы? — Девушка стояла, держа в руках шляпу, как вдруг она скрестила ноги, перенося тяжесть тела на одну из них, что заставило ее бедра качнуться вперед. Неожиданно брюки Яна стали ему тесны.

— Нет. Думаю, нет.

— Ты так пристально смотрел.

— Да... Извини. Мне... Мне понравилась твоя шляпка. Я заметил ее за ленчем.

Лицо девушки смягчилось, и он улыбнулся в ответ, впрочем, несколько разочарованный. Она была постарше Джесси, пожалуй, даже на год или два старше его. Издали незнакомка казалась самим совершенством, но вблизи иллюзия исчезала, а в рыжей копне проглядывали черные корни волос. Но он-то разглядывал ее, совершенно верно.

— Извини. Тебя подвезти? — А почему бы и нет. Не может быть, чтобы ей было уж слишком не по пути. Вероятно, в офис за несколько кварталов отсюда.

— Да, конечно. Спасибо. Слишком жарко идти пешком.

Девушка опять улыбнулась. Она начала возиться с дверью, он помог ей, открыв изнутри. Она проскользнула на сиденье, предоставив его глазам возможность обозреть ложбинку на ее груди. Это-то у нее было настоящее.

— Тебе куда?

Она помедлила одно мгновение и произнесла:

— Угол Маркет и Десятой. Тебе не по пути?

— Нет. Нормально. Я не тороплюсь. — Но Яна удивил адрес. Это было странное место для работы и еще более странное для жилья.

— У тебя выходной?

Она вопросительно посмотрела на него.

— Вроде того. Я работаю дома.

Обычно он не был таким несдержанным, но незнакомка вызывала в нем непонятное ощущение, заставляла его почувствовать себя обязанным поддерживать разговор. Она пользо-

валась крепкими духами, а юбка достаточно высоко поднялась
на бедрах. Ян был голоден. Но он хотел Джесси. А их разделяло еще десять часов.

— Чем ты занимаешься?

В какой-то момент ему вдруг захотелось сказать, что он жиголо у собственной жены. Ян взвесил эту мысль, нахмурившись.

— Я — писатель. — Немногословный ответ.

— Тебе не нравится твоя работа?

— Очень нравится. Почему ты спросила? — Он был
удивлен.

— Ну, то, как ты нахмурился. Ты такой привлекательный,
когда улыбаешься.

— Спасибо.

— Не за что. У тебя такая замечательная машина. —
Девушка оценивающе повела головой вокруг. Отлично скроен-
ная летняя рубашка, туфли от Гуччи с открытыми носками.
Она не была уверена, какой именно они фирмы, но подозревала, что дорогие. — Что это? «Эм Джи»?

— Нет. «Морган». — «И он принадлежит моей жене».
Слова застряли у него в горле. — А чем ты занимаешься?

— В настоящий момент я прислуживаю за столиками в
«Кондоре», но мне захотелось посмотреть, как выглядит район
днем. Вот почему я пришла сюда на ленч. Совершенно иная
публика. В это время они гораздо трезвее, чем когда приходят к нам.

При всем желании «Кондор» не мог блеснуть изысканной
клиентурой. Это было злачное место, и Ян прикинул, что девушка, наверное, разносила заказы полуобнаженной. Она пожала плечами, и ее лицо осветила мягкая улыбка, которая вновь
сделала ее почти что красивой, но где-то в уголках глаз прита-
илась грусть. Может быть, сожаление, неотступное и далекое.

Раз-другой она странно взглянула на него, и Ян опять почувствовал себя неловко.

— Ты живешь на углу Маркет и Десятой? — произнес
Ян, чтобы хоть что-то сказать.

— Да. В гостинице. А ты? — Каверзный вопрос. Что он
мог ответить? Но она не торопила его. — Попробую угадать.
Пэсифик-Хайтс? — Блеск исчез из ее глаз, и вопрос прозвучал колко и с укором.

— Почему ты так решила? — Ян попытался изобразить
удивление и оскорбленную невинность, однако это не получилось. Он взглянул на нее, когда они остановились в рычащем
водовороте на Монтгомери-стрит. Эта женщина могла быть
чьей-то секретаршей или актрисой на эпизодических ролях.
Она не казалась дешевой. Всего лишь усталой. И грустной.

— Приятель, да от тебя так и разит Пэсифик-Хайтс.

— Не позволяй аромату ввести себя в заблуждение. Как
не все... что блестит. — Они облегченно засмеялись, и после
того как пробка на дороге рассосалась, Ян сосредоточился на
педали газа. Он свернул на Маркет.

— Женат? — Он кивнул. — Плохо. С хорошими людьми
всегда так.

— Это что-нибудь меняет? — Как глупо, но Ян больше
шутил, чем интересовался всерьез, а джин с тоником брали свое.

— Иногда я увлекаюсь женатыми мужчинами, иногда —
нет. Зависит от человека. Что касается тебя... Кто знает? Ты
мне нравишься.

— Я польщен. Ты — привлекательная женщина. Как
тебя зовут?

— Маргарет. Мэгги.

— Красивое имя.

Она опять улыбнулась.

— Это здесь, Мэгги? — Единственная гостиница в округе и далеко не самая лучшая.

— Именно. Как приятен отчий дом. Красиво, не правда ли?

Дерзостью девушка попыталась скрыть свое смущение, и Ян почувствовал к ней жалость. Отель выглядел холодным и унылым.

— Не хочешь выпить?

По выражению ее глаз Ян понял, что она будет обижена, если он откажется. Все равно он был не в форме, чтобы снова сесть за работу. Тем более нужно было как-то убить девять с половиной часов, прежде чем ехать в аэропорт. Но Ян также знал, что может случиться, прими он ее предложение. Пустить все на самотек значило совершить подлость по отношению к Джесси в день, когда она возвращалась домой. Он держался три недели. Днем больше...

Но эта девушка выглядела такой покинутой, к тому же солнце и джин подтачивали его решимость. Ян знал, что не хочет возвращаться домой. Ничто там не принадлежало ему, не было его на самом деле за исключением пяти ящиков с картотекой его писанины и новой печатной машинки «Оливетти», которую Джесси как-то подарила ему. Король альфонсов. Супруг Джесси.

— Конечно. У меня найдется время промочить горло. Пока ты сваришь кофе. Куда поставить машину?

— Полагаю, ты можешь оставить ее перед входом. Там не запрещено, оттуда они ее не отбуксируют.

Ян припарковал машину перед входом в гостиницу, а Мэгги внимательно изучала номерной знак с именем, его нетрудно было запомнить. Джесси. Она подумала, что именно так зовут ее нового знакомого.

Глава 2

Джессика услышала, как шасси с гудением выходят из брюха самолета, и улыбнулась. Ее ремень был на месте, лампочка над головой выключена, и она почувствовала, как забилось быстрее сердце в ту минуту, когда самолет совершил последний разворот над посадочной полосой. Внизу были видны огни города.

Джесси посмотрела на часы. Она слишком хорошо знала мужа. Сейчас он должен был нервно искать место, чтобы припарковать машину в подземном гараже аэропорта, содрогаясь при мысли, что может опоздать и упустить ее на выходе с летного поля. Потом как угорелый помчится к терминалу. Однако доберется вовремя. Как всегда. Это придавало возвращениям домой особый аромат.

Джесси казалось, что ее не было целый год. Поездка удалась. Она сделала массу интересных покупок. Весенняя коллекция будет чудесной. Мягкие пастельные тона, тонкие шерстяные трикотажные изделия, скроенные по косой, платья из шотландки, шелковые рубашки с длинными рукавами и несколько замечательных вещей из замши. Она никогда не могла устоять перед замшей. Заказанные товары начнут прибывать не раньше чем через три-четыре месяца, но она уже сейчас с волнением думала о них. Она помнила все. Ей нравилось планировать загодя, как сейчас. Нравилось точно знать, что привезут. Ее устраивала такая жизнь, распланированная на много месяцев вперед. Кто-то мог посчитать это скучным, но только не Джесси.

На октябрь она наметила поездку с Яном в Кармел. День Благодарения они проведут с друзьями. Рождественские каникулы, может быть, проведут на озере Тахо, катаясь на лыжах, потом слетают ненадолго в Мексику, чтобы поваляться на солнышке после новогодних праздников. А там начнут прибывать и товары для весенней распродажи. Все было отлично продумано. Так же, как ее поездки, ее еда, ее гардероб. У нее было то, что позволяло ей строить планы: процветающий бизнес, муж, которого она любила и на которого всегда могла положиться, и надежные люди, окружающие ее. Очень немногое оставалось на произвол судьбы, и ей это нравилось. Джесси спрашивала себя, не поэтому ли она не хотела ребенка. Боясь непредсказуемости его поведения. Она не представляла, как он будет выглядеть или вести себя, в какой именно день малыш может родиться или что она будет делать с ребенком на руках. Мысль о нем лишала ее присутствия духа. Ведь без него жизнь была гораздо проще. Только Джесси и Ян. Одни. Так у нее не было соперников, покушающихся на расположение Яна. Джесси не любила конкуренции в семейной жизни. Он был единственным дорогим человеком на земле.

Колеса коснулись полосы, она закрыла глаза... Ян... Она так хотела его последние недели. Дни были заполнены работой, а вечерами приходилось готовиться к встречам, хотя она обычно звонила ему, когда приезжала в гостиницу. Но Джесси не могла протянуть руку и дотронуться до него. Она не могла засмеяться, глядя ему в глаза, или легко коснуться его ног, или стоять рядом с ним под душем, языком ловя капли, скатывающиеся по веснушкам на его спине. Она вытянула свои стройные ноги, ожидая, пока самолет окончательно не остановится.

Трудно быть терпеливой. Ей хотелось, чтобы путешествие скорее закончилось, хотелось выбежать из самолета и увидеть его. Прямо сейчас. В ее жизни не было других мужчин. Трудно в это поверить, но так все сложилось. Джесси иногда размышляла, сможет ли она думать о ком-то другом, но нет, это не стоило того. В ее глазах Ян был лучше всех остальных.

Сексуальнее, умнее, добрее и преданнее. Ян так хорошо понимал, что ей нужно, и выполнял все ее прихоти. За семь лет, что они были женаты, она потеряла большую часть своих подруг по Нью-Йорку и не нашла им замены в Сан-Франциско. Ей не нужны подруги, которым можно поплакаться в жилетку. У нее есть Ян. Он был ее лучшим другом, ее любовником и даже ее братом теперь, когда умер Джейк. Ну и что с того, если время от времени муж позволял себе увлечься какой-нибудь красоткой? Такое случалось не часто, и он проявлял благоразумие. Это не беспокоило Джесси. Многие мужчины поступали так же, когда их жен не было поблизости. Ян не афишировал свои интрижки и не раздражал ее. Она лишь подозревала, что он изменял ей, но не знала наверняка. Пока что ей не пришлось удостовериться в его неверности.

Ее родители тоже были счастливы в браке не один год. Наблюдая за ними, Джесси сама доходила до понимания многих вещей, о которых не принято говорить вслух, щадя чувства друг друга, и к которым стараются часто не прибегать. Хороший брак держался на доверии, промолчать иногда, позволяя другому быть самим собой, и означало уважение... любовь. Ее родители умерли. Их молодость уже прошла, когда она появилась на свет. Матери было далеко за тридцать, отцу — сорок пять. Когда ей исполнилось четыре года, родился Джейк. Поженившись в зрелом возрасте, родители уважали друг друга больше, чем многие пары, и не посягали на индивидуальность партнера. Это многому научило Джесси.

Но сейчас их не было в живых. Уже три года. Почти три. Родители умерли в течение нескольких месяцев один за другим. Джейк погиб за год до того во Вьетнаме, ему было двадцать с небольшим. Джессика осталась одна. Но у нее был Ян. Слава Богу, что он с ней. У Джесси пошли мурашки по коже, когда она подумала об этом... Что она будет делать без него? Умрет от горя... как ее отец после смерти матери... Умрет... Она не представляла себе жизни без Яна. Сейчас он был для нее всем. Он мог обнять ее поздно ночью, когда ей было страшно. Он мог рассмешить ее в минуту грусти. Он помнил все важные даты, знал, что ей нравится, всегда понимал с полуслова, смеялся над самыми неудачными ее шутками. Он знал — она была его женщиной и его маленькой девочкой. Это было все, в чем Джесси нуждалась. Ян. Ну и что, если случались опрометчивые поступки, о которых она только догадывалась? Пока он был рядом, это не имело значения. И так было всегда.

Она услышала, как открылись двери. Люди начали скапливаться в проходах. Пятичасовой перелет остался позади, пора домой. Джесси расправила складки на бежевых брюках и потянулась за оранжевым жакетом из замши. Ее зеленые глаза выделялись на загорелом лице, а светлые густые волосы рассыпались по плечам. Яну нравилось, когда она была в оранжевом, поэтому она и купила этот жакет в Нью-Йорке. Джесси улыбнулась про себя, представив, как он его одобрит, — почти так же, как блейзер от Пьера Кардена, привезенный ею. Джесси было так приятно баловать Яна.

Три бизнесмена и щебечущая стайка женщин загородили проход. Она, однако, была достаточно высокой, чтобы поверх их голов увидеть Яна. Он стоял у ворот, она помахала ему. Ян ответил широкой улыбкой, махнув рукой в ответ, и поспешно двинулся к ней навстречу, мягко оттесняя людей. Наконец он очутился рядом и бесконечно долго обнимал ее.

— Пора бы тебе уже вернуться домой... Ты так потрясающе выглядишь, что должна быть счастлива, если я не изнасилую тебя прямо здесь.

— Давай. Насилуй. Если сможешь.

Они стояли на том же самом месте, с наслаждением разглядывая друг друга, разговаривая больше глазами.

— Джесси, если бы ты знала, как я по тебе скучал.

Она кивнула. Да, еще бы. Она почти так же скучала по нему.

— Как книга?

— Отлично. — Они обменивались теми банальными фразами, которые можно услышать от людей, знающих друг друга, пожалуй, даже слишком хорошо. Им не требовалось много слов.

Ян поднял ее большую сумку из коричневой кожи, которую она бросила, чтобы поцеловать его.

— Давай, искусительница, поедем домой.

Ее волосы упали ему на плечо, они так и вышли обнявшись, старательно идя в ногу размеренными шагами.

— Я привезла тебе подарок.

Он улыбнулся. Она всегда делала ему подарки.

— И себе купила, как я посмотрю. Отличный жакет.

— Тебе нравится? Или ужасный? Я боялась, что он слишком яркий. — Жакет имел оттенок жженого сахара, граничащего с цветом пламени.

— Прекрасно смотрится. Как и все остальное на тебе.

— Господи, как ты мил! Чем занимался? Разбил машину?

— Разве можно говорить такие вещи? Ответь, пожалуйста.

— Ну так как? — Джесси смеялась точно так же, как и он.

— Нет, я продал ее, чтобы купить мотоцикл «хонда». Я почему-то подумал, что он тебе больше понравится.

— Замечательная мысль! Ну, милый. Я вся дрожу от нетерпения. Скажи мне, насколько плоха старушка?

— Плоха? Да будет тебе известно, что она не только в безукоризненном состоянии, но вымыта и находится в лучшем виде, чем когда ты уезжала. Бедная малютка была грязнулей!

— Знаю. — Джесси опустила голову, и он ухмыльнулся.

— Вы позорите мою репутацию, миссис Кларк, но я вас люблю. — Ян поцеловал ее в кончик носа, и Джесси обвила его шею руками.

— Как я рада снова быть дома, — тихо вздохнула она, стоя в его объятиях, пока они ждали, когда ее багаж появится на ленте транспортера.

Ян увидел, с каким облегчением Джесси произнесла это. Она не любила уезжать, не любила летать, боялась смерти, опасалась того, что он погибнет в автокатастрофе, пока ее не будет. С тех самых пор, как ее родители и брат... сколько смертей. Яну было больно смотреть, что с ней сделало горе. Джесси так полностью и не оправилась после смерти брата, но потеря родителей... Ян боялся, что она может покончить с собой. Ужасы, истерики, ночные кошмары. Джесси порой одолевало непередаваемое чувство одиночества и страха. Временами он ее просто не узнавал. Неожиданно она становилась такой беспомощной, такой непохожей на привычную Джесси. Складывалось впечатление, что Джесси хочет, чтобы и он был зависим от нее... Это произошло, когда Ян дал жене уговорить себя бросить работу и посвятить все время литературному труду. Джесси могла позволить себе это. Но у Яна не было уверенности в том, что он может себе это позволить. Тем не менее такое положение вещей устраивало их обоих. Он на самом деле был для нее единственным близким человеком.

Джесси, подняв голову, опять взглянула на него и улыбнулась.

— Ну держись, когда я привезу тебя домой, миссис Кларк.

— Распутник.

— Угу. И тебе это нравится.

— Да. Нравится.

Люди обращали на них внимание, но они ничего не замечали. Они давали посторонним возможность полюбоваться собой, чему-то улыбнуться, чему-то порадоваться, чего-то захотеть. Как правило, их появление вызывало всеобщий интерес.

Они прошли в гараж, чтобы забрать «морган», и Джесси не смогла сдержать улыбку, когда увидела автомобиль.

— Боже, выглядит здорово. Что ты с ним сделал?

— Отдал в мойку. Попробуй как-нибудь. Тебе понравится.

— Замолчи. — Джесси притворно замахнулась на мужа, он увернулся и перехватил ее руку. В эту минуту она рассмеялась.

— Прежде чем ты меня побьешь, амазонка, забирайся внутрь машины. — Ян слегка шлепнул ее и отпер дверь.

— Негодяй, не называй меня амазонкой. Приставала!

— Приставала? Я не ослышался? — Он притворился удивленным и подошел к ней. — Леди, как вы смеете так меня называть? — С этими словами он схватил ее и затолкал в машину. — Вот так-то лучше. И позволь мне кое-что тебе заметить. С такими габаритами эта тачка не для тебя!

— Враки! — Но Ян знал, что жена пропускает мимо ушей шпильки по поводу ее роста. Им обоим нравились такие шутки. — Кроме того, похоже, я расту вниз.

— Вот как? Уже дошла до шести футов одного дюйма, а? — Он фыркнул, закончив привязывать ее сумку на полке для багажа сзади. Верх машины был по-прежнему опущен, и Джесси с улыбкой наблюдала за ним.

— Убирайся к черту. Ты отлично знаешь, что во мне только пять футов одиннадцать дюймов, а на днях я измеряла свой рост, и во мне оказалось всего лишь пять футов и десять с половиной дюймов.

— Ты, должно быть, присела. — Он устроился на сиденье рядом с ней и повернулся, чтобы посмотреть ей в глаза. — Здравствуйте, миссис Кларк. Добро пожаловать домой.

— Здравствуй, любовь моя. Как хорошо вернуться назад. — Они улыбнулись друг другу. Она сняла жакет и закатала ру-

кава блузки. — Сегодня было жарко? Тепло чувствуется даже
сейчас.

— Как в кипящем котле, ясно и солнечно. Если и завтра
будет такая же погода, можешь позвонить в магазин и сказать,
что ты попала в снегопад в Чикаго. Мы идем на пляж.

— Попала в снегопад! В сентябре? Ты с ума сошел. Послушай, дорогой, я правда не могу. — Но его предложение ей
понравилось, и Ян это знал.

— Можешь-можешь. Если понадобится, я тебя похищу.

— Наверное, я смогу прийти туда попозже.

— Ты ухватила суть. — Ян одарил ее улыбкой триумфа-
тора и нажал на газ.

— Как прошел день?

— На удивление хорошо. И было бы еще лучше, если бы
ты была дома. Я набрался у Энрико и не знал, куда себя деть.

— Не сомневаюсь, ты кого-нибудь подцепил. — В ее тоне
не было злобы, а лицо сохраняло непроницаемое выражение.

— Не-е. Ничего особенного.

Глава 3

— Джесси, ты — самая лучшая женщина из всех, кого я знаю.

— Взаимно. — Она лежала на животе, улыбаясь ему, в воздухе витал запах их тел, волосы у обоих были взъерошены. Они недавно проснулись и в очередной раз занялись любовью.

— Это не может быть взаимно, глупышка. Я не красавец.

— Нет, ты — замечательный мужчина.

— А ты — восхитительно старомодна. Ты должна жить с писателем.

Джесси опять улыбнулась, и он нежно провел пальцем по ее спине.

— Дорогой, если ты будешь продолжать в том же духе, у тебя будут неприятности. — Она затянулась сигаретой, которую они вместе курили, и выпустила дым над его головой, прежде чем сесть, чтобы вновь поцеловать Яна.

— Джесси, когда мы идем на пляж?

— А кто сказал, что мы идем на пляж? Боже мой, дорогой. Мне надо наведаться в свой магазин. Я не была в нем целых три недели.

— Подумаешь, будет днем больше. Ты же сказала, что пойдешь сегодня со мной на пляж. — Ян был похож на надувшегося ребенка.

— Нет.

— А по-моему, да. Ну почти да. Я сказал, что похищу тебя, и кому-то, кажется, понравилась эта мысль.

Джесси засмеялась, проведя рукой по его волосам. Ян был невозможен. Большой ребенок. Но такой хороший. Она никогда не могла возразить ему.

— Знаешь что?

— Что? — Ян остался доволен, когда опустил взгляд на ее лицо. Утром она была красивой.

— Ты невыносим, вот что. Мне нужно работать. Как я могу пойти на пляж?

— Очень просто. Позвони девочкам и скажи, что ты появишься там завтра. И мы — свободны. Легче не бывает. Не упускать же такой денек.

— Может быть, лучше потратить его с большей пользой? Заработать на жизнь, к примеру. — Такие доводы были ему не по душе. В них крылся намек на то, что он не вносил свою лепту в семейный бюджет. — Как насчет того, чтобы я поехала утром и вернулась пораньше?

— Хорошо, возвращайся, как только опустится туман. Джессика, ты прямо горишь на работе.

Но она, обнаженная, уже направилась на кухню, чтобы сварить кофе, и ответила на ходу:

— Обещаю, что уйду из магазина в час. Устраивает?

— Лучше, чем ничего. Боже, как ты нравишься мне со спины. Ты сбросила вес.

Джесси улыбнулась и послала мужу воздушный поцелуй.

— В час, обещаю. И мы сможем там пообедать.

— Значит ли это то, что я подумал? — Ян опять улыбался, и она кивнула. — Тогда я заеду за тобой в двенадцать тридцать.

«Леди Джей» разместилась на первом этаже ухоженного старого особняка чуть в стороне от Юнион-стрит. Здание было покрашено в желтый цвет, а витрины отделаны белым. Название выгравировали на небольшой медной табличке, прикрепленной к двери. Джесси распорядилась, чтобы сделали широкое венецианское окно. Дважды в месяц она сама выставляла новые товары в витрине, делая это просто и эффектно.

Она остановила «морган» у входа и подняла глаза, чтобы посмотреть, какие изменения произошли в витринах за время ее отсутствия. Коричневая юбка из твида, рубашка цвета верблюжьей шерсти, янтарные бусы, вязаная шляпка с отделкой и маленький рыжеватый жакет, повешенный на спинку стула из зеленого бархата. Все это выглядело чертовски привлекательно, а самое главное — удачный выбор для осени. Не для бабьего лета. Но это не так важно. Никто не покупал для бабьего лета, вещи приобретались на осень.

В то время, пока она брала дипломат из машины и шла к двери, перед ее мысленным взором промелькнули туалеты, которые она заказала в Нью-Йорке. Дверь была открыта: девочки знали, что она будет рано.

— Посмотри, кто пришел! Зина! Джесси вернулась. — Миниатюрная девушка восточного типа с хрупкими чертами лица хлопнула в ладоши, вскочила на ноги и с восторгом подбежала к Джесси. — Потрясающе выглядишь!

Длинноногая и светловолосая Джесси была полной противоположностью изящной японке. Ее блестящие черные волосы были модно подстрижены.

— Кэт! Ты обрезала волосы! — Джесси на какое-то мгновение потеряла дар речи. Еще месяц назад волосы японки доходили до талии, когда она не укладывала их тугим узлом на затылке. Девушку звали Катсуко, что означает «мир».

— Мне надоело с ними возиться. А как тебе это нравится? — Улыбаясь, она сделала пируэт на одной ноге, волосы закружились вслед за ней. Катсуко пришла в черном, она предпочитала этот цвет, подчеркивавший легкость ее фигуры. Именно кошачья грация девушки послужила поводом для такого прозвища.

— Мне нравится. Шикарно.

Они улыбнулись друг другу, но тут их прервал радостный возглас:

— Боже милостивый! Ты — дома!

Это была Зина. Чувственная полногрудая южанка с золотисто-каштановыми волосами, которые танцевали вокруг головы венцом мелких кудряшек, и карими глазами. Ноги у нее были потрясающе сексуальные. Мужчины таяли, когда она шла, а ей нравилось их дразнить.

— Ты заметила, что Кэт сделала со своими волосами? — Она так произнесла слово «волосы», как будто это было что-то незыблемо-вечное. — Я бы год ревела, — улыбнулась она. Каждое свое слово Зина превращала в ласку. — Как Нью-Йорк?

— Бесподобный, замечательный, ужасный, отвратительный и жаркий. Приятно и с пользой провела время. Подождите-ка, пока не увидите, что я купила.

— А какие цвета? — Для девушки, которая почти всегда носила только белое или черное, у Кэт было редкое чутье на яркие цвета. Она умела со вкусом подбирать их, знала, какие купить, как сделать так, чтобы они подчеркивали друг друга. В общем, все, кроме того, как их носить.

— Вся коллекция в пастельных тонах. Такая красота, вы умрете. — Джессика с важным видом прошлась по толстому бежевому ковру. Прекрасно снова вернуться в свои владения. — Кто оформлял витрину? Выглядит потрясающе.

— Зина. — Кэт ловко подтолкнула подругу вперед для похвалы. — Разве не удачная находка с зеленым стулом?

— Здорово придумано. За время моего отсутствия, похоже, ничего не изменилось. Вы обе так же неразлучны, как сиамские близнецы. А как наши доходы?

Джесси устроилась в своем любимом бежевом кожаном кресле, очень глубоком. Мужчины обычно выбирали его, когда им приходилось ждать.

— Мы заработали кучу денег. За первые две недели, во всяком случае. На этой наступило затишье, погода была слишком хорошая, — ответила Кэт скороговоркой.

Замечание о погоде напомнило Джесси о том, что у нее только четыре часа на работу, потом за ней заедет Ян и они отправятся на пляж.

Зина передала ей чашку черного кофе, а Джессика тем временем оглядывалась вокруг. То, что она увидела, представляло собой осенний ассортимент товаров, которые были приобретены пять месяцев назад, в основном в Европе. Бежевые и коричневые изделия из шерсти неплохо смотрелись на фоне изысканного интерьера магазина. По углам двух зеркальных стен располагались настоящие джунгли. Искусно освещенная зелень свисала и с потолка.

— Как расходятся вещи из Дании? — Датчане очень увлекались красным: юбки, свитера, три разных вида блейзеров и замечательное пальто темно-вишневого цвета с запахом, в котором женщина чувствовала себя такой же экзотичной и сексуальной, как в манто из натурального меха. Изумительное пальто. Одно Джесси уже заказала для себя.

— Они раскупаются прекрасно. — Это вмешалась Зина со своей тягучей новоорлеанской речью. — Как Ян? Мы не видели его несколько недель. — Он появился один раз, на следующий день после отъезда Джесси, чтобы получить деньги по чеку.

— Работает над новой книгой.

Зина тепло улыбнулась и кивнула. Он был ей симпатичен. Чего нельзя было сказать о Кэт. Она помогала вести бухгалтерские книги и поэтому знала, сколько он тратил из того, что зарабатывала Джессика. Что касается Зины, то она работала в бутике дольше Катсуко, знала Яна лучше и ценила его по достоинству. Кэт по сравнению с ней считалась новичком, и в ее сердце еще не растаял ледок Нью-Йорка. Когда-то она

работала в отделе спортивной одежды крупного универмага, пока
не устала от постоянного прессинга и решила переехать в Сан-
Франциско. Она получила работу в «Леди Джей» буквально в
течение недели после приезда и была счастлива, как, впрочем, и
Джесси, которая в ее лице приобрела опытную сотрудницу.

Три женщины провели полчаса, весело болтая за кофе,
пока Катсуко показывала Джесси вырезки из газет, где упо-
минался бутик. У них появились две новые покупательницы,
которые чуть не купили всю осеннюю коллекцию. Джесси поделилась своими планами. Она хотела организовать показ мод
до отъезда в Кармел в октябре. Широкое поле деятельности
для фантазии Кэт.

С появлением Джесси жизнь в бутике забурлила еще сильнее, вместе они составляли могучий триумвират. Каждая из
женщин обладала своими достоинствами и талантами. Магазин
не замирал во время отсутствия хозяйки. Она не могла допустить такого и, конечно, не потерпела бы подобного разгиль-
дяйства от своих служащих. Обе девушки прекрасно знали это
и дорожили своей работой. Джесси хорошо им платила, они
приобретали модную одежду по смехотворно низким ценам, а
кроме того, у них установились дружеские взаимоотношения,
что являлось редкостью. В Нью-Йорке Кэт пришлось сменить
три места службы. А Зина с трудом отделывалась от озабоченных мужчин, хотевших, чтобы она для них печатала, сте-
нографировала и спала с ними, впрочем, не обязательно в такой
последовательности. Джессика надеялась, что девушкам окажется по силам длинный рабочий день и нелегкий труд, не
жалела и себя. Она не сомневалась в успехе своего начинания
и рассчитывала, что Кэт и Зина будут помогать ей в этом.
Джесси наполняла новой жизнью каждое время года, что определенно нравилось покупателям. Положение «Леди Джей»

было прочным, как скала. Таким же, как и сама Джессика, и окружающие ее.

— Ну а теперь я, пожалуй, просмотрю почту. С этим все в порядке?

— Никаких проблем. Зина ответила даже на самые дурацкие послания. Две женщины, приезжавшие сюда, интересовались, есть ли по-прежнему в продаже маленькие желтые свитера с воротником «хомут». Все в таком роде...

— Зина, ты прелесть.

— К вашим услугам. — Она сделала глубокий реверанс, и ярко-зеленая блузка без рукавов, которую она надела с белыми брюками, натянулась под тяжестью ее груди.

Джесси задумчиво поднялась на три ступеньки, направляясь в свой кабинет, и огляделась. Все радовало глаз, почта была рассортирована и аккуратно разложена, счета оплачены. Одного взгляда было достаточно, чтобы убедиться, что дела в полном порядке. Теперь ей оставалось только просмотреть письма. Но не успела Джесси дочитать одно письмо, когда на пороге появилась озадаченная Зина.

— Джесси, там какой-то мужчина хочет тебя видеть. Говорит — срочно.

— Хочет видеть меня? А что ему нужно?

— Он не сообщил. Но попросил меня передать вот эту визитку. — Зина протянула маленький прямоугольник из твердой белой бумаги, и Джесси взглянула ей в глаза.

— Что-то случилось?

Зина недоуменно пожала плечами, и Джесси прочитала имя: «Уильям Хоугтон. Инспектор. Полиция Сан-Франциско». Ничего не понимая, она посмотрела на Зину, надеясь получить от той хоть какое-то объяснение:

— Что-нибудь произошло, пока меня не было? Нас обокрали? — Боже мой, как это на них похоже: не беспокоить ее

дурными вестями с порога, а отложить их на потом и рассказать через час или два!

— Нет, Джесси. Честно. Ничего не случилось. Понятия
не имею, в чем дело. — Голос Зины звучал по-детски в те
минуты, когда она волновалась.

— И я не знаю. Пригласи его сюда. Я поговорю с ним.

Уильям Хоугтон появился, с явным интересом следуя за
Зиной и не сводя голодных глаз с ее аппетитной фигуры.

— Инспектор Хоугтон? — Джесси выпрямилась в полный рост, и Хоугтон, похоже, обратил на нее внимание. Эта
троица представляла собой волнующее зрелище; Катсуко тоже
не обошел его пристальный взгляд. — Я — Джессика Кларк.

— Я хотел бы поговорить с вами наедине, если это возможно.

— Хорошо. Не желаете чашечку кофе?

Дверь за Зиной закрылась. Инспектор отрицательно покачал головой. Она указала ему на стул возле своего стола и
снова опустилась в кресло.

— Чем могу быть вам полезна, инспектор? Мисс Нельсон
сказала, что у вас ко мне срочное дело.

— Да. Именно. Это ваш «морган» стоит на улице?

Джесси кивнула, чувствуя себя неловко под его пристальным изучающим взглядом. Она недоумевала: неужели Ян опять
забыл оплатить штрафы за нарушение правил уличного движения? Однажды ей уже пришлось вытаскивать его из-за решетки,
заплатив круглую сумму в двести долларов. В Сан-Франциско
не бросали слов на ветер. Платите штраф или отправляйтесь в
тюрьму. Не проезжайте на красный свет — и не расстанетесь
с двумя сотнями.

— Да, это моя машина. — Джессика любезно улыбнулась, надеясь, что ее руки не трясутся, пока она прикуривала

новую сигарету. Абсурд. Она не сделала ничего противозаконного, но что-то такое в этом человеке, в самом слове «полиция» вызывало чувство неизбежной вины. Панику. Ужас.

— Вы были за рулем вчера?

— Нет. Я уезжала по делам в Нью-Йорк. Прилетела прошлой ночью. — Она отвечала, словно оправдываясь. Сумасшествие какое-то. Если бы только рядом был Ян. Ему лучше удавалось справляться с неурядицами.

— Кто еще водит вашу машину?

— Мой муж. — Что-то опустилось у нее в груди, когда она упомянула Яна.

— Он был вчера за рулем? — Инспектор Хоугтон прикурил сигарету и оценивающе оглядел ее с ног до головы.

— Я не знаю наверняка. У него есть собственная машина, но встречал он меня в аэропорту на моей. Я могу позвонить ему и спросить.

Хоугтон кивнул, и Джессика помедлила.

— Кто еще пользуется машиной? Брат? Друг? Приятель? — Его глаза так и впились в ее лицо на последнем слове, и она почувствовала гнев.

— Я замужняя женщина, инспектор. Никто больше не водит мою машину. Только мой муж и я. — Она выиграла очко, но что-то в его лице говорило ей, что до победы было еще далеко.

— Машина зарегистрирована по месту работы? У вас коммерческие номера, и местом регистрации является этот магазин! — «Магазин»! Бутик, а не магазин! — Как я понимаю, вы им владеете.

— Совершенно верно. Инспектор, а в чем дело? — Джессика медленно выдохнула воздух и наблюдала за дымом, ее рука слегка подрагивала. Что-то не так.

— Я бы хотел поговорить с вашим мужем. Не могли бы вы дать мне адрес его офиса? — Хоугтон мгновенно вынул ручку и ждал, нацелив ее на оборот одной из своих визиток.

— Это по поводу квитанции за нарушение правил парковки? Я хорошо знаю моего мужа... Он... он забывчивый. — Она улыбнулась Хоугтону, но это не произвело на него никакого действия.

— Нет, это не по поводу парковки. Рабочий адрес вашего мужа? — Его глаза превратились в две льдинки.

— Он работает дома. Это в шести кварталах отсюда. На Валейо. — Джесси хотела предложить проводить его, но не посмела. Она черкнула адрес на одной из своих визитных карточек и передала инспектору.

— Спасибо. Буду поддерживать с вами связь.

Но в чем дело, черт возьми? Она хотела знать. Но он уже встал и направился к двери.

— Инспектор, я буду вам благодарна, если вы объясните мне, в чем дело. Я...

Он снова странно посмотрел на нее тем пронизывающим взглядом, который задавал вопросы, но не отвечал на них.

— Миссис Кларк, я не вполне уверен. Когда мои подозрения рассеются, я вам сообщу.

— Спасибо. — «Спасибо»? Спасибо за что?

Но Хоугтон уже ушел, и когда она спустилась в торговый зал магазина, то увидела, как он сел в седан оливкового цвета и умчался. За рулем был другой мужчина. Эти люди работали парами. Антенна автомобиля резко изогнулась, когда седан сорвался с места в направлении Валейо.

— В чем дело? — Лицо Катсуко было серьезным, а Зина выглядела расстроенной.

— Я тоже хотела бы знать, черт возьми. Он только спросил, кто водит машину, а потом добавил, что хочет поговорить с Яном. Черт бы их всех побрал, бьюсь об заклад, он опять не платил штрафы за парковку. Однако здесь что-то не то, да и Хоугтон сказал, что дело в другом — или в этом? О Господи, прекрасное возвращение домой!

Джесси вернулась в кабинет и набрала домашний номер. Линия была занята. А затем в бутик вплыла Триш Барклай, и Джесси пришлось заниматься такой чепухой, как меховой жакет в витрине, который она хотела купить. Триш была одной из ее лучших покупательниц, и Джесси пришлось повозиться с ней какое-то время. Она освободилась только через двадцать пять минут. Теперь на ее звонок никто не отвечал.

Невероятно! Ян должен быть там. Он был дома, когда она уезжала в бутик. И линия была занята, когда она звонила... Господи, неужели что-то серьезное? Может, он попал в аварию и не сказал ей? Может быть, кто-то пострадал? Но ведь Ян не стал бы скрывать это от нее. Гудки шли один за другим. Телефон звонил беспрерывно, но на том конце не брали трубку. Возможно, он уже выехал. Было начало двенадцатого.

Но тут Нику Мориссу понадобилось «что-нибудь впечатляющее» на день рождения его жены. Он совершенно забыл об этом, и теперь до полудня ему нужно было накупить вещей по крайней мере на четыреста долларов. Джессика ругала себя последними словами, но не могла не помочь ему. Ей был симпатичен Ник, и до того, как он ушел из магазина, доверху нагруженный сверкающими желтыми и коричневыми коробками, в дверях появилась Барбара Фуллер, а за ней Холли Дженкинс, а потом... потом был уже полдень. А от Яна никаких известий. Она попробовала позвонить ему еще раз и, не получив ответа, начала паниковать. В это время он уже должен был быть здесь. Он обещал забрать ее в половине первого.

В час он так и не показался, и Джессика была готова расплакаться. Ужасное утро. Посетители, напряжение, доставка товаров, проблемы. Вот так возвращение домой. И где же Ян? А этот негодяй Хоугтон прямо-таки довел ее своими таинственными вопросами о машине. Она закрылась в кабинете, когда Зина ушла на ленч. Ей требовалось некоторое время побыть одной, чтобы собраться с мыслями, перевести дух, чтобы набраться смелости сделать то, чего она не хотела делать. Но ей необходимо все выяснить. В конце концов, это не так уж трудно. Надо только набрать номер, спросить, не задержан ли Ян Пауэрс Кларк, и вздохнуть с облегчением, услышав отрицательный ответ. Или схватить чековую книжку и сломя голову бежать туда, если его опять загребли за нарушение правил парковки. Дело привычное. Но прежде чем она набралась мужества поднять трубку, ей пришлось выпить еще одну чашку кофе и выкурить сигарету.

Справочная дала номер городской тюрьмы. Что за бред! Она чувствовала себя в дурацком положении и ухмыльнулась, думая о том, что скажет Ян, войдя в тот момент, когда она будет звонить в тюрьму. Да он же неделю будет над ней издеваться.

В ухо рявкнул голос:

— Городская тюрьма. Палмер у аппарата.

Господи, что теперь? Ладно, раз позвонила, надо спрашивать.

— Я... я хотела бы узнать, нет ли у вас там мистера Яна Кларка, Яна Пауэрса Кларка, сержант. За нарушения правил парковки.

— Произнесите по буквам! — Дежурный сержант не был удивлен. Нарушение правил — дело серьезное.

— Кларк. Ян. Я-н К-л-а-р-к. — Она сделала глубокую затяжку, пока ждала. Катсуко просунула голову в дверь, интересуясь насчет ленча. Джессика яростно замотала головой и глазами показала закрыть дверь. Нервы стали сдавать еще несколько часов назад, с приездом инспектора Хоугтона.

После невыносимой паузы голос в телефонной трубке ответил:

— Кларк. Да. Он у нас.

Молодец — нечего сказать. Джессика перевела дух. Это было неприятно, но не конец света. По крайней мере сейчас она знала, где он, и могла вытащить его за каких-нибудь полчаса. Ей стало любопытно, сколько же квитанций он не оплатил на этот раз. Но уж теперь-то ему придется выслушать все, что она о нем думает. Как он ее напугал. Вероятно, Хоугтон этого и добивался, не признаваясь, что дело было в нарушении правил парковки. Ублюдок.

— Попал к нам час назад. С ним сейчас разговаривают.

— За неправильную парковку? — Как глупо. Дальше некуда.

— Нет, леди. Не за парковку. Три случая изнасилования и обвинение в нападении с той же целью.

Джесси казалось, что на нее опускается потолок, а стены сжимаются, чтобы лишить ее возможности дышать.

— Что?

— Три случая изнасилования и обвинение в нападении.

— Бог ты мой! С ним можно поговорить? — Ее так трясло, что пришлось взяться за трубку сразу двумя руками. Она почувствовала, как завтрак подкатывает к горлу.

— Нет. Он может поговорить только со своим адвокатом, а вы встретитесь с ним завтра. Между одиннадцатью и двумя. Сумму залога еще не установили. Обвинение будет предъявлено в четверг.

Сержант повесил трубку. Она с бессмысленным выражением глаз по-прежнему держала трубку в руках, а слезы текли по ее щекам. В этот момент дверь открылась, и показалась Катсуко, протянувшая ей сандвич. Девушка сразу же оценила ситуацию.

— Боже мой. Что произошло? — Она остановилась на полпути и уставилась на потрясенную Джессику. Та никогда не теряла самообладания, никогда не плакала, никогда не проявляла нерешительности, никогда не... По крайней мере они никогда не видели ее такой в магазине.

— Я не знаю, что случилось. Но произошла невероятная, ужасная, нелепейшая ошибка!

Джессика перешла на крик и, схватив принесенный Кэт сандвич, запустила его в противоположную стену. Три случая изнасилования. И одно нападение. Что, черт возьми, происходит?

Глава 4

— Джесси, ты куда?

Она пролетела к двери мимо возвращавшейся с ленча Зины:

— Считайте, что я еще не вернулась из Нью-Йорка. Я отправляюсь домой. Мне не звоните. — Она рывком открыла дверь машины и нырнула внутрь.

— Ты заболела? —успела крикнуть Зина, но Джессика только помотала головой, включив зажигание и выжав педаль газа, она была уже далеко.

Сраженная Зина вошла в бутик, Катсуко не могла сообщить ей ничего определенного. Джесси была расстроена, но Кэт не знала причины. Это имело какое-то отношение к визиту полицейского сегодняшним утром. Девушки были встревожены, но она запретила звонить ей домой, а днем в магазине было полно работы, и у них не оставалось времени на разговоры. Катсуко прикинула, что это как-то было связано с Яном. Зина пребывала в полном неведении.

Добравшись домой, Джессика одной рукой схватила телефон, а другой — записную книжку. На столе осталась полупустая чашка кофе. Ян только сел за завтрак, когда его схватили, и какие-то детали подсказали ей, что именно Хоугтон взял на себя эту миссию. Интересно, видели ли соседи? Стопка страниц новой книги лежала рядом с кофейной чашкой. Никакой записки или послания. Должно быть, он был потрясен до глубины души. Очевидно, обвинение показалось абсурдным и ему. Ведь арестовали не того человека. Через несколько часов кошмар закончится, и он будет дома. К Джессике вернулась способность рассуждать здраво. Теперь ей нужен был только защитник. Она просто не позволит себе паниковать. Записная книжка выдала требуемое имя и номер телефона. Джесси повезло, он был свободен и не на ленче, как она опасалась. Он был тем самым человеком, которого уважали и она, и Ян, адвокат с хорошей репутацией, старший компаньон в своей фирме. Филип Уолд.

— Но, Джессика, я не занимаюсь уголовными делами.

— Какая разница?

— Боюсь, большая. Вам нужен хороший защитник по уголовным делам.

— Но он не делал этого. Нам нужен кто-то, чтобы разобраться во всей путанице и вытащить его оттуда.

— Ты говорила с ним?

— Нет, мне не разрешили. Послушай, Филип, ну пожалуйста. Зайди к ним и переговори. Побеседуй с Яном. Все это — полный абсурд.

На другом конце провода молчали.

— Что ж, это в моих силах. Но я не могу взять дело. Это было бы нечестно по отношению к вам обоим.

— Какое дело? Его всего лишь неправильно опознали.

— А ты знаешь, на чем строится обвинение?

— Что-то связанное с моей машиной.

— Они установили номер?

— Да.

— Ну, тогда они могли спутать цифры или буквы.

Она не произнесла ни слова, но трудно было спутать буквы в слове «Джесси» и выйти не на то имя. Это единственное, что беспокоило ее. Зацепка за машину.

— Вот что я тебе скажу: я поеду и встречусь с ним, разузнаю, в чем дело, и также дам тебе несколько адресов адвокатов по уголовным делам. Потом я им позвоню и сообщу все, что смогу узнать. Объясню, что это я посоветовал тебе обратиться к ним.

Джесси глубоко вздохнула:

— Спасибо, Филип. Это мне поможет.

Он продиктовал ей имена и пообещал заскочить, как только встретится с Яном. А она, отпив глоток остывшего кофе мужа, принялась звонить друзьям Филипа — специалистам по уголовным делам. Звонки были неутешительными.

Первого не было в городе, второй выступал в суде всю следующую неделю и не мог взяться за новое дело, третий был слишком занят, чтобы разговаривать с ней, четвертого не было на месте, пятый же соизволил уделить ей какое-то время. Джесси не понравился его голос.

— У него уже есть судимости?

— Нет. Конечно, нет. Только нарушения правил парковки.

— Наркотики? Были какие-нибудь проблемы с наркотиками?

— Никаких.

— Он пьет?

— Нет. Только вино по праздникам. — Господи, он уже уверен, что Ян виновен. Это чувствуется.

— Знал он эту женщину раньше... мм... Был он до этого с ней знаком?

— Я ничего не знаю о женщине и считаю, что все это ошибка.

— Почему вы так думаете? — Ублюдок. Джесси уже ненавидела его.

— Я знаю моего мужа.

— Она опознала его?

— Я не в курсе. Мистер Уолд все вам передаст, когда вернется после встречи с Яном.

В тюрьме... О Господи... Ян был в тюрьме, а этот чертов адвокатишка задавал ей дурацкие вопросы о том, знал ли он женщину, которая обвиняла его в изнасиловании, или нет. Кого это интересует? Джесси хотела только одного — чтобы муж вернулся домой. Сейчас. Неужели никто ее не понимает? Ей стало трудно дышать, когда она попыталась унять волнение в голосе и скрыть растущую панику.

— Так вот что я вам скажу, юная леди. У вас и вашего мужа серьезные проблемы. Однако это дело меня заинтересовало. — «О, Бог ты мой». — И я согласен взяться за него. Но есть еще один вопрос. О моем гонораре. Он оплачивается вперед.

— Вперед? — Джесси была потрясена.

— Да. Вы узнаете, что большинство, если не все мои коллеги поступают точно так же. Мне на самом деле нужно подготовиться к ведению дела, потому что если я хоть раз покажусь в Верховном суде, выступая защитником вашего мужа, я буду считаться его официальным адвокатом и, следовательно, обязан буду вести это дело, заплатите вы или нет. А если ваш муж отправится в тюрьму, то вы можете и не заплатить. У вас есть какие-нибудь сбережения?

Ян отправится в тюрьму? Ах ты сволочь!

— Да, у нас есть средства. — Она едва могла разжать зубы.

— Какого рода авуары?

— Могу вас заверить, что я в состоянии оплатить ваш гонорар.

— Отлично, но я хочу быть уверен. Мой гонорар составит пятнадцать тысяч долларов.

— Что? Вперед?

— И я бы хотел получить половину суммы до предъявления обвинения. Если я не ошибаюсь, вы сказали, что это произойдет в четверг. А половину сразу же после

— Но я не смогу обратить авуары в наличность за два дня.

— В таком случае я не смогу взяться за ваше дело.

— Благодарю вас. — Джесси хотела послать его ко всем чертям, но к тому моменту она уже опять начала паниковать. Ну кто ей поможет?

Шестой адвокат, рекомендованный Филипом, оказался более приятным человеком. Его звали Мартин Шварц.

— Похоже, у вас или по крайней мере у вашего мужа чертовски серьезные проблемы. Как вы считаете, он виновен?

Интересный вопрос. Джессика колебалась только мгновение. Требовалось дать взвешенный ответ.

— Нет. И не потому, что я его жена. Я не верю, что он мог совершить нечто подобное. Это не похоже на него, и нет совершенно никаких причин.

— Хорошо, я возьмусь за ваше дело. Однако должен заметить, миссис Кларк, люди иногда совершают странные вещи. Будьте готовы к этому. У вашего мужа могут оказаться такие наклонности, о которых вы и не подозревали.

Возможно. Но она этому не верила. Не могла поверить.

— Я бы хотел поговорить с Филипом Уолдом после того, как он встретится с вашим мужем, — продолжал Шварц.

— Была бы вам очень признательна за это. Предъявление обвинения назначено на четверг. К тому времени нам нужен официальный защитник. Филип считает, что он не годится для этого дела.

Дело... дело... дело... Она уже ненавидела это слово.

— Филип — отличный парень.

— Я знаю, мистер Шварц... Мне бы не хотелось упоминать об этом, но...

— Мой гонорар?

— Да, ваш гонорар. — Джесси глубоко вздохнула и почувствовала, как тугой комок сжимается у нее в груди.

— Мы можем это обсудить. Я попытаюсь оставаться в разумных пределах.

— Скажу вам честно, человек, с которым я разговаривала до вас, запросил пятнадцать тысяч к четвергу. Это мне не под силу.

— У вас есть какие-нибудь авуары?

О Господи. Опять то же самое.

— Да, есть. — Неожиданно ее тон стал негодующим. — У меня свое дело, дом, машина. У мужа тоже машина. Но мы не можем продать дом или мой бизнес за два дня.

— Я и не ожидал, что вы оплатите весь гонорар сразу, миссис Кларк. — Шварц говорил спокойно, но твердо. Что-то в нем успокаивало Джессику. — Но я подумал о том, что вам могут понадобиться дополнительные средства для выплаты залога, если они наскребут что-нибудь для обвинения, что еще бабушка надвое сказала. Сумма залога может оказаться весьма внушительной. Ну над этим мы будем голову ломать позже. Что касается моего гонорара, думаю, двух тысяч долларов, внесенных до суда, будет достаточно. Но это не протянется и двух месяцев, и если вы — друг Филипа, то я бы не волновался.

Ее поразило, что люди, которые не относились к «друзьям Филипа», жили в мире, полном проблем. Неожиданно Джесси почувствовала прилив благодарности к Филипу.

— Вас это устраивает?

Она молча кивнула с некоторым облегчением. Конечно, эти условия более приемлемы, чем те, которые ей сообщили несколько минут назад. Это полностью съест ее сбережения, но по крайней мере две тысячи долларов она была в состоянии достать. Об остальных пяти они будут думать позже, в том случае, если до этого дойдет дело. Если придется, она, не раздумывая, продаст «морган». Речь шла о жизни Яна, а он был нужен ей в миллион раз больше, чем автомобиль. Имелись еще мамины драгоценности. Но это было святое. Даже для Яна.

— Я согласна на ваши условия.

— Отлично. Когда мы сможем встретиться?

— Когда угодно.

— Тогда я хотел бы увидеться с вами завтра в моем офисе. Я поговорю с Уолдом сегодня днем, а утром навещу мистера Кларка. Вы сможете приехать к десяти тридцати?

— Да.

— Хорошо. Я возьму полицейские рапорты и посмотрю, что у них есть против него. Идет?

— Замечательно. Знаете, у меня как камень с души свалился. Признаюсь, я была в панике. Это все не для меня. Полиция, залог, пункты обвинения... Не пойму, что происходит. Не знаю даже, что, черт побери, уже произошло.

— Ну, это мы и собираемся выяснить. Так что пока отдыхайте.

— Спасибо, мистер Шварц. Очень вам благодарна.

— Увидимся утром. — Разговор окончился.

Джессика неожиданно опять разрыдалась. Какой ужасный день ей пришлось пережить. Господи, где Ян? Слезы вновь прочертили горячую дорожку по ее щекам. Ощущение было такое, будто они текли беспрестанно весь день. Ей нужно было привести себя в порядок. Скоро здесь будет Уолд.

Филип Уолд приехал в половине шестого. На его лице застыло выражение глубокой озабоченности, глаза выглядели уставшими.

— Вы видели его? — Джесси почувствовала, как слезы опять подступают к глазам, и изо всех сил старалась не расплакаться.

— Да.

— Как он?

— В порядке. Потрясен, но держится неплохо. Очень беспокоился о вас.

— Вы успокоили его? — Руки ее опять затряслись, а кофе, который она пила весь день, только усугублял положение.

— Я сказал ему, что вы расстроены, что вполне естественно в таких обстоятельствах. Джессика, давайте присядем.

Ей не понравилось то, как он это произнес, но, может быть, Филип всего-навсего устал. Им выпал долгий день. Бесконечно долгий.

— Я разговаривала с Мартином Шварцем. Думаю, он возьмет дело. Он собирался позвонить вам сегодня.

— Хорошо. Думаю, вам обоим он понравится. Мартин — хороший защитник и отличный человек.

Джессика проводила Филипа в гостиную, где он сел на длинный белый диван, с которого открывался прекрасный вид. Она же устроилась на мягком стуле, обтянутом бежевой замшей, рядом со старым, отделанным медью столом, которым они с Яном обзавелись во время медового месяца в Италии. Она набрала полную грудь воздуха и, глубоко вздохнув, вытянула ноги. Теплая, приятная комната, которая всегда приносила успокоение в ее душу. Но только не сейчас. В этот момент она чувствовала себя так, как будто прошли годы с тех пор, как ее ласкали руки Яна... Ей казалось, что прежняя жизнь уже никогда не вернется в этот дом.

Машинально ее взгляд упал на висевший над камином небольшой портрет мужа, сделанный несколько лет назад. С него ей нежно улыбался Ян. Сердце у Джессики заныло. Где он?

— Джессика?

Она сидела с отсутствующим выражением лица. Филип заметил, как она пристально посмотрела на портрет мужа и стала вдруг похожа на вдову в трауре. Какая у него отвратительная профессия. Он бросил взгляд в окно на открывающийся вид, давая ей возможность успокоиться. Однако Джесси полностью владела собой. Лишь глаза выдавали душевную муку.

Филип сомневался, что она готова выслушать его сейчас, но был обязан сообщить факты. От первого до последнего.

— Джессика, вы попали в беду.

Она с трудом улыбнулась и смахнула со щеки случайную слезу.

— Мягко говоря. Что нового?

Филип проигнорировал вялую попытку пошутить и продолжал. Он хотел разделаться с этим.

— Я считаю, что он ни в чем не виноват. Хотя Ян признался в том, что вчера днем переспал с женщиной. Ну, то есть он... состоял с ней в интимной связи.

Филип пытался превратить тошнотворные слова в одну длинную фразу.

— Понятно. — Но на самом деле она ничего не понимала. Да и что тут было понимать? Ян занимался с кем-то любовью. И та особа обвинила его в изнасиловании. Почему она ничего не чувствовала? Только невероятное оцепенение, опустившееся на нее, как огромная шляпа. Ни гнева, вообще ничего, только оцепенение. И, может быть, жалость к Яну. Но почему она была так нечувствительна? Наверное, потому, что ей пришлось услышать это от Филипа, человека относительно постороннего. Сигарета, которую Джессика держала в руке, догорела до фильтра и потухла, а она все ждала, что он продолжит.

— Ян говорит, что слишком много выпил вчера за ленчем, а вечером должны были приехать вы. Что-то о вашем отсутствии в течение нескольких недель и о том, что он все-таки мужчина. Избавлю вас от неприятных подробностей. Ян заметил девушку в ресторане и после нескольких порций спиртного она показалась ему симпатичной.

— Он подцепил ее? — Ощущение было такое, как будто кто-то другой произносил за нее слова. Джесси слышала их, но не ощущала, как двигаются ее губы. Казалось, в ней все умерло. Мозг, сердце, даже рот. Она чуть ли не истерически засмеялась, подумав о том, что будет, если ей понадобится отправиться в ванную. Конечно же, она обмочится прямо на замшевый стул и даже не заметит этого. Джессика чувствовала себя так, как будто ей ввели слишком большую дозу новокаина.

— Нет, Ян не подцепил ее. Он ушел из ресторана, чтобы поработать над книгой. Но, когда по пути к дому вновь проезжал мимо ресторана Энрико, случилось так, что она в тот момент оказалась на углу, а Ян остановился у светофора. И он предложил подвезти ее. Она оказалась не той, за кого себя выдавала. В машине выяснилось, что эта особа гораздо старше, чем он думал. На допросе она заявила, что ей тридцать, но Ян утверждает, что ей как минимум лет тридцать семь—тридцать восемь. Женщина дала ему адрес гостиницы на Маркет, где, по ее словам, она жила. Ян признался, что почувствовал к ней жалость, когда она пригласила его выпить. Он поднялся с ней, выпил — в ее комнате оказалось полбутылки бурбона. По его словам, вино ударило ему в голову, и он... переспал с ней.

Глядя в сторону, Уолд прочистил горло и продолжил:

— Ян утверждает, что дело обстояло именно так. Потом он оделся и поехал домой. Принял душ, вздремнул, перекусил и отправился встречать ваш самолет. Вот и вся история.

— Звучит довольно безвкусно, Филип, но не похоже на изнасилование. На чем строится обвинение?

— На ее заявлении. Ты должна понять, Джессика, какую спорную проблему в юридическом отношении сегодня представляет собой данная проблема. Годами женщины обращались в суд с заявлениями об изнасиловании, а мужчины все отрицали. Частные сыщики раскапывали якобы неопровержимые доказательства того, что истица не была девственницей, и сразу обвинение снималось, мужчин оправдывали, дела закрывались, а женщины были опозорены. По многим причинам сегодня такое невозможно, несмотря на то что случилось на самом деле. Теперь полиция и суды более осмотрительны, больше склонны верить женщинам. Все это очень хорошо... За редким исключением, когда появляются особы, преследующие корыстные цели, которые упекают за решетку какого-нибудь честного парня. Почти так же, как некоторые порядочные женщины были возмущены прежним положением дел, сегодня находятся мужчины, которые получают... гм... по больному месту.

Джессика не могла сдержать улыбку. Филип был таким высокоморальным человеком. Она была уверена, что он занимается любовью со своей женой в спортивных трусах от братьев Брукс.

— Полагаю, именно это и случилось с вашим мужем. Ян попал в руки больной, несчастной женщины. Она переспала с ним, а потом назвала это изнасилованием. Он говорит, что она была по-своему соблазнительной и утверждала, что работает официанткой в топлес-баре, но не в этом дело. Она могла замыслить сыграть с ним в очень плохую игру. И Бог знает, как часто она поступала так прежде с помощью коварства, угроз и обвинений. Представляется вероятным, однако, что она прежде не обращалась в полицию. Думаю, на то, чтобы изобличить ее во лжи, нам потребуется много времени. Конечно, судебного разбирательства не избежать. Изнасилование трудно доказать, но еще труднее доказать, что его не было. Если она настаивает на своем, то окружной прокурор обязан выступить с обвинением. И по всей видимости, расследующий это дело инспектор полиции склонен ей верить. Так что мы влипли. Если по каким-то причинам они решат, что им нужна его голова, дело пойдет в суд присяжных.

Долгое время они оба молчали, потом Филип вздохнул и заговорил снова:

— Я читал полицейские рапорты. Женщина утверждает, что он посадил ее в машину, она попросила отвезти ее назад в офис. Она работает секретарем в гостинице на Ван-Несс. Вместо этого он привез ее в отель на Маркет, где они... где они и выпили в последний раз. После такого признания Яну еще повезло, что его не обвинили в похищении людей. В любом случае он якобы принудил ее как к обычным половым сношениям, так и к... извращенным. Вот где начинаются пункты обвинения во втором и третьем случаях изнасилования и одно — в попытке. Хотя я полагаю, что от последнего они откажутся — о ней нет медицинского заключения.

Каким-то образом Филипу удавалось сохранять отстраненно-деловой тон в отношении деталей, но Джессику начинало подташнивать. Она чувствовала себя так, как будто плыла в огромной массе черной патоки, а все вокруг нее было таким тягучим, плотным и эфемерным. Ей захотелось взять нож и соскрести эти слова со своей кожи. «Так и к извращенным...» Что это значит?

— Ради Бога, Филип, что ты имеешь в виду под половыми извращениями? Ян совершенно нормален в постели.

Филип покраснел, Джесси — нет. Не время строить из себя пуритан.

— Оральный секс. И анальный. Они являются противозаконными, как ты знаешь.

Губы Джессики строго сжались. Она не видела ничего извращенного в оральном сексе.

— Не было явных свидетельств в отношении анального секса, но вряд ли они откажутся от этого пункта. К сожалению, прежде чем я попал туда, Ян уже признался инспектору в том, что имел связь с этой женщиной. Он не дал показаний об оральном или анальном сексе, но ему не следовало вообще признаваться в факте половых сношений. Чертовски стыдно, что он признался.

— Это повредит делу?

— Не уверен. Мы можем изъять протокол допроса из представленных в суд свидетельств на том основании, что Ян не вполне владел собой в тот момент. Мартин позаботится об этом.

Джессика какое-то мгновение сидела с закрытыми глазами, еще не веря в случившееся.

— Почему она пошла на это, Филип? Что рассчитывает получить? Деньги? Если это так, я дам ей, сколько бы она ни запросила. Я просто не могу поверить в реальность всего происходящего.

— Я понимаю, вам очень трудно свыкнуться с этим, Джессика. Но у вас отличный адвокат. Доверьтесь ему, он прекрасно проведет дело. И запомните: единственное, чего вы не должны делать ни при каких обстоятельствах, — это предлагать истице деньги. Полиция ни за что не откажется от этого дела, а вы будете виновны в совершении уголовного преступления и бог знает чего еще, если попытаетесь подкупить ее. Сейчас я серьезен как никогда. Полицейские, похоже, проявляют к вашему мужу особый интерес. Не часто к ним попадает дело об изнасиловании, совершенном жителем Пэсифик-Хайтс, и у меня складывается такое впечатление, что им хочется проучить богатых. Сержант Хоугтон уже отпустил несколько саркастических замечаний о «некоторых людях, которые думают, что им все сойдет с рук за счет остальных, с меньшими доходами». Это не бог весть какое умозаключение, но если он и вправду так думает, его нужно держать в ежовых рукавицах. Как мне кажется, сержант не имеет ни малейшего представления ни о Яне, ни о вас. Любопытно было бы узнать, не считает ли он вас парой ненормальных, которые делают все, что угодно, что-

бы только получить удовольствие. Кто знает, что у него на уме —
я только делюсь с вами своими впечатлениями, — но хочу, чтобы вы были очень осторожны, Джессика. Что бы вы ни делали, не заставляйте ее замолчать с помощью денег. Вы навредите
и Яну, и себе. Если ей нужны деньги, если она вам позвонит...
пускай говорит. Позднее вы сможете дать показания. Но не
платите ей ни цента!

Филип сделал особый упор на последнем предложении и
провел по волосам рукой.

— Мне неприятно вам все это говорить, Джессика, но вы
должны быть в курсе событий. Ситуация не из красивых, и,
должен признаться, держитесь вы замечательно.

Но в этот момент слезы опять подступили к глазам, и
Джессика была готова умолять его не быть таким добрым к
ней, не делать ей комплиментов по поводу ее самообладания.
Она могла справиться с самым худшим, но если кто-то пытался утешить ее, выражал сочувствие, заботился о ней... или Ян
вдруг сейчас войдет в дверь... то тогда она будет рыдать до
конца своих дней.

— Спасибо, Филип. — Он подумал, как странно, что ее
голос лишен каких-либо эмоций, как будто она хотела поскорее
избавиться от него. — По крайней мере очевидно, что это не
изнасилование. Будем надеяться, что в суде все прояснится.
Если это под силу Мартину Шварцу.

— Да, но... Джесси, будет очень неприятно. Ты должна
быть к этому готова.

Они встретились взглядами, и она кивнула:

— Я понимаю. — Но где там! На самом деле она так
ничего еще не поняла. Джессика была в шоке. Она усвоила
только две вещи: Яна не было рядом, и он спал с другой
женщиной. Нужно смотреть правде в глаза. Остальное дойдет
до нее позже.

Филип не мог сделать для нее большего, а кроме того, он недостаточно хорошо знал Джессику, чтобы как-то ее утешить. Только Ян разбирался в ее характере, в ее чувствах. Джесси заставляла Филипа нервничать. Внешне она оставалась спокойной. Он был благодарен ей за то, что она не устраивала сцен, но ее поведение замораживало его, и он не находил себе места. Филип представил свою жену в такой ситуации, как бы она стала реагировать на что-то подобное. Или его сестра, да вообще любая женщина, которую он знал. Джесси была из другого теста. Слишком уравновешенная, на его взгляд, но что-то такое пряталось в глазах, которые были как два разбитых окна. Только они и открывали тайну ее души.

— Как вы думаете, он мне позвонит? Ведь у него есть право на один телефонный звонок из тюрьмы. — Он так и сделал, когда его заграбастали за неуплату квитанций о парковке.

— Да, но, насколько я понимаю, Ян не хочет звонить вам, Джессика.

— Не хочет? — Она, похоже, еще дальше удалялась от него в мир своих переживаний.

— Нет. Он сказал, что не уверен, как вы отнесетесь к его звонку. Заметил, что это может быть последней каплей.

— Вот негодяй.

Филип отвел взгляд и спустя какое-то время стал прощаться. Для него это был чрезвычайно неприятный день. Хорошо, что он не занимался уголовными делами. Он не мог всего этого переварить. Да, не завидовал он Мартину Шварцу, сколько бы денег тот ни заработал на этом деле.

Джесси еще долго сидела в гостиной после ухода Филипа. Она ждала, что вот-вот раздастся звонок телефона... или в замке повернется ключ. Ведь такого не могло произойти на самом деле. Он обязательно придет домой. Как всегда. Она

постаралась притвориться, что дом не был таким пустым и
безжизненным. Джессика мурлыкала что-то под нос, говорила
сама с собой. Он не мог оставить ее одну. Нет!.. Иногда во
сне она слышала мамин голос... и голос Джейка... и отца... Но
никогда голос Яна... никогда... никогда... Он позвонит, он должен позвонить. Он не мог вот так бросить ее, такую напуган-
ную, он, конечно же, не поступил бы так с ней, Ян никогда не
нарушал своих обещаний... а сейчас нарушил. Джессика вспомнила об этом поздно ночью, сидя на полу в холле, в полной
темноте. Так она скорее должна была услышать, как повора-
чивается его ключ в замке. Муж вернется домой, но он не
сдержал обещания. Он спал с другой женщиной, и теперь ей
нужно было принять этот факт. Джесси не могла больше безразлично к этому относиться. Она ненавидела ее... ненавидела
ее... ее... но не его. О Господи, может быть, Ян больше не
любил ее... Может быть, он полюбил другую женщину... может быть... Почему же он не звонит ей, черт возьми? Почему
не... почему он... Слезы бежали по ее щекам, как струйки
теплого летнего дождика, когда она лежала на ровном деревян-
ном полу в холле и ждала Яна. Она пролежала так до утра.
Телефон так и не зазвонил.

Глава 5

Офисы Шварца, Дрюса и Джонаса размещались в здании «Американского банка» на Калифорния-стрит. Лучшего места для адвокатской конторы не найти. Усталая Джессика поднялась на сорок пятый этаж. На ней были большие темные очки и строгий темно-синий костюм. Этот туалет она держала специально для деловых встреч и похорон. В сегодняшнем визите было немножко и от того, и от другого. Десять двадцать пять. Она пришла на пять минут раньше, но Мартин Шварц уже ждал ее.

Секретарша проводила Джессику по длинному застеленному ковром коридору, из которого была видна широкая панорама залива. Офисы Шварца занимали весь угол в северной части здания. Очевидно, что это была большая и процветающая фирма.

Апартаменты Мартина Шварца могли похвастаться двумя стеклянными стенами, но внутреннее убранство офиса было сведено к минимуму, его смело можно было назвать спартанским. Из-за стола поднялся седовласый мужчина среднего роста в очках. Вид у него был несколько хмурый.

— Миссис Кларк? — Секретарша представила ее, но Шварц узнал бы и так. Его новая клиентка выглядела именно так, как он и ожидал: богатой и элегантной. Но она была моложе, чем он представлял, и более собранна.

— Да. Здравствуйте.

Джессика протянула руку, и Мартин поразился красоте молодой женщины. Он мысленно представил себе ее и небритого, усталого, но по-прежнему привлекательного молодого человека, с которым встречался этим утром в городской тюрьме.

Они, должно быть, отлично смотрятся вместе. Может быть, даже слишком хорошо: слишком красивые и слишком молодые.

— Присаживайтесь.

Она кивнула и, отказавшись от кофе, опустилась в кресло напротив его стола.

— Вы видели Яна?

— Да. И сержанта Хоугтона тоже. Уже назначен и помощник окружного прокурора. Вчера вечером я больше часа разговаривал с Филипом Уолдом. Теперь хочу побеседовать с вами, а потом мы посмотрим, что за дело у нас на руках.

Шварц попытался улыбнуться и зашелестел бумагами на столе.

— Миссис Кларк, вы когда-нибудь употребляли наркотики?

— Нет. Ни я, ни муж. Ничего сильнее нескольких самокруток с марихуаной. Но я полагаю, с тех пор прошло уже больше года. Нам не очень-то понравилось. И мы пьем только вино.

— Давайте не будем забегать вперед. Я хочу вернуться к наркотикам. Есть ли у вас знакомые, которые их употребляют?

— Из тех, кого я знаю, — нет.

— Что-нибудь подобное может всплыть в процессе слушания дела, миссис Кларк?

— Нет, я уверена.

— Хорошо. — Лицо Мартина несколько просветлело.

— Почему вы спрашиваете?

— Это те несколько пунктов, над которыми, как я подозреваю, может работать Хоугтон. Он сделал несколько неприятных замечаний о вашем магазине. Какая-то девушка, которая выглядит как танцовщица, исполняющая танец живота, и другая, восточного типа. А также то, что ваш муж — писатель, знаете, какие у людей фантазии на этот счет. Хоугтон обладает живым воображением, типичным для человека из низших слоев среднего класса, и стойкой неприязнью ко всему, что идет из вашей части города.

— Я так и думала. Он зашел в магазин, чтобы задать несколько вопросов, прежде чем арестовать Яна. А «исполнительница танца живота», о которой он имел несчастье упомянуть, — это молодая продавщица, которая носит бюстгальтер тридцать восьмого размера с чашечкой Д и ходит в церковь дважды в неделю.

Джессика не улыбалась. Улыбался Мартин Шварц.

— Звучит восхитительно. — Ему удалось вытянуть улыбку и из нее.

— А если сержант Хоугтон по нашему виду пришел к заключению, будто у нас водятся лишние деньги, то в этом он тоже заблуждается. То, что он видел, заработали мои родители и брат. Я унаследовала их состояние. Брат не успел обзавестись семьей, поэтому все досталось мне.

— Понимаю. — После небольшой паузы Мартин опять посмотрел на Джессику: — Должно быть, вам одиноко одной.

Она медленно кивнула, не отводя глаз от окна.

— У меня есть Ян.

— А дети?

Она отрицательно покачала головой, и адвокат начал кое-что понимать. Причину, почему его клиентка не была разгневана, почему она так отчаянно стремилась вернуть своего мужа, не произнеся ни одного язвительного слова в отношении выдвинутых обвинений. Причину почти пугающей срочности, которую он уловил в ее голосе во время телефонного разговора с ней и вот теперь в своем офисе. «У меня есть Ян» объясняло все. Мартин неожиданно понял, что для Джессики Кларк муж был самым близким и дорогим человеком на свете.

— Как я понимаю, нет никакой надежды на то, что они откажутся от обвинений?

— Абсолютно. Этого не сделают из политических соображений. В данном случае вокруг жертвы поднялась такая шумиха. Истица хочет видеть его на скамье подсудимых. Полагаю, стоит ожидать того, что они будут упорно ворошить ваше прошлое. Вы сможете это выдержать?

Джессика кивнула. Шварц не сказал ей о том, что Ян опасался, как бы она не сломалась под давлением.

— Есть что-нибудь еще, о чем я должен знать? Какие-либо неразумные поступки с вашей стороны? Проблемы в супружеской жизни? Сексуальная... «экзотика» или, скажем, какие-то оргии, которые вы могли устроить?

Раздраженная, она покачала головой.

— Извините, я должен был спросить — подобные вопросы все равно всплывут. Лучше быть искренней сейчас. Разумеется, нам потребуется свое собственное расследование, касающееся этой девушки. У меня есть специалист. Миссис Кларк, мы готовы разбиться в лепешку ради Яна.

Шварц опять ей улыбнулся, и на секунду Джессике показалось, что все это она видит во сне. Этот человек был ненастоящий, он не задавал ей нескромных вопросов... Ян не сидел на самом деле в тюрьме... а беседующий с ней мужчина был другом ее отца, и все это было большим розыгрышем. Она почувствовала на себе внимательный взгляд и вынуждена была вернуться назад, в реальный мир, притворяясь, что это и есть действительность. И что еще хуже, действительность, в которой Ян находился в тюрьме.

— Его можно вытащить до суда?

— Надеюсь. Но это в большей степени ляжет на вас. В том случае, если бы обвинения были менее суровые, мы могли бы добиться освобождения вашего мужа на основании его собственного обязательства, данного в суде. Но при такого рода обвинениях, я уверен, судья будет настаивать на залоге, несмотря на то что у Яна не было раньше судимостей. Выйдет он или нет, зависит от того, сможете ли вы внести сумму залога. Они собираются установить его в размере двадцати пяти тысяч долларов. Это немало и означает, что вы должны либо внести двадцать пять тысяч наличными и не увидите их до окончания судебного процесса, либо всю сумму внесет кто-то за вас, а вы вручите ему закладную на свое имущество. Большая сумма. Но мы займемся тем, чтобы сбавить ее до более приемлемой цифры.

Джессика тяжело вздохнула и рассеянно сняла очки. То, что Мартин увидел, потрясло его. Под красными, опухшими от слез глазами, наполненными ужасом, у нее залегли мрачные тени. Но это были глаза ребенка. Чопорность служила всего лишь защитной маской. Мартин думал, что его клиентка многоопытная женщина, но, возможно, он ошибался, возможно. Быть может, несмотря на все ее деньги, Ян был единственной надеждой. Эта мысль несколько успокоила адвоката в отношении своего подзащитного. Ян несомненно был в лучшей форме, чем его жена.

Шварц заставил себя опять сосредоточиться на залоге, а глаза Джессики продолжали следить за ним. Она, похоже, не отдавала себе отчета в том, как много только что открыла перед ним.

— Как вы считаете, вам будет по силам сумма залога, миссис Кларк?

Она устало взглянула на него и слегка пожала плечами:

— Полагаю, да. — Но Джессика знала, что не осилит такую сумму, если вручит Шварцу чек на две тысячи долларов, лежавший в ее сумочке. У нее не оставалось иного выбора. Адвокат нужен был немедленно. Ей придется заложить машину. Или... что-то другое. Что за черт, теперь это было не важно. В ее положении ничего не играло большой роли. Если потребуется, она продаст дом. Но что, если... она должна была знать. — А что, если мы не сможем заплатить всю сумму залога сразу?

— Там не существует понятия кредита, миссис Кларк. Вы платите всю сумму и передаете закладную, либо они просто не выпускают Яна из тюрьмы.

— До каких пор?

— До конца суда.

— Боже мой. Тогда у меня нет выбора, не так ли?

— В каком смысле?

— Мы просто продадим все, что потребуется.

Шварц кивнул с сожалением. Он редко испытывал какие-либо чувства к своим клиентам, и если бы Джессика стала ныть и жаловаться, то вызвала бы только его раздражение. Вместо этого она завоевала его уважение... и сострадание. Никто из них не заслуживал таких бед. Ему стало любопытно, что же на самом деле скрывалось за обвинениями в изнасиловании. В глубине души Мартин был уверен в невиновности своего под-защитного. Вопрос заключался в том, можно ли это доказать.

Следующие десять минут он провел, объясняя детали процедуры предъявления обвинения. Джессика почувствовала облегчение.

— Если мне понадобится, по какому номеру я смогу с вами сегодня связаться, миссис Кларк?

Она кивнула и черкнула номер магазина. Это был первый раз, когда Джессика подумала о том, чтобы заглянуть в бутик.

— Я буду там после того, как увижу Яна. Я собираюсь встретиться с ним. Да, мистер Шварц, называйте меня пожалуйста Джессика или Джесси. Похоже, нам предстоит длительное знакомство.

— Совершенно верно. Я хочу вновь увидеть вас здесь, в моем офисе, в пятницу. Вас обоих, если удастся вытащить Яна.

Это «если» заставило Джессику вздрогнуть.

— Нет, лучше в понедельник. Если все получится, вам необходим будет отдых. А уж затем мы засучим рукава. У нас не так много времени.

— Сколько? — спросила Джессика голосом безнадежного больного.

— Подумаем об этом после предъявления обвинения. Суд, по всей видимости, состоится примерно через два месяца.

— Перед Рождеством?

Своим вопросом Джессика вновь напомнила ему большого ребенка.

— Перед Рождеством. Если мы не получим отсрочку. Но ваш муж утром выразил пожелание, чтобы все прошло как можно быстрее, чтобы вы могли поскорее забыть о случившемся.

«Забыть? — подумала она. — Разве можно забыть это?»

Он встал и протянул руку, на минуту сняв очки.

— Джессика, попытайтесь расслабиться, а проблемы оставьте мне. Сделаю все, что в моих силах.

Она тоже встала, пожав ему руку. Он опять был удивлен ее ростом.

— Спасибо за все, Мартин. Яну передать что-нибудь? — Она остановилась в дверях.

— Передайте, что я назвал его счастливчиком. — Глаза Шварца потеплели. Джессика улыбнулась комплименту и выскользнула за дверь.

Мартин Шварц повернулся в кресле к окну и, задумчиво покрутив в руках очки, покачал головой. Чертовски сложное предстоит дело. Он был уверен в невиновности Яна, но молодые, счастливые, красивые и богатые супруги будут раздражать суд присяжных. Джессика вызовет к себе неприязнь женщин-заседателей, мужчины же почувствуют антипатию к Яну потому, что усомнятся в его способности зарабатывать себе на жизнь писательским трудом. Они оба производили впечатление состоятельных людей, насколько бы правдиво ни звучало объяснение Джесси по поводу наследства. Не нравилось ему это дело. А жертва, судя по всему, была женщиной со странностями, может быть, с расстроенной психикой. Мартин надеялся лишь на то, что им удастся раздобыть достаточно компрометирующего материала, чтобы уничтожить ее. Это была нечестная игра, но единственный шанс для Яна.

Глава 6

Джессика остановилась в вестибюле банка, чтобы позвонить в бутик. Голос ответившей Зины выражал беспокойство.

— Джесси, как ты? — Девушки все-таки позвонили ей домой в половине одиннадцатого утра, но к тому времени она уже ушла.

— Я в полном порядке. А как у вас?

Зине не понравился ее голос.

— Все хорошо, не беспокойся. Ты придешь?

— После ленча. До встречи. — Она повесила трубку до того, как Зина успела спросить что-то еще, и направилась за «морганом» в гараж. Джессика собиралась встретиться с Яном.

Она стала на две тысячи долларов беднее, но чувствовала себя лучше. Чек в голубом конверте был оставлен на столике у секретаря. Первая половина гонорара Мартина Шварца. Джессика сдержала слово. Теперь их совместный счет составлял сто восемьдесят один доллар, но у Яна появился защитник. Какой дорогой ценой им приходилось вытаскивать его из тюрьмы!

Джессика пыталась прогнать грустные мысли, пока ехала через город. Она была не столько разгневана, сколько неприятно поражена. Что случилось? Кто эта женщина? Почему она так с ним поступила? Что у нее было против него? После разговора с Мартином Джесси несколько успокоилась. Ян не сделал ничего плохого — не считая того, что подцепил не ту женщину, чтобы поразвлечься. О Господи, если бы он не совершил подобной ошибки!

Она нашла место для парковки на Брайант-стрит по другую сторону от сияющих неоновых вывесок контор залогодержателей. Джессике стало любопытно, с кем из них ей придется торговаться завтра днем. Они все выглядели так неряшливо, что она ни за что бы не зашла ни в одну из них, если бы ей пришлось спасаться от холода, не говоря уже о том, чтобы обратиться туда по делу. Она быстро прошла в Зал правосудия, где, пока охранник рылся в сумочке, ее проверили металлоискателем. Джессике пришлось задержаться, чтобы, предъявив водительские права, удостоверить свою личность и получить пропуск для свидания с Яном. Собралось много людей, стоявших теперь в очереди, которая, однако, быстро продвигалась.

Это была потрепанная, взъерошенная масса людей, с которыми она не шла ни в какое сравнение. Рост выделял ее среди всех остальных женщин и большинства мужчин, а темно-синий деловой костюм был не к месту. Разношерстная публика была одета во что попало. Для кино такая толпа представляла собой интересное зрелище. Для кино, но не для жизни. Джесси невольно подумала: как выглядела та женщина? Неужели так же, как этот сброд? Ее колени предательски дрожали, она не представляла, что скажет мужу. А что она могла сказать?

Джессика с трудом нажала кнопку седьмого этажа. Пока она размышляла, как выглядит тюрьма изнутри, чувство падения внутри ее сменялось ощущением взлета. Однажды она уже побывала здесь, когда забирала Яна под залог, но подобных визитов ей раньше не приходилась совершать. Она всего-навсего приехала и забрала его. На этот раз все обстояло по-другому.

Лифт равнодушно выпустил ее на седьмом. Она знала одно — что хочет видеть Яна. Неожиданно Джесси поняла, что сможет справиться с любыми страхами и гневом, пройти через тысячную толпу сутенеров в коричневых атласных костюмах, чтобы только добраться до Яна.

Посетители ожидали в отдельной комнате перед железной дверью, а охранник запускал их внутрь группками по пять-

шесть человек. Выходили они через другую дверь на противоположном конце комнаты. Но Джессике казалось, будто их
проглатывает кто-то огромный и они никогда больше не воз-
вращаются назад.

Мгновение спустя она сама оказалась внутри. В освещен-
ной лампами дневного света комнате без окон было жарко и
душно. Посередине находился длинный стеклянный барьер с
маленькими отделениями для телефонов на каждой стороне.
Джессика поняла, что увидит его через стекло. Об этом она не
подумала. Что можно было сказать по телефону?

Лицо Яна появилось в дальнем окне в то время, когда она
размышляла, к какому из них подойти. Он стоял там, глядя на
нее, а она — здесь, по другую сторону от него, слезы подсту-
пали к ее глазам. Джесси не могла проявить слабость... не
могла... нет! Она медленно подошла к телефону, чувствуя, как
клещами сдавливает сердце, а ноги становятся ватными. Однако она одолела этот путь и не заметила, как дрожат руки,
когда нерешительно помахала мужу. В полной тишине они какое-то время смотрели друг на друга. Потом он заговорил:

— Как ты?

— Нормально. А ты?

Он опять помолчал и кивнул с едва заметной, натянутой
улыбкой:

— Потрясающе. — Но его улыбка так же быстро угасла. —
Малышка, мне так жаль, что я втянул тебя в эту историю.
Безумие какое-то... Я хочу тебе сказать, Джесси, что я люблю
тебя и не понимаю, как угодил в эту проклятую переделку. Я
не знал, как ты отреагируешь.

— А что ты думал? Что я сбегу? Разве я когда-нибудь так
поступала?

Она выглядела такой обиженной, что он хотел отвернуться.
Ему было больно смотреть на нее. Очень больно.

— Но это отнюдь не превышение кредита в банке на тридцать долларов. Я хочу сказать... Боже, что я могу сказать, Джесси?

В ответ она подарила ему слабую улыбку.

— Ты уже ответил. Я тоже тебя люблю. Только это и важно. Мы выпутаемся.

— Да-а... но... Джесс, не похоже, что будет легко. Та женщина держится за свои обвинения мертвой хваткой, а полицейский инспектор действует так, будто у него в руках — маньяк.

— Симпатяга, да?

— Он с тобой разговаривал? — Ян выглядел удивленным.

— Прямо перед тем, как отправиться за тобой.

Ян побледнел.

— Он рассказал тебе, в чем меня обвиняют?

Она покачала головой и отвела взгляд.

— О Господи... Какие испытания обрушились на тебя. Не могу поверить.

— И я. Переживем как-нибудь, — улыбнулась она. — Что ты думаешь о Мартине?

— Мартине Шварце? Мне он понравился. Но его услуги обойдутся нам недешево, верно? — Джесси попыталась сменить тему, но Ян перебил ее. — Сколько? — В какой-то момент в его глазах проскользнула горечь.

— Не имеет значения.

— Для тебя, может быть, и не имеет, а для меня — важно. Сколько?

— Две тысячи сейчас и еще пять, если дело дойдет до суда. — Он не прятался от ее взгляда. Она должна была ему сказать.

— Ты шутишь?

В ответ Джесси отрицательно покачала головой.

— Человек, с которым я вчера разговаривала, запросил пятнадцать тысяч наличными к концу этой недели.

— Боже, Джессика... Это — безумие. Но я тебе все верну за Шварца.

— Милый, ты меня утомляешь.

— Я люблю тебя, Джесс.

Они обменялись долгим нежным взглядом, и Джессика вновь почувствовала, как слезы подступают к глазам.

— Почему ты не позвонил мне вчера вечером?

Она не стала рассказывать Яну, что пролежала на полу всю ночь, ожидая его звонка. Напуганная, на грани истерики, но слишком уставшая, чтобы двигаться. Она чувствовала себя так, как будто ее тело было парализовано, а мозг продолжал лихорадочно работать.

— Как я мог тебе звонить, Джесси? Что бы я сказал?

«Что ты любишь меня...»

— Думаю, я был в шоке. Я сидел парализованный. Не мог ничего понять.

«Тогда почему же ты трахался с ней, черт тебя побери?» Но вспышка гнева прошла, как только она опять посмотрела на него. Он был таким же несчастным, как и она. Даже больше.

— Как ты думаешь, почему она обвиняет тебя в... в...

— Изнасиловании? — Ян произнес это как смертный приговор. — Не знаю. Возможно, она больна, или сумасшедшая, или обозлилась на кого-то, а может быть, ей нужны деньги. Откуда, черт возьми, мне знать? Глупо было с моей стороны так поступать. Джесси, я...

Он посмотрел в сторону, а потом опять на жену, в глазах у него блестели слезы.

— Как нам жить после этого? Справишься ли ты с этим, Джесси? Или возненавидишь меня? И... Я просто не знаю...

— Прекрати! — Она выплюнула эти слова в трубку злым шепотом. — Прекрати немедленно. Посмотрим, как будет дальше. Все уладится, и нам никогда не придется об этом вспоминать.

— Правда? Честно, Джесси, ты все забудешь? Ты простишь меня?

Ян провел рукой по волосам и потянулся за сигаретой. Джесси наблюдала за мужем и неожиданно заметила, что на нем брюки от белой больничной пижамы.

— Бог ты мой, что случилось с твоими брюками? Они что, не дали тебе времени одеться?

Ее глаза расширились от ужаса, когда она представила, как сержант Хоугтон вытаскивает его из дома полуодетым и в наручниках.

— Симпатяги, да? Они взяли мои брюки в лабораторию, чтобы идентифицировать сперму.

Все это было так отвратительно, так дешево, так...

— Кстати, к завтрашнему утру мне нужна пара брюк, чтобы появиться в суде. — Затем на какое-то мгновение Ян задумался и глубоко затянулся сигаретой. — Я просто не понимаю этого. Знаешь, если ей нужны были деньги, достаточно позвонить мне и начать шантажировать. Ведь я сказал ей, что женат.

Как мило... По какой-то непонятной причине, посмотрев на Яна, на его мятые пижамные брюки, на мальчишеское лицо и растрепанные светлые волосы, на весь окружающий сброд, Джесси начала смеяться.

— С тобой все в порядке? — Он выглядел испуганным. Что, если с женой случится истерика? Но не похоже, она выглядела необычайно веселой.

— Знаешь что, дурачок? Я в полном порядке. И я люблю тебя, а все вокруг — просто какая-то нелепость. Так что, пожалуйста, возвращайся домой, и знаешь что? Ты так симпатично смотришься в пижаме.

Это был тот же смех, который он слышал миллион раз по ночам, когда Джесси дразнила его, разгуливая по дому обнаженной, с карандашом за каждым ухом, читая его работу. Так она смеялась, когда они обливали друг друга водой в душе, когда щекотала, касаясь его в постели. Перед ним сидела прежняя Джесси, и он неожиданно для себя улыбнулся, впервые с тех пор, как начался этот кошмар.

— Леди, вы абсолютно не в своем уме. Но я восхищаюсь вами. Не будете ли вы так любезны, чтобы вытащить меня из этой помойки? Чтобы я мог пойти домой и... — Он остановился на следующем слове и неожиданно побледнел.

— Изнасиловал меня? А почему бы и нет? — И они снова улыбнулись, но сдержанно.

Джесси почувствовала себя гораздо лучше. Она видела Яна, она знала, что любима, находится в безопасности и под его защитой. Когда он исчез и дом наполнился пугающей тишиной, Джесси не могла избавиться от ощущения, что он умер. Но Ян был жив. Он всегда будет жить и принадлежать только ей. Ни с того ни с сего ей вдруг захотелось танцевать здесь, в тюрьме, среди воров и сутенеров, она вдруг хотела танцевать. Она захотела вернуть Яна.

— Мистер Кларк, как же это получилось, что я так сильно вас люблю?

— Это потому, что вы умственно отсталая, но мне такие даже больше нравятся. Эй, леди, не будете вы хоть минутку серьезной?

По выражению его лица было видно, что он не шутит, но в ее усталых, красных от бессонницы глазах еще не погасла улыбка.

— В чем дело?

— Я о том, чтобы вернуть тебе деньги. Я обязательно верну.

— Не беспокойся об этом.

— Но я непременно верну. Найду какую-нибудь работу. Так дальше не может продолжаться, и ты это знаешь.

— Что не может продолжаться? — Джессика опять выглядела испуганной.

— Я хочу сказать, что мне не нравится быть на поводке, даже если считается, что от этого выиграет моя карьера. Это ущемляет мое «я» и вредит нашему браку.

— Ерунда.

— Нет, не ерунда. Я серьезно. Но здесь не место и не время говорить об этом. Я только хочу, чтобы ты знала, что сколько бы денег у тебя ни ушло на это, ты их получишь назад. Понятно?

Джессика, казалось, колебалась, и голос Яна зазвучал громче:

— Я сделаю это, Джесси. Не спорь со мной. Не ты платишь.

— Хорошо. — Она посмотрела на него многозначительно, но тут охранник похлопал ее по плечу. Визит был окончен. А им еще столько оставалось сказать друг другу.

— Относись к этому легче, дорогая. Увижу тебя завтра в суде.

Джессика выглядела растерянной.

— Можешь мне завтра позвонить?

Он покачал головой:

— Нет, теперь мне не разрешат.

— О-о! Но мне нужно услышать тебя... Ты нужен мне, Ян... Я...

— Выспись хорошенько до суда. Обещаешь?

Она кивнула. Как ребенок. Он улыбнулся ей.

— Я так люблю тебя, Джесс. Береги себя.

Она опять кивнула.

— И ты тоже. Ян... Я... Я умру без тебя.

— Выбрось это из головы. Увидимся завтра в суде. И Джесс... спасибо. За все.

— Я люблю тебя.

— Я тоже тебя люблю.

На последних словах телефоны перестали подавать признаки жизни, и она помахала ему, следуя в лифт за стайкой посетителей. Джессика опять была одна с ними. Ян ушел. Но на этот раз все было по-другому. Она видела его живым и невредимым, говорила с ним. С этой минуты он по-прежнему был с ней.

Глава 7

И Зина, и Катсуко были заняты с покупателями, когда Джессика вошла в бутик. Таким образом, у нее оказалось время, чтобы прийти в себя, прежде чем присоединиться к ним. Форменное сумасшествие. Угадайте, где я была? Навещала Яна в тюрьме. Одним махом из городской тюрьмы в «Леди Джей». Безумие.

Девушки помогали двум дамам выбрать платья для поездки в Палм-Спрингз. Обе страдали чрезмерной полнотой и отсутствием вкуса, а кроме того, имели властные манеры и не отличались доброжелательностью. Джессика поразилась терпению Зины и Катсуко. Она постоянно думала о Яне, о тюрьме, о Мартине Шварце и об инспекторе Хоугтоне. Его глаза, казалось, неотступно следовали за ней.

— А чем занимается ваш муж? — Одна из покупательниц задала этот вопрос, проглядывая ряд темно-бордовых юбок с черной атласной отделкой. Копии Сен-Лорана.

— Мой муж? Он насилует... то есть, я хотела сказать, пишет!

Дамы сочли это забавной шуткой, даже Зина и Кэт не могли удержаться от смеха. Джессика смеялась сквозь слезы.

— Мой тоже этим увлекался — пока не пристрастился к гольфу.

Вторая матрона расценила эту интерлюдию восхитительной и остановила свой выбор на двух юбках и блузке, тогда как первая вернулась к свободного покроя брюкам.

Это был долгий напряженный день, что, однако, избавило ее от необходимости разговаривать с Зиной и Кэт. Около пяти часов они наконец присели передохнуть и выпить по чашечке кофе.

— Джесс, теперь-то все в порядке?

— Гораздо лучше. У нас возникли кое-какие проблемы, но к завтрашнему дню все будет улажено.

По крайней мере тогда Ян будет дома, и они смогут разобраться с этим вместе.

— Мы волновались за тебя. Я рада, что все уладилось.

Зину, казалось, удовлетворил ее ответ, но Катсуко пытливо вглядывалась в глаза Джессики, понимая, что с ней приключилась какая-то беда.

— Ты отвратительно выглядишь, Джессика Кларк.

— Это все мрачный костюм. — Она скользнула взглядом по осенней коллекции, выбирая, во что бы переодеться для поднятия настроения. Но было уже поздно, она устала, и у нее не осталось сил на примерки и переодевания. Через десять — пятнадцать минут Зина запрет двери бутика.

Джессика встала, у нее болела спина и шея от долгой беспокойной ночи, которую она провела на полу. Не говоря уже о дневных переживаниях. Она осторожно выгнула спину, пытаясь расслабить мышцы. В этот момент в бутик вошла женщина. Джесси, Кэт и Зина переглянулись, решая, кому заняться покупательницей. Обслужить ее выпало Джесси, которая направилась к ней с радушной улыбкой. Посетительница казалась довольной, а Джесси это было только на пользу, поскольку отвлекало от мрачных мыслей.

— Чем могу вам помочь?

— Вы не возражаете, если я тут покопаюсь? Я услышала о вашем магазине от подруги. У вас неплохие вещи в витрине.

— Спасибо. Дайте мне знать, если я понадоблюсь.

Джессика и покупательница обменялись вежливыми улыбками, и та начала просматривать спортивные товары. Элегантная женщина, далеко за тридцать или скорее под сорок. На

ней был простой черный брючный костюм с отделкой, кремо-
вого цвета льняная блузка, небольшой яркий шарфик на шее и
богатый набор, по всей видимости, дорогих украшений: красивый браслет, миленькая цепочка, несколько массивных колец и
эффектные серьги с ониксом, привлекшие внимание Джессики,
едва женщина переступила порог бутика. От покупательницы
прямо-таки веяло богатством. Но ее лицо светилось теплотой и
сердечностью. Казалось, она получала удовольствие от красивых вещей, которые носила, но понимала, что в жизни есть
кое-что и поважнее.

Джесси наблюдала за тем, как поздняя посетительница пе-
реходила от одной вешалки к другой. Она производила впечатление жизнерадостного и счастливого человека, обладая, помимо
прочего, особой грацией. У нее было молодое лицо, хотя в
волосах уже проглядывали седые прядки. Каким-то непонят-
ным образом она напомнила Джесси сиамского кота, в особенности бледно-голубой фарфор ее глаз. Что-то в женщине
вызывало желание узнать о ней побольше.

— Вы хотите что-нибудь особенное? У нас есть вещи на
складе.

Женщина улыбнулась Джесси и пожала плечами.

— Я, наверное, старовата для них, а как насчет вон того
замшевого пальто? У вас есть восьмой размер? — У нее был
несколько виноватый вид, как у девочки, покупающей больше
жевательной резинки, чем ей позволялось, и одновременно по-
лучающей от этого удовольствие.

— Сейчас посмотрю. — Джессика растворилась в кладовой, интересуясь, есть ли у них пальто такого размера.

Оно нашлось, но стоило на сорок долларов дороже. Джессика сняла этикетку с ценой и вынесла пальто покупательнице.
Это была модель теплого светло-коричневого цвета, прилегаю-

щего покроя и выглядела лучше той, что висела в торговом зале. Женщина сразу же заметила разницу.

— Черт. Я была уверена, что оно мне не пойдет.

— Этот цвет вам к лицу и смотрится на вас замечательно.

Они наблюдали за тем, как женщина в замшевом пальто изящно кружится по полу. Пальто сидело как влитое, и она знала это. Приятно смотреть на человека, который умеет носить одежду. Правда, эта покупательница смело могла бы завернуться в мешковину и выглядеть не менее привлекательно.

— Сколько оно стоит?

— Триста десять.

Зина и Кэт обменялись недоуменными взглядами, но промолчали. У Джесси были свои приемы, и обычно они срабатывали. Возможно, эту даму она хотела сделать постоянной клиенткой. Цена покупательницу ничуть не смутила.

— У вас есть в тон ему брюки?

— Были, но их уже продали.

— Очень жаль.

Попутно женщина купила три свитера, блузку и юбку под цвет пальто, прежде чем поняла, что нанесла достаточный урон своему кошельку. Она вынула отделанную изумрудно-зеленой замшей чековую книжку и с улыбкой посмотрела на Джесси.

— И если увидите меня здесь раньше чем через неделю, гоните в шею.

— Так уж и гнать?

— Это приказ, а не просьба.

— Какая жалость.

Обе женщины засмеялись, и покупательница недрогнувшей рукой заполнила чек на сумму больше пятисот долларов. Ее звали Астрид Боннер, она жила на Валейо, в квартале от Джесси.

— Мы почти соседи, миссис Боннер. — Джесси назвала свой адрес, и Астрид Боннер ответила ей улыбкой.

— Я знаю ваш дом! Маленький, синий с белым. Готова поклясться, это тот, с потрясающими цветами.

— Нас видно издалека!

— Не извиняйтесь, ваши цветы украшают улицу! А не вам ли принадлежит маленькая красная спортивная машина? Джесси сделала движение головой в сторону окна.

— Моя. — Они вместе засмеялись. Было уже без четверти шесть. — Не хотите ли выпить? — У них хранилась бутылка «Джонни Уокер». Некоторые покупательницы любили задержаться в бутике, чтобы поболтать. Еще одна милая черта.

— Я бы не прочь, но не стану. Вам, наверное, пора домой.

Джесси улыбнулась, а Катсуко тем временем складывала покупки миссис Боннер в две большие сияющие коробки, заполненные тонкой оберточной бумагой желтого и оранжевого цветов, а затем перевязала их ленточками.

— Это ваш магазин?

Джесси кивнула.

— У вас отличные вещи. Это пальто, оно нужно мне, как... Но у меня нет силы воли. Мой самый большой недостаток.

— Иногда мотовство полезно для души.

Астрид Боннер слегка кивнула в ответ на это замечание, и женщины обменялись долгим взглядом. Джесси чувствовала себя легко в ее обществе. Ей было жаль, что Астрид Боннер не останется выпить рюмочку, ведь теперь Джесси некуда было спешить. Она была бы не прочь поговорить с новой знакомой по душам. Джессике вдруг стало интересно, какой из домов в соседнем квартале принадлежит Астрид Боннер. И тут ей в голову пришла смелая мысль.

— Между прочим, я могла бы вас подвезти. Я уже ухожу. — Это к тому же освободит ее от возможных вопросов

Зины и Кэт. Сейчас она не была готова на них ответить. Астрид Боннер могла бы спасти ее от нежелательных расспросов. Она еще не сказала девочкам, что ее не будет завтра утром.

— Замечательно. Спасибо. Обычно я иду пешком, когда нахожусь недалеко от дома, но с двумя коробками... Очень кстати.

Она улыбнулась и как будто помолодела. Джесси заинтересовалась, сколько же ей на самом деле лет.

Джессика взяла пальто, сумочку и помахала Зине и Кэт.

— Спокойной ночи, девочки. До завтра. Но утром меня не будет.

Все четверо улыбнулись друг другу. Зина заперла за ними дверь. Ни вопросов, ни ответов, никакой лжи. Джесси почувствовала облегчение. Она не отдавала себе отчета в том, в каком напряжении находилась весь день.

Джессика открыла двери автомобиля, Астрид села, сложив коробки на коленях, и они поехали домой.

— Магазин, по всей видимости, отнимает уйму времени.

— Да, но это как раз по мне. О, я еще не представилась, извините. Джессика Кларк.

Они опять обменялись улыбками. Вечерний бриз несколько испортил прическу Астрид.

— Вы хотите, чтобы я подняла верх?

— Конечно, нет. — Она неожиданно засмеялась и посмотрела на Джесси. — Ради Бога, я не настолько стара и замшела. Признаюсь, я завидую вашему магазину. Я когда-то работала в редакции журнала мод в Нью-Йорке. Это было десять лет назад, но я все еще скучаю по моде в любых ее проявлениях.

— Мы тоже приехали из Нью-Йорка. Шесть лет назад. Что привело вас сюда?

— Мой муж. Нет, нет, на самом деле это была деловая поездка. Потом я встретила здесь своего мужа да так и не вернулась.

Астрид, похоже, с удовольствием предалась воспоминаниям.

— Неужели? Значит, вас еще ждут в редакции? — Обе женщины засмеялись в опускающихся мягких сумерках.

— Нет, я вернулась, но только на три недели. Подала заявление об уходе. А ведь я думала только о своей карьере и не помышляла о замужестве... И вдруг встретила Тома. Конец карьере!

— Вы когда-нибудь жалели об этом? — вторглась в святая святых Джессика.

— Нет. Никогда. Том все изменил.

Джессика удивилась. Ян тоже кое-что изменил в ее жизни, но не в такой степени. Это не стоило ей карьеры, не вынудило ее уехать из Нью-Йорка. Джесси давно хотела перебраться в Сан-Франциско. Но бросить «Леди Джей» — это уж слишком.

— Том был замечательным человеком. Он умер в прошлом году.

— Извините. А дети, у вас есть дети?

Астрид засмеялась и покачала головой:

— Тому было пятьдесят восемь, когда я вышла за него замуж. Мы провели замечательные десять лет, миг вдвоем. Как медовый месяц.

Джесси вспомнила свою жизнь с Яном и улыбнулась.

— В этом вы правы. Дети могут помешать.

— Если вы хотите пожить для себя. Но мы оба считали, что слишком стары. Я вышла замуж в тридцать два года и считала, что не создана для роли примерной матери.

Значит, Астрид было сорок два. Джесси удивилась.

— Почему вы не пошли работать?

— На что я могла рассчитывать? Я работала в «Вог», но здесь нет ничего похожего. К тому же даже там я уже не нужна после десятилетнего отсутствия. Отстаешь от жизни. Я оказалась на обочине, как можете оказаться и вы. А кроме того, у меня нет абсолютно никакого желания возвращаться в Нью-Йорк.

— Откройте какой-нибудь бизнес, связанный с модой.

— Например?

— Бутик.

— Что возвращает нас к исходной точке, дорогая. Как я завидую вам.

— Не переусердствуйте. Здесь тоже есть свои проблемы.

— Но и свои плюсы. Вы часто бываете в Нью-Йорке?

— Вернулась оттуда два дня назад. — А вчера мужа арестовали за изнасилование. Она чуть было не сболтнула. Астрид была бы напугана до смерти. Джесси мрачно вздохнула, на мгновение забыв, что она не одна.

— Поездка была утомительной? — спросила Астрид, не в силах сдержать улыбку.

— Какая поездка?

— В Нью-Йорк. Вы сказали, что вернулись два дня назад, а потом вздохнули так, будто умер ваш лучший друг.

— Извините. Выдался трудный день. — Джесси попыталась улыбнуться, но неожиданно обрушившаяся на нее беда вновь напомнила о себе.

Повисла неловкая пауза, Астрид взглянула на нее искоса:

— Что-нибудь не так?

Джессика не могла ответить ложью на ее вопросительный взгляд.

— Ничего, что не было бы улажено к завтрашнему дню.

— Могу я чем-то помочь?

Какая замечательная женщина, они совершенно незнакомы, а она интересуется проблемами Джесси.

— Нет, все в полном порядке. Вы уже помогли, пролив на меня немного солнечного света в конце трудного дня. Какой дом ваш?

Астрид засмеялась и показала:

— Вот этот. Вы были так добры, что согласились подвезти меня.

Солидный кирпичный особняк с черными ставнями, обведенными по краям белой краской, и заботливо ухоженной живой изгородью. Джессика чуть было не присвистнула. Они с Яном часто спрашивали себя, кто же там живет, предполагая, что его владельцы часто путешествуют, поскольку дом нередко выглядел покинутым.

— Миссис Боннер, я хотела бы отплатить комплиментом за комплимент. Мы любовались вашим домом не один год.

— Я польщена. Зовите меня Астрид. Но в вашем больше жизни. Этот ужасно... ну... — Она замялась. — Взрослый, вот подходящее слово. Том уже владел им, когда мы поженились, и он был прекрасно обставлен. Заходите на чашечку кофе. Или выпить чего-нибудь покрепче.

— С удовольствием.

— А почему бы не заглянуть прямо сейчас?

— Я... Я бы не против, но, сказать по правде, я вся вымотана. Прошедшие два дня были для меня сущим кошмаром, да еще три недели каторжного труда в Нью-Йорке. Как-нибудь в другой раз.

— Рада буду вас видеть. Еще раз спасибо за поездку. — Она вышла из машины и, поднимаясь по ступенькам дома, помахала рукой. Джесси помахала в ответ. Вот это дом. Она была рада тому, что встретила Астрид Боннер. Замечательная женщина.

Джессика выруливала к своему дому, размышляя об Астрид и о том, что та сказала. Похоже, она многим пожертвовала ради своего мужа. И выглядела при этом счастливой.

Джесси зашла в темный, неосвещенный дом, сбросила туфли и, не включая свет, уселась на диван. Она мысленно откручивала назад кадры прошедшего дня. Невозможно поверить. Встреча с Мартином Шварцем, чек на пару тысяч долларов, посещение Яна в тюрьме, обмен любезностями с Астрид Боннер... Когда же жизнь снова станет нормальной?

Ей захотелось чего-нибудь выпить, но не было сил двинуться с места. В то время как ее мозг по-прежнему лихорадочно работал, тело отказывалось служить. Джесси продолжала вспоминать встречу с Яном в тюрьме. Она опять дома. Одна. Он всегда ждал ее по вечерам. Дом был невыносимо безмолвен... так же была молчалива квартира Джейка, когда она попадала туда... после его кончины... Почему она думала сейчас о брате? Почему продолжала сравнивать его с Яном? Ян был жив. И завтра будет дома, ведь правда? Будет. А что, если... Джесси боялась закончить мысль. Зазвонил дверной звонок, а она даже не слышала, пока наконец настойчивое дребезжание не вернуло ее в реальный мир. Последние силы ушли на то, чтобы подойти к двери.

Она стояла в полный рост в темноте передней и разговаривала через дверь. Джессика слишком устала даже для того, чтобы попытаться угадать, кто бы это мог быть.

— Кто там?

Ее голос с трудом пробивался через дверь. Но он слышал ее. Он посмотрел через плечо на напарника и кивнул. Второй мужчина медленно пошел назад к зеленой машине.

— Полиция.

Ее сердце упало, потом заработало как паровой молот, и, дрожа всем телом, она прислонилась к стене. Что теперь?

— Да?

— Это инспектор Хоугтон. Я хочу поговорить с миссис Кларк. — Он знал, что это была она.

По другую сторону двери Джессика пыталась справиться с искушением сказать ему, что миссис Кларк нет дома. Но «морган» был хорошо виден, инспектор, очевидно, ждал ее возвращения где-то поблизости. От них нельзя скрыться. Им принадлежала ее жизнь, так же как и жизнь Яна.

Джесси медленно отперла дверь и замерла в неосвещенном холле. Даже без туфель она была на дюйм выше инспектора. Их глаза встретились. Вся ненависть, которую она не могла не чувствовать из-за предательства Яна, обрушилась на Хоугтона. Его было легко ненавидеть.

— Добрый вечер. Можно войти?

Джессика впустила его в дом, щелкнула выключателем и первой прошла в гостиную. Она остановилась в центре комнаты, наблюдая за ним и не приглашая сесть.

— Итак, инспектор? Что вам нужно? — Ее тон не предвещал ничего хорошего.

— Подумал, что мы могли бы немного побеседовать.

— О! Даже так. — Она испугалась, но еще больше боялась показать это. А что, если он хотел ее изнасиловать? На этот раз настоящее изнасилование. Что, если... Боже... где Ян?

— Самый обычный разговор, миссис Кларк.

Они, казалось, кружили вокруг, буравя друг друга взглядами, как смертельные враги. Удав и его жертва. Джессике не нравилась выпавшая ей роль. Он оценил ее красоту, но не показывал этого. Хоугтон ненавидел Яна по нескольким причинам.

— Не возражаете, если я сяду?

«Да. Еще как».

— Нет. Пожалуйста. — Она показала ему рукой на диван, а сама опустилась в свое любимое кресло.

— Отличный дом, миссис Кларк. Вы давно здесь живете?

Он посмотрел по сторонам, как будто пытаясь схватить все детали, тогда как Джессика мечтала лишь о том, чтобы выцарапать ему глаза и вышвырнуть вон. Но сейчас она понимала, что это нереально. Можно ненавидеть полицейских, но нельзя проявлять недружелюбие. Она не виновна, Ян тоже не виновен, и тем не менее она была сама не своя от ужаса.

— Инспектор, это допрос или светский визит? Мой адвокат посоветовал мне не отвечать на вопросы полицейских в его отсутствие.

Она не отводила взгляда от ноги Хоугтона в темно-бордовом носке, думая о том, не попытается ли он ее изнасиловать. На инспекторе был блестящий галстук горчичного цвета. Джессику начало подташнивать, она со страхом попыталась вспомнить, приняла ли утром противозачаточную таблетку. А потом вдруг взглянула на него и сразу же поняла, что убьет его, если придется. Непременно убьет.

— Да, вы имеете право не разговаривать с полицейским, пока рядом с вами нет вашего адвоката, но я хочу задать несколько вопросов и думаю, что для вас будет приятнее ответить на них здесь.

«Большая честь».

— Я лучше отвечу на них в суде. — Но оба прекрасно знали, что ей не пришлось бы этого делать, поскольку она была женой обвиняемого и, следовательно, освобождалась от дачи показаний.

— Как вам угодно. — Он встал, собираясь уходить, и остановился у бара. — Вы — алкоголичка? Как и ваш муж?

Вопрос вывел Джессику из себя.

— Нет, и мой муж — тоже нет!

— Да, я так и думал. Он утверждает, что она на него набросилась, когда они поднялись в номер. Я так понимаю, он спокойно себе лежал. Не похож ваш муж на алкоголика.

У Джессики упало сердце, а глаза наполнились ненавистью. Этот сукин сын пытался заманить ее в ловушку.

— Инспектор, я прошу вас уйти. Немедленно.

При этих словах Хоугтон повернулся к ней, выражая притворное сочувствие. Но в его глазах кипел тот же гнев, что и у Джессики. Голос его был едва слышен, хотя он стоял в метре от нее.

— И что вы делаете с таким слабохарактерным отребьем, как он?

— Убирайтесь из моего дома! — произнесла она так же тихо, все ее тело била дрожь.

— А если он отправится на «отдых»? Найдете себе другого милашку-жиголо вроде него? Поверь мне, сестричка, он не стоит того. Таких пруд пруди.

— Убирайтесь!!! — Слова прозвучали как пощечина.

Хоугтон повернулся и направился к двери. Задержавшись на мгновение, он посмотрел на нее:

— До встречи.

Дверь за ним закрылась, и впервые в жизни Джессика почувствовала тягу к убийству.

В тот вечер инспектор вернулся опять, в десять часов, с двумя полицейскими в штатском и ордером на обыск. Они перевернули весь дом в поисках оружия и наркотиков.

На этот раз Хоугтон был деловит и официален, он избегал встречаться с ней взглядом на протяжении всего часа, который они провели в доме, роясь в ящиках и шкафах, переворачивая белье, потроша ее сумочку на кровати, высыпая мыльную стружку и разбрасывая одежду и бумаги Яна по всей гостиной.

Они ничего не нашли. После их ухода она четыре с половиной часа приводила все в порядок и еще два часа приходила в себя от рыданий. Эти мерзавцы над ней надругались. Не в том смысле, в каком она боялась, в другом. Фотографии ее матери лежали, раскиданные по столу, противозачаточные таблетки были высыпаны на кухне, половину из них забрали на анализ в лабораторию. Вся ее жизнь была разбросана по дому. Теперь это была и ее война. И она приготовилась к борьбе. Та ночь изменила все. Они стали и ее врагами, не только Яна. Впервые за семь лет Яна не было рядом, чтобы защитить ее. И дело не только в этом: именно он толкнул ее на тропу войны. Он навлек на нее беду. А она всего-навсего беспомощная женщина. Это была его ошибка. Теперь и он стал ее врагом.

Глава 8

Джессика ожидала появления Мартина Шварца в последних рядах зала заседаний. Список дел, назначенных к слушанию, был раздут сверх меры, и суд начался позже. Церемонии, свидетелем которых стала Джессика, проходили очень скучно. Большинство обвинений отбарабанивались пункт за пунктом, произвольно назначались залоги, и в зале появлялись новые лица. Яна привели из тюрьмы через специальную дверь в сопровождении двух охранников, по одному с каждой стороны.

Мартин прошел вперед. Безжалостным тоном были зачитаны пункты обвинения, один за одним, без всяких подробностей. Яна спросили, понимает ли он, в чем его обвиняют, и он безрадостно ответил: «Да».

Залог был назначен в двадцать пять тысяч долларов. Мартин попросил о его снижении, и пока судья раздумывал, на ноги вскочила молоденькая помощник окружного прокурора и возразила. Она считала, что серьезность рассматриваемого дела предопределяла больший залог. Судья не согласился. Он снизил сумму до пятнадцати тысяч и стукнул молоточком. Ввели следующего бедолагу. Предварительное слушание было назначено через две недели.

— Что будем делать теперь? — прошептала Джессика вопрос на ухо Мартину, когда он вернулся на свое место. Яна уже увели из зала суда, и сейчас он находился опять в тюрьме.

— Теперь вам нужно наскрести пятнадцать тысяч долларов или предоставить ему закладную на эту сумму.

— Каким образом?

— Пойдемте. Займусь этим сам.

О Боже... пятнадцать тысяч. Громадная сумма. Стоило ли что-нибудь этих денег? Да. Ян. Они спустились в вестибюль и пересекли улицу, направляясь к одной из расположенных под неоновыми вывесками контор. Эти заведения производили отвратительное впечатление, и то, куда они вошли, было не лучше. В помещении висел густой дым от выкуренных сигарет, пепельницы были полны окурков, двое мужчин спали на кушетке, вероятно, ожидая решения своей участи. Женщина с всклокоченными светлыми волосами спросила их о цели визита. Мартин объяснил, она позвонила в тюрьму и сделала себе пометку, поглядывая на Джесси, которая пыталась выглядеть равнодушной.

— Вам придется оформить дополнительную закладную на имущество. Вы полностью выплатили стоимость дома?

Джесси кивнула.

— Я также владею собственным делом. — Она продиктовала женщине название и адрес магазина, домашний адрес и название банка, где хранилась закладная.

— Как вы думаете, сколько может стоить ваш бизнес? Что это вообще? Магазин одежды?

Джесси опять кивнула, непонятно почему чувствуя себя униженной. Возможно, потому, что эта женщина теперь знала суть предъявленных обвинений.

— Да, это магазин одежды. И у нас богатые оборотные фонды.

Почему она хотела произвести впечатление на эту тупицу? Очевидно понимая, что у той в руках ключ к освобождению Яна. Мартин Шварц стоял рядом, следя за ходом дела.

— Нам нужно позвонить в ваш банк. Приходите в четыре.

— И тогда вы сможете выпустить его под залог? — О Господи, пожалуйста, выпустите его под залог. Подступала паника. Горькая, неприятная масса, похожая на желчь.

— Зависит от того, что ответит ваш банк. У вас обоих один и тот же банк?

Джесси кивнула, выглядя посеревшей.

— Хорошо. Это сэкономит время. Принесите пятнадцать тысяч с собой, когда вернетесь. Наличными.

— Наличными?

— Или банковским чеком. Никаких чеков, выписанных вами.

— Спасибо.

Они вышли на улицу, и Джесси набрала полную грудь свежего воздуха. Казалось, прошли годы с тех пор, как она дышала в последний раз. Она опять вдохнула чистый воздух, посмотрела на Мартина:

— Что происходит с теми, у кого нет денег?

— Их не выпускают под залог.

— А что потом?

— Они остаются под стражей до вынесения приговора.

— Даже если они невиновны?

— До суда нельзя утверждать, виновны они или нет.

— Что, черт возьми, происходит с «невиновными, пока не доказано обратное»?

Шварц пожал плечами и, храня молчание, по возможности избегал смотреть в ее сторону. На него угнетающе подействовало пребывание в залоговой конторе. Мартин редко посещал залогодержателя вместе с клиентами. Но Ян попросил его об этом, и он дал обещание. Казалось странным обращаться с этой высокой, независимой женщиной как с хрупким и беспомощным созданием. Но он подозревал, что Ян был прав: под внешним слоем крепкой брони скрывалось ранимое сердце. Он спрашивал себя, не разлетится ли этот внешний слой до того, как все будет позади. Вот что было важно.

— А как поступают бедные, когда им нужен адвокат?

Господи, неужели ему придется читать лекции по социальному обеспечению?

— Им назначают общественных защитников. Джессика, у нас хватает и своих проблем. Согласны? Почему бы вам не отправиться в банк и не уладить дело?

— Хорошо. Простите.

— Вся система дает трещину, я знаю. Благодарите Бога, что вы не одна из них, и пускай все идет как есть.

— Это трудно, Мартин.

Он покачал головой и едва заметно улыбнулся.

— Так вы идете в банк?

— Да, сэр.

— Отлично. Хотите, чтобы я пошел с вами?

— Конечно, нет. Присмотр за детьми — это часть договора или Ян настоял?

— Я... Нет... Ради Бога, отправляйтесь в банк и дайте мне знать, когда вытащите его оттуда. Если я понадоблюсь раньше, звоните.

«Как насчет того, чтобы одолжить нам пятнадцать тысяч долларов, а?»

Она улыбнулась своим мыслям, попрощалась и медленно пошла к машине. Джесси по-прежнему не имела понятия, как будет выкручиваться с деньгами. А что, черт побери, она скажет в банке? Правду. Если придется, она встанет на колени. Пятнадцать тысяч... Они были так же недостижимы, как вершины Эвереста.

После шести сигарет и получаса вялого разговора с управляющим банка Джессика получила личный займ в размере пятнадцати тысяч долларов под стоимость машины. Они также заверили ее, что все будет в порядке, когда позвонят из залоговой конторы. На протяжении разговора с лица управляющего не сходило изумленное выражение, которое он отчаянно пытался скрыть. Безуспешно. А Джессика даже не сказала ему, какие были выдвинуты обвинения, только то, что Ян находился в тюрьме. Она в душе молилась, чтобы управляющий ничего не узнал после звонка залогодержателя, а если вдруг и узнает, то чтобы был нем как рыба. Он уже поклялся ей, что все останется между ними. Наконец-то у нее есть пятнадцать тысяч долларов... есть... есть! А ее дом и бутик стоили в десять раз больше той закладной, которая была ей нужна. Но какое-то смутное чувство говорило ей, что этого все равно недостаточно. А что, если они его не выпустят? Она думала об этом. О содержимом металлического ящичка, который хранился за толстыми стенами.

— Миссис Кларк? — Она не отвечала, а ведь сидела напротив. — Миссис Кларк? Что-нибудь еще?

— Извините... Я просто о чем-то задумалась. Да. Я... Мне хотелось бы попасть в хранилище.

— Ключ у вас с собой?

Она кивнула. Джесси держала его в связке вместе с другими ключами.

— Я распоряжусь, чтобы мисс Лопес открыла вашу ячейку.

Джесси задумчиво последовала за ним, а потом оказалось, что она идет уже за мисс Лопес, которую видела впервые. А потом, потом она стояла перед своим ящичком, который держала в руках мисс Лопес, глядя на нее. Большой металлический ящик.

— Не хотите ли пройти с ним в комнату?

— Я... А... Да. Спасибо. — Ей не следовало этого делать. Это было ошибкой... нет... а вдруг дома и «Леди Джей» окажется недостаточно? Джесси понимала, что поступает неразумно. Она поддалась панике. Но лучше уж быть уверенной... быть... ради Яна. Все это так ужасно. Так тяжело справляться с трудностями одной.

Мисс Лопес оставила ее в маленькой стерильной комнате со столиком из жаростойкого пластика и черным бархатным стулом. На стене висел уродливый плакат с видом Венеции, как будто вырезанный из конфетной коробки. Она была одна со своей ношей. Джесси осторожно открыла ящичек и вынула три больших кожаных коробки и два футляра из выцветшей красной замши. На дне еще оставалась меньшая по размеру коробочка, отделанная поблекшим синим материалом. Коробочка хранила немногочисленные «сокровища» Джейка. Запонки, которые отец подарил ему на совершеннолетие, школьное кольцо, его кольцо из ВМФ. По большей части безделушки, но как похоже на Джейка.

В коричневых кожаных коробках лежали настоящие драгоценности. Письма, которые родители писали друг другу в течение многих лет. Письма отца с фронта. Мамины стихи, посвященные ему. Фотографии. Локоны Джейка и Джессики. Сокровища. Вещи, которые много значили в ее жизни.

Первой она открыла синюю коробочку и улыбнулась сквозь пелену слез, когда увидела брелоки Джейка, лежащие как попало на бежевой замше. Они все еще хранили его слабый запах. Она вспомнила, как дразнила брата из-за школьного кольца. Она сказала ему, что кольцо было зловещее, а он так им гордился. Теперь оно лежало здесь. Джессика надела его на палец. Слишком большое. В Джейке было почти шесть футов пять дюймов.

Джесси вернулась к коричневым коробкам. Она так хорошо знала их содержимое. Золотыми буквами в правом нижнем углу на них были выгравированы инициалы ее родителей. Каждая — точная копия другой. Семейная традиция. В первой она обнаружила фотографию их всех четверых, снятую как-то на Пасху. Ей было одиннадцать или двенадцать, Джейку — семь. Джесси не могла этого вынести. Она очень медленно закрыла коробку и вернулась к тому, за чем пришла.

Красные замшевые футляры. Невероятно, что все происходит на самом деле. Она действительно собиралась взять мамины драгоценности. Они были дороги для нее, святы, она даже не надевала ни одно из них за все эти годы. А теперь хотела оставить их в чужих руках.

Джессика с величайшей осторожностью раскрыла футляры, ее взгляд замер на длинном ряду колец. Рубиновое в старой оправе, принадлежавшее ее бабушке. Два красивых кольца с нефритом, которые отец привез с Дальнего Востока. Изумрудное кольцо, о котором мама так долго мечтала и которое получила на пятидесятилетие. Кольцо с бриллиантом, которое папа подарил ей к помолвке... и обручальное кольцо, ее «настоящее» кольцо, которое она всегда носила. Тонкое золотое колечко, самое любимое. Там же были два простых золотых браслета-цепочки. Золотые часы с крошечными бриллиантами, вправленными в циферблат. А также большая красивая брошь с сапфирами в обрамлении маленьких бриллиантов, принадлежавшая бабушке Джессики.

Во втором футляре находились три нитки прекрасного жемчуга, жемчужные серьги и пара сережек с бриллиантами, которые она и Джейк вместе купили за год до его смерти. Все лежало на месте. Она знала, что не сможет оставить это у залогодержателя, даже если бы не было другого выхода. И тем не менее у нее был выход на самый крайний случай. Два дня назад она бы себе в этом не призналась, но сейчас...

Джессика сложила остальные коробки в металлический контейнер и покинула комнату почти два часа спустя после того, как вошла туда. Банк уже закрывался.

Когда она вернулась на Брайант-стрит, женщина, которая беседовала с ней утром, ела капающий жиром чизбургер, попутно читая газету.

— Нашли деньги? — Она оторвала взгляд от газеты и переключилась на Джессику, разговаривая с набитым ртом.

Джессика кивнула.

— Вы разговаривали с банком по поводу дополнительной закладной? — Ей было уже невмоготу, а уединенное общение с металлическим контейнером почти лишило ее душевных сил. Джесси хотела, чтобы этот кошмар закончился. Немедленно.

— Какой банк? — Лицо женщины сохраняло неожиданно пустое выражение, и Джесси сжала кулаки, чтобы не закричать.

— Калифорнийский объединенный банк. Я хотела бы, чтобы моего мужа выпустили под залог сегодня вечером.

— Какие обвинения?

Что эта особа пыталась с ней сделать? Ведь вспомнила же она, что Джессика вернулась не с пустыми руками, — как она могла забыть остальное? Или она вела нечестную игру? Ладно, черт с ней.

— Обвинения в изнасиловании и попытке изнасилования. — Она почти прокричала слова.

— Владеете ли вы какой-либо собственностью?

— Ради Бога, мы все это уже выясняли сегодня днем, вы собирались позвонить в банк по поводу моего дела и закладной. Я была здесь с адвокатом, заполнила бумаги и...

— Хорошо. Ваше имя.

— Кларк.

— Да. Вот. — Блондинка вытянула бланк двумя жирными пальцами. — Сейчас не можем выпустить его под залог.

— Почему? — Джессику выворачивало наизнанку.

— Приходите утром.

Конечно, пока Ян оставался в тюрьме еще на день. Замечательно. Ее душили слезы разочарования, но она ничего не могла поделать, кроме как пойти домой, а утром вернуться.

— Хотите поговорить с боссом?

Лицо Джесси посветлело.

— Сейчас?

— Да. Он здесь. В задней комнате.

— Превосходно. Скажите ему, что я здесь. — «О Господи, пожалуйста... пожалуйста... пусть он окажется человеком... пожалуйста...»

Мужчина появился из задней комнаты, ковыряя в зубах грязным пальцем, на котором блестело золотое кольцо с крупным розовым бриллиантом. В другой руке он держал банку пива. На нем были джинсы и футболка, из-под которой выбивались заросли густых черных волос, короткой курчавой стрижкой он походил на негра. Ненамного старше Джесси. Он ухмыльнулся, когда увидел ее, последний раз зацепил зуб, вытащил руку изо рта и протянул ей. Она пожала ее, хотя и не без отвращения.

— Здравствуйте, я — Джессика Кларк.

— Барри Йорк. Чем могу быть полезен?

— Я пытаюсь добиться освобождения моего мужа под залог.

— Откуда? Какие обвинения? Эй... подождите-ка минутку. Давайте пройдем в мой офис. Хотите пива?

Да, она хотела. Но не могла пить с ним. Ей было жарко, она устала, у нее пересохло в горле, к тому же Джессика была сыта по горло этой канителью и напугана до смерти, но она не хотела пить с Барри Йорком, даже воду.

— Спасибо, нет.

— Кофе?

— Нет. Я в полном порядке, но все равно спасибо.

Он пытался быть приличным. Нужно было отдать ему должное. Он проводил ее в маленькую, затхлую комнатушку с фотографиями голых красоток на стенах, плюхнулся в крутящееся кресло, нацепил на голову зеленые солнцезащитные очки, включил стереопроигрыватель и ухмыльнулся.

— Не часто у нас такие гости, как вы, миссис Кларк.

— Я... не... Спасибо.

— Ну так что с вашим стариком? Какая загвоздка? Вел машину в пьяном виде?

— Нет, изнасилование.

Барри присвистнул, а Джессика старалась смотреть в одну точку.

— Ничего себе. Какой залог?

— Пятнадцать тысяч.

— Плохие новости.

— Вот почему я здесь.

«Хорошие новости для тебя, Барри. Может быть, после этого ты даже сможешь купить себе золотую зубочистку с бриллиантом».

— Сегодня я разговаривала с вашей сотрудницей, она должна была позвонить в мой банк и...

— И... — Его лицо посуровело.

— Она забыла.

Барри покачал головой:

— Нет. Мы не оформляем такие высокие залоги.

— Не оформляете?

Он опять покачал головой.

— Обычно нет. — Джессика подумала, что вот-вот расплачется. — Похоже, она просто не хотела сказать вам.

— Итак, я потеряла день, а мой муж по-прежнему в тюрьме, банк ждет известий от вас и... Что теперь, мистер Йорк? Что, черт возьми, теперь?

— Как насчет того, чтобы пообедать? — Он приглушил звук и похлопал ее по руке. От него разило копченой говядиной с чесноком. Он источал зловоние.

Джессика едва взглянула на него и встала.

— Мой адвокат ошибся в отношении вашего заведения, мистер Йорк. И у меня есть желание проинформировать его на этот счет.

— А кто ваш адвокат?

— Мартин Шварц. Он был со мной здесь этим утром.

— Послушайте, миссис... как ваше имя?

— Кларк.

— Миссис Кларк. Почему бы вам не присесть, и мы все, все обсудим.

— Сейчас или после обеда? Или послушаем еще музыку? Йорк улыбнулся.

— Вы любите музыку? Я подумал, что это создало бы нужную атмосферу.

Он опять прибавил звук. Джесси не знала, смеяться ей, плакать или кричать от злости. Похоже, что она никогда не вытащит Яна из тюрьмы. Не такими темпами.

— Вы хотите пообедать?

— Да, мистер Йорк. С моим мужем. Какова вероятность того, что вы освободите его из тюрьмы, чтобы я могла с ним пообедать?

— К сегодняшнему вечеру? И речи быть не может. Прежде всего мне надо поговорить с вашим банком.

— Именно на этом мы остановились в двенадцать тридцать.

— Ах да. Извините. Я лично займусь этим утром, но ничем не могу помочь, банки уже закрылись, тем более в отношении закладной на ту сумму, о которой вы упомянули. А как насчет дополнительной закладной?

— Мой бизнес или мой дом. Вам решать. Я прямо-таки горю желанием расстаться с тем или с другим, а то и с тем и с другим вместе. Но у меня есть мысль получше.

Она открыла сумочку и вынула два футляра с драгоценностями матери.

— Как вы посмотрите вот на это?

Барри Йорк очень медленно опустился в кресло и не произнес ни слова в течение добрых десяти минут.

— Хорошо.

— И даже очень. Изумрудное и бриллиантовое кольца с очень редкими камнями, а сапфировая брошь стоит кучу денег. Как, впрочем, и жемчуг.

— Да. Возможно, и так. Но дело в том, что я не могу ничего сказать, пока их не посмотрит ювелир. Поэтому не смогу освободить вашего мужа сегодня вечером. Хотя... они весьма недурны. Откуда?

«Украли».

— Моей матери.

— А она знакома с вашим мужем?

— Едва ли, мистер Йорк. Она умерла.

— Извините. Послушайте, завтра утром первым делом я отнесу это оценщику, потом позвоню в ваш банк. Вытащим его к полудню. Клянусь, если камешки настоящие. Но раньше не могу. К полудню, если все тип-топ. Вы знаете мой процент?

«Да, дорогой, парочку медяков».

— Да.

— Ну все, тогда заметано.

— Мистер Йорк, почему бы вам не взять драгоценности и не освободить его сегодня вечером? Он никуда не убежит, а финансовые вопросы мы уладим завтра. Если бы ваша помощница позвонила в банк своевременно...

Но он уже качал головой и ковырял в зубах, протестующе подняв другую руку.

— Я бы рад. Но не могу. Точка. Мое дело — залоги. Я займусь вашим делом утром в первую очередь. Обещаю. Приходите к десяти тридцати, и мы все уладим.

— Отлично. — Она поднялась, ощущая тяжкий груз на своих плечах, и убрала футляры обратно в сумочку.

— Вы их не оставите?

— Не-а. Это я приготовила на тот случай, если вы сумеете освободить его сегодня вечером. Думала, вы поймете, чего они стоят. А так я лучше расстанусь с домом или со своим бизнесом.

— Н-да. — Йорк был далеко не в восторге. — Это чертовски большая закладная, знаете ли.

Она устало кивнула.

— Не беспокойтесь. У меня отличный дом и процветающее дело, а он к тому же — приличный человек. Не убежит за ваш счет. И вы не потеряете ни цента.

— Вы бы удивились, узнав, кто только не убегает.

— Увидимся завтра в половине одиннадцатого, мистер Йорк. — Она протянула руку, и он пожал ее, опять улыбаясь.

— По-прежнему отказываетесь от обеда? Вы выглядите усталой. Может быть, хорошая еда пойдет вам на пользу. Немного вина, чуть-чуть потанцевать... черт, слегка поразвлечетесь, пока ваш старик в тюрьме. Если подумать, раз его взяли за изнасилование, значит, он не просто вышел один подышать воздухом.

— Спокойной ночи, мистер Йорк.

Джессика медленно прошла к двери, затем — к машине и поехала домой. Полчаса спустя она уже спала, не разомкнув глаз до девяти утра, а проснувшись, почувствовала себя так, будто накануне ночью она умерла; ее бил озноб.

Происходящие события начали губительно сказываться на ее самочувствии. Еще более углубившиеся круги под глазами теперь выглядели так, словно были там всю жизнь, сами глаза, казалось, стали меньше. К тому же Джессика заметила, что стала терять в весе. Она выкурила шесть сигарет, выпила две чашки кофе с маленьким тостом, затем позвонила в бутик и предупредила, чтобы сегодня ее не ждали. К мистеру Йорку Джесси прибыла в десять тридцать. Секунда в секунду.

В офисе тем временем появились новые люди. За конторкой сидела жевавшая резинку девушка с крашеными волосами цвета армейских ботинок, рядом с ней разместился бородатый молодой человек с мексиканским акцентом. На этот раз она сразу назвала имя босса.

— Он ждет меня.

Служащие переглянулись так, как будто и слыхом об этом не слыхивали. Йорк появился через две минуты в грязных белых шортах и темно-синей футболке, с номером «Плейбоя» и теннисной ракеткой в руках.

— Играете?

«О Боже».

— Иногда. Вы разговаривали с банком?

Он улыбнулся, довольный собой.

— Прошу в мой офис. Кофе?

— Спасибо, нет.

Джессике начинало казаться, что кошмар никогда не кончится. Она проведет остаток жизни, летая, как теннисный мячик, между инспектором Хоугтоном и всякими Барри Йорками, залами судов и тюрьмами... Конца-края этому не было. Когда, казалось, дело было сделано, всегда находился какой-нибудь лишний пунктик. Никакого выхода. Джесси была почти уверена в этом. А Ян превращался в некую мифическую личность. Хранителя Святого Грааля.

— Вы неважно выглядите. Вы позавтракали?

— Да, я великолепно позавтракала. Но мой муж в тюрьме, мистер Йорк, и я бы очень хотела его оттуда вытащить. Какие на это шансы в ближайшем будущем?

— Великолепные. — Барри сиял. — Я разговаривал с банком, все в ажуре. Вы оформляете дом и соглашаетесь на залоговое удержание доходов в магазине на случай его неявки в суд. А мы придержим кольцо с изумрудом и сапфировую брошь.

— Что?

Йорк сказал это так, как будто заказывал для нее ленч, но он прекрасно понял вчера, как она относилась к фамильным драгоценностям.

— Вы, наверное, не поняли, мистер Йорк. Дом и мой бизнес — вот все, что я готова заложить. Вчера я вам сказала, что могу предложить ювелирные украшения. Но это только в том случае, если бы его освободили вечером и без звонка в банк. Без получения лишних гарантий.

— Да. Хорошо. После звонка я чувствовал бы себя лучше.

— А я — нет.

— А как вашему мужу понравится дальнейшее пребывание в тюрьме?

— Мистер Йорк, разве не существует закона в отношении залогодержателей, запрашивающих слишком большую закладную под дополнительное обеспечение?

Мартин сказал ей об этом.

— Вы обвиняете меня в мошенничестве?

О Господи, если она собирается прижать его... о нет...

— Нет. Пожалуйста, послушайте...

— Послушай, малышка. Я не веду дела с юбками, которые называют меня мошенником. Я оказываю вам любезность, ужом тут извиваюсь ради вашего муженька за пятнадцатитысячную закладную, а вы называете меня вором. Я такое ни от кого не потерплю.

— Извините. — Слезы жгли ей глаза. Она спрашивала себя, хватит ли у нее сил справиться.

Он окинул ее взглядом и пожал плечами:

— Ладно-ладно. Вот что я вам скажу. Мы оставим у себя только кольцо. Брошь можете забрать.

— Идет. — Вышло не так, как она хотела, но ей было все равно. Не важно. Не имеет значения, если Ян убежит и они заберут дом и ее бутик, а также машину и кольцо с изумрудом. Плевать на все.

Йорк ухитрился потратить на формальности вдвое меньше времени против обычного и скользнуть рукой по ее груди,

когда доставал другую авторучку. Джесси посмотрела ему в
глаза, он улыбнулся и сказал, что она будет настоящей краса-
вицей, если станет правильно питаться, и что у него была такая
же высокая подружка в школе. Ее звали Мона. Джессика
только кивнула и продолжала выводить свою фамилию. Когда
вся бумажная работа была закончена, он взял трубку, чтобы
набрать номер городской тюрьмы.

— Я распоряжусь, чтобы Бернис перевела вас через улицу. — Он решил называть ее просто по имени. — И послушайте, Джессика, если вам когда-нибудь понадобится помощь,
вы только позвоните, я буду рядом.

Она мечтала о том, чтобы этого никогда не случилось,
однако, прежде чем уйти, пожала ему руку.

К тому времени, когда Барри Йорк делегировал свою сотрудницу перевести Джесси через улицу, чтобы освободить
Яна под залог, был уже почти полдень. А ей казалось, что
часы скоро пробьют полночь. Она была измотана, мысли путались, очертания предметов расплывались перед глазами. Она
попала в царство злых, гнусных людей.

Молодая особа, которую он назвал Бернис, для вида по-
шелестела бумагами, затем вместе с Джесси перешла улицу,
направляясь в Зал правосудия. Она просунула стопку бумаг,
подписанных Джесси и Барри Йорком, в окошко на третьем
этаже и повернулась к Джесси, смерив ее взглядом.

— Собираешься липнуть к своему старику?

— Простите?

— Собираешься остаться с мужем?

— Да... конечно. А в чем дело?

— Чертовски трудно тебе будет, сестренка. И что такая
хорошенькая цыпочка будет делать с неудачником вроде него?
Он еще потрясет твой кошелек. — Она покачала головой и
заработала челюстями.

— Он того стоит.

Девушка пожала плечами и махнула рукой в направлении лифтов:

— Можешь подняться в тюрьму. Мы свое сделали.

— Нет, леди. Это я сделала. В этом-то вся и разница.

Бернис, лопнув на прощание пузырь из жвачки, направилась к лестнице.

Спустя несколько секунд Джессика была уже в тюрьме и нажимала на маленький звонок, чтобы позвать к двери охранника.

— В чем дело? Еще не время для посещений.

— Я пришла, чтобы забрать мужа под залог.

— Как его зовут?

— Ян Кларк. — «Знаете, известный насильник. Вам только что звонили из «Йорктаун бондинг».

— Я проверю.

«Проверишь? Проверишь что? Когда на карту поставлены дом, бутик и мамино кольцо с изумрудом, что еще проверять? А «Йорктаун бондинг», а инспектор Хоугтон, а Ян?» Ее вновь стали грызть сомнения, она не могла разобраться даже в своих переживаниях. Джессика сердилась на мужа, но не за его прегрешения, а за то, что его не было с ней, когда он был так нужен.

В полубессознательном состоянии, с притупившимися чувствами она прождала возле железной двери почти час, прислонившись к холодной стене. А что, если она никогда не увидит его? Но неожиданно дверь открылась. За ней, не сводя с нее глаз, стоял Ян. Небритый, грязный, неопрятный и похудевший. Но он был свободен. Она поставила на карту все, что имела. И освободила его. Со стоном она сползла ему на руки, а он, нежно обняв, повел ее к лифту.

— Все в порядке, малышка... все хорошо. Все будет нормально, Джесс... тсс...

Это был Ян. Живой Ян. Он держал ее так нежно и почти что нес к машине. Джесси понимала, что не смогла бы выдержать больше... Он не знал всех деталей своего освобождения, но когда увидел документы и услышал об изумрудном кольце ее матери, то понял больше, чем она хотела ему сказать.

— Все хорошо... Все будет хорошо. — Она прижалась к нему, когда они стояли около автомобиля, слезы рекой катились по ее щекам, на лице застыло выражение крайнего отчаяния, а между рыданиями слышались тихие всхлипывания.

— Джесси... малышка... я люблю тебя. — Ян крепко держал ее, а затем медленно повел машину домой.

Глава 9

— Какие у тебя планы на сегодня, дорогая?

Джесси налила Яну вторую чашку кофе за завтраком и посмотрела на часы. Было почти девять, она не показывалась в магазине вот уже два дня, но ей казалось, что прошел по крайней мере месяц. Мрак отступил, теперь все было позади. Ян снова дома. Вчера Джессика провела большую часть дня в полудреме в объятиях мужа — чистого, выбритого, слегка отдохнувшего. На нем были серые свободные брюки и темнокрасный свитер. Каждый раз, когда она смотрела на него, ей хотелось его потрогать, чтобы убедиться, что он — настоящий.

— Ты собираешься сегодня писать?

— Не знаю еще. Полагаю, мог бы провести день, ничего не делая.

Но Ян не просил ее остаться дома, он знал, что ей нужно работать. Джессика достаточно сделала для него за прошедшие дни. Он не мог просить большего.

— Я заберу тебя на ленч.

— У меня есть идея. Почему бы тебе сегодня не поболтаться рядом с бутиком?

Ян следил за выражением ее глаз и догадался, о чем она думает. Джессика была такой же задумчивой целыми месяцами после смерти Джейка. Она боялась потерять его из виду хоть на секунду.

— Боюсь, я тебе только помешаю. Но сделаю, как ты просишь. Буду рядом с тобой большую часть времени.

— А оставшуюся? — Джессика наклонилась и взяла его за руку.

— Я собираюсь поговорить кое с кем по поводу работы.

— Нет! — Она отдернула руку, ее глаза переполняла боль. — Нет, Ян! Пожалуйста.

— Джессика, будь благоразумной. Ты подумала о том, во что нам обходится эта трагедия? Вернее, тебе, если быть точным? Самое подходящее время подыскать работу. Ничего необычного, просто пора приносить в дом немного денег.

— А как ты будешь выкручиваться, когда тебе надо будет появляться в суде? Кому ты тогда станешь приносить пользу?

Джессика опять крепко схватила его за руку, и Ян поразился отчаянию, с которым она держалась за него.

— Хорошо, что именно ты хочешь от меня, Джесс?

— Закончи книгу.

— И позволить тебе взять на себя все судебные издержки? Джесси кивнула.

— Мы сможем уладить финансовые дела позднее, если ты хочешь. Но не принимай это близко к сердцу, Ян. Какая разница, кто подписывает чеки?

— Для меня есть разница. — Для него это всегда много значило и будет значить. Но он также знал, что не сможет ни на чем сосредоточиться до решения суда. Суд... суд... Это единственное, о чем он мог думать. Пока Джессика спала, его мысли постоянно крутились вокруг предстоящего суда. Морально он был не в состоянии работать.

— Посмотрим.

— Я люблю тебя. — В глазах Джесси вновь появились слезы, и он ущипнул ее за кончик носа. — Если вам еще хоть раз вздумается пустить слезу, миссис Кларк, я отправлю вас в постель и такое сделаю, что вам придется поплакать.

В ответ она засмеялась и налила ему еще кофе.

— Не могу поверить, что ты — дома. Без тебя было так ужасно... Это было... было, как... — Слова застряли у нее в горле.

— Наверное, было тихо и спокойно. Это могло внести разнообразие в твою жизнь, но ты по своему неразумению этим не воспользовалась. Черт возьми, не думаешь ли ты, что я останусь там навсегда? Я хочу сказать, что даже писателя подобный способ знакомства с теневыми сторонами жизни очень скоро начинает утомлять.

Но она уже улыбалась, ей нечего было бояться.

— Хочешь, отвезу тебя на работу?

— С удовольствием.

Джессика просияла, освещая все вокруг своей улыбкой. Она поставила чашки в раковину и взяла оранжевое замшевое пальто со спинки стула. На ней были джинсы и бежевый кашемировый свитер. Перед Яном снова стояла прежняя Джессика, если не считать темных кругов под глазами. Она нацепила солнцезащитные очки и улыбнулась.

— Думаю, я лучше поношу их пару дней. У меня вид, как после двухдневного запоя.

— Ты выглядишь прекрасно, и я люблю тебя. — Он ущипнул ее, когда они шли к двери, а она прижалась к нему, чтобы поцеловать через плечо. — Ты даже пахнешь замечательно.

— Все самое лучшее. Туалетная вода «Миль Пье».

По пути в бутик она показала ему дом Астрид и рассказала о ее посещении магазина.

— Замечательная женщина. Очень тихая и приятная.

— Черт, я бы тоже был тихим и приятным с такими деньгами.

— Ян! — Но она только улыбнулась и провела рукой по его волосам. Как хорошо сидеть рядом с ним, смотреть на его профиль, когда он ведет машину, целовать его. Ночью она просыпалась не один раз, чтобы удостовериться, что муж рядом.

— Я приеду примерно к двум, хорошо?

Она посмотрела на него долгим взглядом, прежде чем ответить:

— Ты будешь здесь? Точно?

— Да, детка... Буду. Обещаю. — Ян обнял ее, а она так крепко прижалась к нему, что было больно. Он понимал, что Джессика подумала о том дне, когда его арестовали и он не явился на ленч.

— Будь умницей. — Она улыбнулась и выскочила из машины, послав ему воздушный поцелуй.

Отъехав от бутика, Ян закурил и окинул взглядом корабли в заливе. Замечательный день. Бабье лето уходило, было не так жарко, как несколько дней назад, но небо оставалось ярко-голубым, а в воздухе чувствовался легкий ветерок. Это навело его на размышления о том полудне, пять дней назад. Как будто пять лет прошло. Он по-прежнему не мог понять, как это случилось.

Ян притормозил у светофора, потом поехал дальше, его мысли текли своим чередом. Кольцо с изумрудом, оставленное Джесси в залог. Это потрясло его до глубины души. Он знал, как она относилась к драгоценностям своей матери. Джессика даже не стала их носить. Для нее они были святыней. А кольцо с изумрудом значило для нее больше, чем все остальные украшения. Однажды он заметил, как Джесси примеряла его, и у нее при этом дрожали от волнения руки. Тогда она убрала кольцо обратно в футляр и никогда больше не возвращалась в хранилище. Теперь же она отдала его в качестве залога, чтобы освободить мужа. И Ян подумал о том, о чем никогда раньше не задумывался. Он чувствовал, что любит ее больше, чем до того, как все это началось, и, может быть, Джессика тоже что-то поняла. Для них обоих стало ясно, каким бесценным сокровищем они обладают. Возможно, они начнут обращаться с ним с большей осторожностью. Ян знал только одно. Дни его затянувшегося отдыха были

окончены. Навсегда. Вдруг оказалось, что у него есть преданная
жена. Чего еще ему желать? Ребенка, пожалуй, но Ян смирился
с отсутствием детей. Он был счастлив и с Джесси.

— Доброе утро, девочки. — Джессика впорхнула в магазин с приветливой улыбкой.

Катсуко подняла голову от стола.

— Посмотрите, кто пришел. Да еще в субботу. Мы уже
начали думать, что ты нашла лучшую работу.

— Да нет, пока не везет.

— У тебя все в порядке?

— Да. Нормально. — Джессика медленно кивнула, и Катсуко поняла, что она говорит правду. Джесси снова была сама
собой.

— Я рада. — Катсуко протянула ей чашку кофе, и Джесси присела на краешек стола из хромированной стали и стекла.

— А где Зина?

— На складе, проверяет товар. Миссис Боннер приходила
вчера, спрашивала о тебе. Она купила одну из новых бархат-
ных юбок винного цвета.

— На ней она, должно быть, выглядела великолепно. Она
не пробовала надеть ее с кремовой атласной рубашкой?

— Угу. Купила и то и другое да еще зеленый брючный
костюм из бархата. У нее, наверное, денег куры не клюют.

Да. И одиночества предостаточно. Джесси узнала его вкус.

— Она вернется, — добавила Катсуко.

— Надеюсь. Даже если ничего не купит. Она мне нравится. Что-нибудь готово к показу мод?

— Вчера у меня появилось несколько идей, Джесси. Я
сделала заметки и оставила их на твоем столе.

— Пойду взгляну. — Она лениво потянулась и двинулась
к своему кабинету, неся в руках чашку с кофе.

Сегодня, в это медленно тянущееся утро Джесси казалось, что она вернулась после долгой серьезной болезни. Она была медлительна, осторожна, боялась сделать неверный шаг. Все вокруг выглядело не так, как прежде. Бутик был таким уютным, девушки такими красивыми... Ян таким милым... и даже небо таким синим... Все выглядело лучше.

Джессика прочитала письма, оплатила счета, сменила витрину и поспорила с Катсуко относительно будущего показа мод, пока Зина обслуживала покупателей. Ян примчался за пять минут до полудня. С охапкой роз. Изящных оранжево-розовых, которые Джессика любила больше всего.

— Ян! Какая прелесть! — В букете было около трех дюжин, еще она заметила квадратный предмет, оттопыривавший карман его пиджака. Ян баловал ее, и она любила его. Он улыбнулся и кивнул в сторону двери:

— Можно вас на минутку, миссис Кларк?

— Да, сэр. За три дюжины роз можете лицезреть меня несколько недель!

Обе девушки засмеялись, и Джесси прошла за Яном в свой кабинет. Он мягко прикрыл дверь, и широкая улыбка появилась на его лице.

— Хорошее было утро?

— Ты только за этим привел меня сюда?

Он улыбался и с трудом сдерживал смех.

— Признавайся. Это больше, чем коробка конфет?

— Что?

— Подарок, который ты мне купил, конечно.

— Какой подарок? Я купил тебе розы, а ты хочешь большего! Ах ты жадная испорченная девчонка...

Но его довольный вид не мог убедить Джесси.

— Вот... — Ян вытащил коробку из кармана, его рот растянулся в улыбке от уха до уха. Внутри лежал массивный золотой браслет, на котором было выгравировано «С любовью. Ян». Он буквально стоял над душой у ювелиров все утро, пока они делали свое дело. Неподходящее время, чтобы швыряться деньгами, но Ян давно знал, что ей нужно что-то подобное, и тут его будто осенило, когда он сел за роман. Красивый браслет, точно по ее руке. Он стоил ему его последних сбережений.

— О, дорогой... как красиво! — Джессика застегнула его на запястье, браслет сидел как влитой. — Бесподобно! Ян... ты сумасшедший.

— Я просто без ума от тебя.

— Я начинаю думать, что у тебя нефтяная скважина. Ты потратил целое состояние. — Но в ее голосе не чувствовалось осуждения, только радость. Ян пожал плечами. — Подожди, я покажу девочкам.

Она поцеловала его, открыла дверь и столкнулась нос к носу с Зиной, которая шла в кладовую.

— Взгляни на мой браслет!

— Вот это да! Это подарок того привлекательного молодого человека с розами?

Она засмеялась и подмигнула Яну.

— О, замолчи. Как тебе браслет?

— Роскошный. Где найти другого такого мужчину?

— Попробуй на киностудии. — Ян ухмылялся из-за плеча Джесси.

— А что? И попробую.

Зина исчезла в кладовой, а Джесси тем временем с победным видом показывала браслет Катсуко. Несколько минут спустя Ян и Джессика уже шли к двери, собираясь вместе пообедать.

— Как мне нравится твой браслет!

Она напоминала ребенка, которому дали новую игрушку. Джессика держала свою руку так, чтобы видеть, как браслет переливается в солнечном свете.

— Дорогой, мне так нравится твой подарок! А как тебе удалось заставить их так быстро сделать гравировку?

— Под дулом пистолета, конечно. Как же еще?

— У тебя действительно есть класс.

— Для насильника, — ответил он с улыбкой.

— Ян!

— Да, любовь моя? — Он поцеловал ее, садясь в машину, и она засмеялась. В нем было больше стиля, чем в любом мужчине, которого она знала.

Вечером они пошли в кино и поздно проснулись в воскресенье. Был еще один теплый безоблачный день, на небе, как приклеенные, висели похожие на декорации облака.

— Не хотите ли пойти на пляж, миссис Кларк? — Ян лениво потянулся на своей половине кровати, перевернулся и поцеловал жену. Ей нравилось, как его щетина щекочет ее щеку. Жесткая, но не причинявшая боли.

— Неплохо бы. Сколько сейчас?

— Почти полдень.

— Не может быть. Наверное, девять.

— Нет. Открой глаза и посмотри сама.

— Не могу, я все еще сплю. — Он поцеловал ее в шею, Джессика засмеялась и открыла глаза. — Прекрати!

— Ни за что. Вставай и приготовь мне завтрак.

— Эксплуататор. Ты никогда не слышал о феминистском движении? — Она лежала на спине, сонная и зевающая.

— А что это такое?

— Движение за освобождение женщин. По воскресеньям мужья должны готовить завтрак... но... с другой стороны, — она посмотрела на браслет, широко улыбаясь, — им не вменяется в обязанность дарить женам такую роскошь. Так что, может быть, я приготовлю тебе завтрак.

— Не сбейся с ног.

— Не собьюсь. Яичница пойдет? — Джессика закурила сигарету и села в кровати.

— У меня есть идея получше.

— Кукурузные хлопья? — Она расплылась в улыбке и поймала луч солнца на браслет.

— Нет. Я тебе помогу. Для того чтобы приготовить приличный завтрак, ты слишком занята браслетом. Как насчет омлета из копченых устриц с сыром?

Он, похоже, был в восторге от подобной комбинации, а Джесси сделала ужасную мину:

— Фу! Пропускаем копченые устрицы.

— А почему бы не пропустить сыр?

— Тогда, может быть, отказаться и от омлета?

— Значит, хлопья на завтрак?

— Ян, ты сумасшедший... но я люблю тебя. — Она укусила его в бедро, а он провел рукой по ее спине. Прошел еще час, прежде чем они выбрались из постели. Даже занятия любовью стали теперь другими. В них была смесь отчаяния и благодарности.

— Так мы идем или не идем сегодня на пляж? — Он сел в кровати, его светлые волосы были всклокочены как у мальчишки.

— Звучит заманчиво, но меня еще не кормили.

— Ах... бедняжка. Ты не захотела мой омлет из копченых устриц с сыром.

Она подергала его за выбившуюся прядь.

— Меня устроило то, что я получила взамен.

— Как тебе не стыдно.

Она показала ему язык, выбралась из постели и направилась в кухню.

— Куда это ты отправилась нагишом?

— На кухню, чтобы приготовить завтрак. А ты против?

— Ничуть. Нужна помощь?

Минуту спустя она услышала, как хлопнула калитка, и, обернувшись, увидела, как он вновь появился на кухне, обернутый вокруг бедер простыней, с букетом из петуний.

— Хозяйке дома.

— Извините, ее нет. Можно мне их взять вместо нее? — Джессика нежно поцеловала мужа, взяла цветы и положила их в подставку для сушки посуды. Ян привлек ее к себе, простыня упала на пол.

— Дорогой, я люблю тебя, но если ты не прекратишь, бекон сгорит, а мы так никогда и не попадем на пляж.

— А тебе не все равно?

Они оба улыбались, бекон на сковороде яростно разбрасывал горячие брызги, а яйца вздувались пузырями.

— Нет. Но мы могли бы поесть, раз уже все готово.

Ян похлопал ее пониже спины, Джессика выключила газ и накрыла на стол.

На пляж они попали около трех, но солнце припекало до шести. На обратном пути Ян и Джессика пообедали рыбой в Сосалито, и он купил ей забавного щенка, сделанного из морских раковин.

— Мне такая жизнь нравится. Я прямо как туристка.

— Думаю, на память об этом вечере тебе надо подарить что-то действительно дорогое.

Оба они находились в приподнятом настроении, когда ехали по мосту, возвращаясь домой, но его слова несколько удивили Джессику. Ни с того ни с сего им вдруг вздумалось покупать памятные сувениры.

— Милый, как тебе пишется?

— Лучше, чем можно ожидать. Не спрашивай пока.

— Правда?

— Правда.

Она посмотрела на него, удовлетворенная. Ян, похоже, гордился собой и не страшился грядущего дня.

— Ты послал что-нибудь из написанного своему агенту?

— Нет, хочу подождать, пока не закончу еще несколько глав. Но ты высказала неплохую мысль. Может быть, даже очень хорошую.

Ян произнес это торжественно, Джесси была тронута. Он давно уже не говорил так о своей работе. С тех самых пор, как вышел сборник рассказов, а ведь они были чудные. Критики, конечно, признали это, а публика, публика — нет.

По пути домой им захотелось сделать еще одну остановку у яхт-клуба рядом с мостом. Выключив фары и заглушив мотор, они наслаждались плеском волн у кромки узкой полоски пляжа, пока вдали глухо ревели сирены. Оба непривычно устали — так, словно каждый прожитый день являл собой бесконечное путешествие. Череда неприятностей брала свое. Джессика замечала это по тому, как крепко спал Ян — беспробудно, да и сама она все время ощущала усталость, несмотря на то что ее переполняло счастье. В них проснулось небывалое влечение, новые запросы. Они с жадной страстью набрасывались друг на друга, словно им предстояло долгое расставание.

— Хочешь мороженого? — В его глазах было беспокойство.

— Честно? Нет. Я — разорена.

— Да. И я. Сегодня вечером хочу тебе почитать. Ту главу, которую я только что закончил.

— Мне тоже можно?

— Разумеется.

Ян казался довольным, когда отъезжал от яхт-клуба. Странно, но ни один из них не стремился попасть домой. Что за зловещий демон ждал их там? — в который раз спрашивала себя Джессика, уже зная, кто был ее личным злым духом. Инспектор Хоугтон. Она постоянно ожидала, что он вот-вот возникнет на пороге и заберет Яна назад, в тюрьму. Джессика думала об этом весь день на пляже, прикидывая, не выскочит ли инспектор из-за дюн, чтобы попытаться упечь его за решетку. Она не сказала мужу ни слова. Они избегали говорить о его аресте. И тем не менее это было единственное, о чем они могли думать.

Вытянув ноги перед камином, Ян читал ей только что законченные главы, пока она не напомнила себе, что должна сообщить ему о встрече с адвокатом. Джесси претила сама мысль о том, чтобы затронуть эту тему, но кто-то должен был сделать первый шаг.

— Не забудь о завтрашнем дне, любимый, — произнесла она очень мягко, с сожалением.

— Что? — Ян был погружен в свою работу.

— Я напомнила тебе о завтрашнем дне.

— А в чем дело? — Ян, казалось, не понимал.

— В десять часов мы встречаемся с Мартином Шварцем. — Джессика попыталась, чтобы это прозвучало так, будто речь шла о посещении парикмахера, но у нее плохо получилось. Ян посмотрел на жену и промолчал. Его взгляд был красноречивее всяких слов.

Глава 10

Встреча с Мартином Шварцем стала холодным душем для обоих. Расположившись напротив адвоката и обсуждая пункты обвинения, они понимали, что больше не смогут прятать голову в песок. Все время, пока Джессика сидела и слушала, ее не покидало чувство тошноты. Неприятным холодом повеяло на нее, когда она ясно представила себе положение, в котором оказалась. Она все поставила на карту. Дом. Доходы магазина. Даже кольцо с изумрудом. Все... Господи... А что, если Ян запаникует и скроется? Что, если... Бог ты мой... она потеряет все. Джессика взглянула на мужа, к горлу подкатил комок. Она попыталась вникнуть в то, о чем шел разговор, но почти не разбирала слов, продолжая размышлять о том, как нужен ей был один-единственный человек, что она отдала ему все. А что будет дальше?

Мартин объяснял им детали предварительного слушания, они также согласились нанять частного детектива, чтобы как можно больше узнать о «жертве». Много, как они надеялись, и все — сомнительного качества. Ян и Джессика намеревались быть добренькими по отношению к мисс Маргарет Бертон. Уничтожить ее — это было единственным шансом для Яна.

— Должна быть какая-то причина, Ян. Подумай об этом. Тщательно. Мог ты как-то оскорбить ее? В сексуальном плане? В общении? Унизил ее? Сделал ей больно?

Мартин пристально смотрел на Яна, а Джесси отвела глаза. Ей не нравилось смущение на лице мужа.

— Конечно...

Какое счастье было уйти из этой комнаты!

Ян не поднял головы, когда она вышла. Мужчины дошли до скучных подробностей. Кто что кому сделал, где, когда и сколько раз. Ян готов был сквозь землю провалиться, думая о том, что Джессике придется услышать на суде.

Она побродила по устланным коврами холлам, разглядывая репродукции на стенах и куря в одиночестве, пока не нашла уютное кресло у одного из окон, откуда открывался такой же восхитительный вид, как и из офиса Мартина. У нее было достаточно тем для размышлений.

Полчаса спустя ее разыскала секретарша, чтобы проводить к Шварцу. Ян выглядел обеспокоенным, а Мартин бросал сердитые взгляды. Джесси решила прояснить для себя ситуацию.

— Я пропустила все самое интересное? — Но ее улыбка была натянутой, они даже не попытались ответить на нее.

— По словам Яна, там не было ничего интересного. Причина, очевидно, кроется в недоброжелательном отношении.

— К Яну? Почему? Ты знал ее? — Джессика повернулась к мужу с удивленным взглядом. Насколько ей было известно, та женщина видела его в первый раз.

— Нет. Я не знал ее. Мартин хочет сказать, что она имела зуб на кого-то, возможно, на мужчину, и я попал под горячую руку.

— Ну-ка повтори.

— Надеюсь, мы сможем это доказать. Грин должен что-нибудь раскопать против нее.

— Да уж, хорошо бы, за двадцать долларов в час. — Ян опять нахмурился и посмотрел на Джесси. Она едва заметно кивнула.

Не время скупиться. Они найдут доказательства, чего бы это ни стоило. Мартин еще раз повторил детали процедуры предварительного слушания, чтобы им все было понятно. Она представляла собой как бы суд в миниатюре, где подсудимый, жертва и защитник выскажут свои соображения, а судья решит, есть ли основания закрыть дело или оно подлежит разбору в высшей инстанции для окончательного решения — в данном случае в уголовном суде. У Мартина не было ни малейшей надежды на то, что дело закроют. Ни один судья не решится взять на себя ответственность вынести решение по такому делу на предварительном слушании. Не поможет и то, что женщина многие годы работала на одном месте и пользовалась уважением в коллективе. Тут были и определенные психологические аспекты, которые заставляли Мартина Шварца чувствовать себя особенно неловко. То, что Ян фактически находился на содержании у своей жены и не написал ни одной удачной книги, хотя работал уже в течение без малого шести лет, могло вызвать у него озлобление к женщинам, по крайней мере способный прокурор мог повернуть все именно так. Частный детектив должен был поговорить с Яном днем или следующим утром.

Джессика и Ян в полном молчании спустились в лифте, она заговорила, когда они уже вышли на улицу.

— Ну, малыш, что ты думаешь?

— Ничего хорошего. Думаю, что если мы с ног до головы не вываляем ее в грязи, она накинет мне на шею удавку. А по словам Шварца, суды относятся с неодобрением к таким способам убийства в наши дни. Надежда, конечно, есть. Ее слово против моего, ну и плюс к тому медицинское освидетельствование, но на это особенно рассчитывать не приходится. Они утверждают, что имела место интимная связь, но никто не возьмется утверждать, что произошло изнасилование. Обвинение в попытке уже сняли, теперь у нас обычная суета и мои «сексуальные причуды».

Джессика кивнула и промолчала.

Поездка в бутик прошла спокойно. Она с ужасом думала о предстоящих слушаниях. Ей не хотелось видеть ту женщину, но встречи с этой особой невозможно было избежать. Придется смотреть на нее, слушать, выдержать ее доводы, единственно ради Яна, и не важно, как неприглядно все обернется.

— Хочешь, чтобы я оставил тебе машину? Я могу дойти домой пешком. — Ян собирался уехать на «моргане», подбросив ее до магазина.

— Нет, дорогой. Я... по здравому размышлению, она мне понадобится. Тебе это принесет массу хлопот? — Она пыталась говорить как можно мягче, для себя же решила все только что. Ей будет нужна машина, на этот счет не могло быть двух мнений, причиняло это ему неудобства или нет.

— Нет проблем. У меня есть шведская секс-бомба, если возникнет необходимость. — Ян имел в виду свой «вольво», и она улыбнулась.

— Хочешь зайти на чашечку кофе? — Но ни один из них не ощущал тяги к разговору. После утренней беседы с адвокатом они были задумчивыми и тяготились обществом друг друга.

— Нет, не буду мешать тебе. Хочу немного побыть один.

Бессмысленно было спрашивать, расстроен ли он. Оба они были огорчены.

— Хорошо, дорогой. Увидимся позже.

У дверей магазина они быстро поцеловались на прощание. Джессика сразу же скрылась в кабинете и назначила встречу с дилером на половину второго. Единственное, о чем она могла сейчас думать. Ян будет сражен, но разве у нее был выбор? А он не в том положении, чтобы возражать.

— Ну, что вы думаете? — Внешний вид мужчины вызывал отвращение. Толстый, угодливый и такой увертливый, что того и гляди выскользнет из рук.

— Неплохо. Очень неплохая штучка. Как она будет выглядеть под капюшоном?

— Безупречно.

Он разглядывал маленький красный «морган», словно кусок мяса на прилавке или проститутку в борделе. У Джесси по коже пошли мурашки. Ей это напомнило продажу ребенка в белое рабство. Этому отвратительному толстому борову.

— Торопитесь загнать?

— Нет. Просто интересно, какую цену я могла бы получить за нее.

— Почему хотите продать? Нужна «капуста»? — Он внимательно оглядел Джесси.

— Нет. Хочу купить машину побольше. — Как все неприятно. Она еще помнила свой восторг и изумление в тот день, когда Ян подъехал в «моргане» и с широкой ухмылкой вручил ей ключи. Победа! Теперь же она будто продавала свою душу. Или душу Яна.

— Вот я что вам скажу. Я делаю вам предложение.

— Сколько?

— Четыре тысячи... ну... Может быть, ради вас... четыре с половиной. — Дилер бросил на Джессику взгляд и ждал.

— Это смешно. Мой муж заплатил за нее семь, сейчас она в лучшем состоянии, чем когда мы ее купили.

— Максимальная цена, которую я могу предложить. Думаю, не привлекая внимания, больше вы и не получите. Ей нужен ремонт.

Ремонт не требовался, и они оба знали это, но он был прав насчет огласки. «Морган» был хорошей машиной, но очень немногие хотели его купить или могли себе это позволить.

— Я дам вам знать. Спасибо, что уделили мне время.

Без лишних разговоров Джессика села в машину и уехала. Черт побери. Как неприятно даже думать об этом. Но над ней висела вторая часть гонорара Шварца, еще этот сыщик, а на дом и бутик уже наложил лапу «Йорктаун бондинг», а у нее уже был заем под машину. Ей еще повезет, если банк разрешит продать «морган». Но ведь они ее хорошо знали и могли пойти ей навстречу. К тому же, несмотря на разглагольствования Яна о поиске работы, он палец о палец не ударил. Он по уши увяз в романе, не вылезал из своего кабинета. Талантливый, но едва ли прибыльный. Пусть даже Ян найдет работу, сколько он сможет заработать за месяц или два до суда, работая официантом или за стойкой бара и не бросая писать по ночам? Возможно, книга начнет расходиться. Надежда была всегда. Но Джесси знала по опыту, что это требовало времени, слишком часто они тешили себя такой мыслью. Она все рассчитала. Необходимо продать «морган». Раньше или позже.

Джессика ни с кем не делилась своими переживаниями до конца дня, приятным сюрпризом для нее был визит Астрид Боннер. Она могла принести облегчение от дневных забот.

— Ну, Джессика, тебя трудно поймать!

Астрид находилась в приподнятом настроении. Она только что купила новое золотое кольцо с топазом — замечательной работы, в тридцать два карата, которое стоило ей маленького состояния. «Не могла отказать себе», — пояснила она. На любой другой женщине оно бы выглядело вульгарно, но на Астрид кольцо смотрелось шикарно. У Джесси снова заныло сердце при воспоминании о «моргане». Топаз с узкими бриллиантовыми багетками стоил, наверное, вдвое больше, чем Джессике было нужно.

— У меня такая сумасшедшая жизнь с тех пор, как я вернулась из Нью-Йорка. Какое замечательное кольцо, Астрид!

— Если оно мне надоест, я всегда могу использовать его как ручку на двери. Не могу никак решить, роскошное оно или отвратительное, и я знаю, что никто не скажет мне правду.

— Оно — роскошное.

— Серьезно? — Она лукаво смотрела на Джессику.

— Я даже позеленела от зависти, едва ты вошла.

— Ого! Это действительно потакание своим слабостям. Удивительно, как тоска действует на девушек. — Она кокетливо засмеялась, и Джесси улыбнулась. Такие простенькие проблемы. Тоска.

— Тебя подвезти или ты зашла что-то купить?

— Никаких покупок, и я с машиной, спасибо. Я заглянула по пути домой, чтобы пригласить вас с мужем на обед.

Девушки сказали ей, что Джесси замужем.

— Какая замечательная мысль. Мы с радостью. Когда ты нас будешь ждать?

— Как насчет завтра?

— Идет.

Они обменялись довольными улыбками, и Астрид прошлась по маленькому, уютному кабинету Джессики.

— Знаешь, Джессика, мне все больше и больше нравится это место. Я могла бы обманом выманить его у тебя.

Она озорно рассмеялась и проследила за глазами Джессики.

— Напрасная трата времени. Могу отдать его тебе. Прямо сейчас, даже упакую как подарок.

— Ты меня искушаешь.

— Ты меня не убедила. Выпьешь? Не знаю твоих пристрастий, но могу сделать покрепче.

— Все еще проблемы, о которых ты упомянула на днях?

— В большей или меньшей степени.

— Что означает не суй нос в чужие дела. Справедливо.

Астрид приветливо улыбнулась. Она не имела понятия о том, что Джессика провела весь день, пытаясь забыть о закладной на свой бутик, находившейся у Барри Йорка. Джессика не могла выбросить это из головы, пока Ян, закрывшись в своей раковине, работал над этой проклятой книгой день и ночь. Господи! Ей нужно было с кем-то поговорить. И почему ему надо было уйти в себя именно сейчас? Он всегда становился таким, когда работал над книгой. Но сейчас?

— У меня есть предложение, Джессика.

Джесси подняла голову. На какое-то мгновение она совершенно забыла об Астрид.

— Как насчет того, чтобы выпить у меня?

— Отличная мысль. Я не помешаю?

— Нет, ни в коем случае. Пошевелись, мы отправляемся.

Джесси скороговоркой попрощалась с девочками и с облегчением покинула бутик. Раньше такого не было. Когда-то она чувствовала себя превосходно, переступая порог своего царства утром, и оставалась довольна собой и своей жизнью, уходя вечером. Теперь ей было неприятно думать о «Леди Джей». Ужасно, как может все измениться за такой короткий срок.

Джесси ехала в своем «моргане». Астрид Боннер сидела за рулем черного «ягуара». Отличная машина. Такая же блестящая и элегантная, как сама Астрид. Эту женщину окружали прекрасные вещи. Включая и дом.

Особняк был наполнен французским и английским антиквариатом. Но ни один из предметов обстановки не подавлял. В доме было просторно. Много воздуха, белого и желтого цвета, изящные оранжевые занавески, шелка бледно-желтого цвета, а наверху — яркие цветные репродукции и замечательная коллекция картин. Два Шагала, Пикассо, Ренуар и Моне, который придавал гостиной настроение летней ночи.

— Астрид, потрясающе!

— Должна признаться, мне тоже нравится. У Тома были такие замечательные вещи. Мне интересно с ними жить. Несколько из них мы купили вместе, но в основном все его, я приобрела лишь Моне.

— Красота.

Астрид имела повод гордиться. У нее было право. Даже фужеры, в которые она разливала виски, были милыми — хрусталь, не толще бумаги, радужного оттенка, если посмотреть на свет. Из библиотеки наверху, где они устроились с фужерами, открывался поражающий воображение вид на мост через залив Золотые ворота и на сам залив.

— Господи, какой великолепный дом. Не знаю, что и сказать. Просто восхитительно.

Библиотека, отделанная деревом и заставленная старыми книгами. На одной стене висел портрет серьезного на вид мужчины — как оказалось, Тома, а над маленьким камином из коричневого мрамора — полотно Сезана. Джесси легко могла представить Тома и Астрид вместе, несмотря на разницу в возрасте. Его глаза источали тепло, как будто он вот-вот засмеется. Взглянув на портрет, Джесси вдруг поняла, как, должно быть, одинока Астрид.

— Замечательный мужчина.

— Да, мы были созданы друг для друга. Его смерть для меня — большой удар. Но нам повезло. Десять лет счастливой жизни.

Но Джесси могла с уверенностью сказать, что Астрид так и не решила, чем же ей теперь заняться. Она просто плыла по жизни — меха, магазины одежды и ювелиры, а также путешествия. У нее не осталось ничего, что привязывало бы ее к одному месту. Она имела дом, деньги, картины, дорогую одежду... но не было любимого человека. А он был главным сокровищем в этом доме. Без Тома все это утратило для нее свою ценность. Джесси могла себе представить состояние Астрид. Даже думать больно.

— А какой у тебя муж, Джессика?

Джессика улыбнулась:

— Ужасный. Он — писатель. И он... ну, наверное, он — мой лучший друг. Предполагаю, он — сумасшедший, замечательный, великолепный и красивый. Ян — единственный, с кем я могу поговорить по душам. Он необыкновенный.

— Этим все сказано, не так ли?

Когда она говорила, в глазах Астрид появилось выражение мягкой задумчивости, и Джесси неожиданно почувствовала себя виноватой. Как она могла так расхваливать Яна, когда эта женщина потеряла любимого мужа?

— Нет, Джессика. Не принимай такой вид. Я знаю, о чем ты подумала, не надо корить себя. Ты так и должна себя чувствовать. То же самое я испытывала в отношении Тома. Лелейте вашу любовь, выставляйте напоказ, наслаждайтесь ею, никогда не извиняйтесь за счастье ни перед кем, а тем более передо мной.

Джессика задумчиво кивнула, держа в руках фужер, и подняла голову.

— У нас ужасные проблемы.

— Семейные? — Астрид была поражена. На лице Джессики это не отражалось. Все, что угодно, но не семейные проблемы. Она выглядела слишком счастливой, когда описывала мужа. Может, финансовые неурядицы? У молодых людей они случаются. Хотя что-то такое было. Проскальзывало, когда она не контролировала себя. Легкий оттенок страха, почти ужаса. Болезнь? Потеря груди? Астрид стало любопытно, но она не смела задавать вопросы.

— Думаю, наступил кризис. Может быть, даже серьезный. Но дело не в наших отношениях, по крайней мере не в обычном смысле.

Она окинула взглядом залив и замолчала.

— Уверена, что вы с ними справитесь. — Астрид знала, что Джесси не хочет об этом вспоминать.

— Надеюсь.

Их разговор неожиданно перешел на бизнес. Джесси рассказала о своем бутике, почему покупатели приходили к ней. Астрид рассмешила ее несколькими историями из своей жизни, когда она работала в редакции «Вог» в Нью-Йорке. Было уже почти семь, когда Джесси неохотно собралась домой.

— Увидимся завтра? В половине восьмого?

— Мы появимся вместе с боем часов. Не могу дождаться, чтобы показать Яну твой дом.

Она задумалась.

— Астрид, тебе нравится балет?

— Я без ума от него.

— Хочешь посмотреть Джефри вместе с нами на следующей неделе?

— Нет... Я... — В ее глазах промелькнула грусть.

— Ну не упрямься. Ян с радостью возьмет нас обеих. Господи, как же его будет распирать от гордости! — Она засмеялась.

Астрид, казалось, колебалась. Затем кивнула с хитрой улыбкой маленькой девочки:

— Не могу удержаться. Ненавижу быть третьим лишним — я прошла через такое после смерти Тома, и, должна заметить, это самая невыносимая вещь в мире. Гораздо легче быть одной. Но мне нравится твое предложение, если Ян не станет возражать.

Они расстались, как две школьные подружки, которые с восторгом обнаружили, что живут через улицу друг от друга. Джесси помчалась домой, чтобы рассказать Яну о доме Астрид.

Джессика надеялась, что они понравятся друг другу. Ей хотелось быть похожей на Астрид. Такой же уравновешенной, мягкой, открытой и приветливой. Астрид могла и не знать, как сложится дальше ее жизнь, но она научилась быть в ладу сама с собой, и это давало свои плоды. Она излучала любовь и спокойствие и не брала от жизни все, что можно, как Джесси. Но, честно говоря, Джесси не завидовала ей. У нее по-прежнему был Ян, а Астрид осталась одна. Неожиданно Джессика обнаружила, что нещадно гонит машину, стремясь поскорее увидеть Яна, а не его портрет.

Подъезжая к дому, она заметила незнакомого мужчину, спускавшегося с крыльца. Он бросил на нее долгий оценивающий взгляд и кивнул. Джесси почувствовала, как ее захлестнула волна ужаса. Кошмар вернулся. *Полиция... полиция опять в доме... что на этот раз?* Ужас сковал ее, она замерла как вкопанная. *По крайней мере это не инспектор Хоугтон. А где Ян?* Она хотела кричать от страха, но не могла позволить себе сцен. *Соседи могли услышать.*

— Харви Грин. Миссис Кларк? — Она кивнула и не двинулась с места, с тревогой глядя на него. — Я — тот частный детектив, которого мистер Шварц отрядил на ваше дело.

— Понимаю. Вы уже поговорили с моим мужем? — Джессика неожиданно ощутила порыв холодного ветра на лице, ее сердце бешено колотилось.

— Да, побеседовал.

— Вы хотите, чтобы я что-то добавила? Помимо денег...

— Нет. У нас все под контролем. Буду держать с вами связь. — Он сделал шутливый жест рукой в направлении своих бесцветных волос, как будто отдавая салют, и бодро двинулся к машине. Бежевого или светло-голубого цвета, Джесси не была уверена в сумерках. Может быть, белого. Или светло-зеленого. Так же, как и он сам, машина совершенно ничем не выделялась. У него были неприятные глаза и неприметное лицо человека, который привык сливаться с толпой. Трудно было определить возраст Грина, а о его одежде можно было сказать, что она давно вышла из моды. Впрочем, то же самое смело можно было утверждать и десять лет назад. Одним словом, он отлично подходил для своей роли.

— Дорогой, я — дома! — Но в ее голосе слышались нервозные нотки. — Дорогой?.. На завтра мы приглашены на обед. — Никого из супругов это не интересовало. Визит Харви Грина занимал все их мысли.

— Приглашены? Кем? — Ян наливал себе порцию спиртного на кухне. И отнюдь не обычное белое вино, а бурбон или виски, которое он пил очень редко, за исключением тех случаев, когда у них были гости.

— Новая покупательница, с которой я познакомилась в магазине. Астрид Боннер. Она — милая. Думаю, тебе понравится.

— Кто?

— Ты знаешь. Я уже объяснила тебе. Вдова, которая живет в кирпичном особняке на углу.

— Отлично. — Ян попытался выдавить улыбку, но ничего не вышло. — Ты встретила Грина?

Джессика кивнула:

— Сначала подумала — полицейский. Чуть не подпрыгнула.

— И я. Вот потеха — так жить, да?

Она попыталась оставить без внимания его замечание и расположилась на своем обычном месте.

— Плесни и мне.

— Виски?

— Почему бы и нет? — Уже третья порция за сегодняшний вечер.

— Ладно. Должно быть, местечко что надо. — Но, похоже, на самом деле ему было все равно. Ян бросил в стакан кубики льда.

— Завтра сам увидишь. И, Ян... Я пригласила ее с нами на балет. Ты не против?

Он посмотрел ей в глаза лишь через пару глотков и ответил. Ей не понравилось то, что она услышала.

— Что касается знакомства, то мне в высшей степени наплевать.

Они попытались заняться любовью тем вечером после ужина, но впервые Ян не смог. Ему и на секс было наплевать. Все было похоже на начало конца.

Глава 11

— Ты уже оделась?

Джессика слышала, как Ян грохотал в кабинете, сама она только что закончила расчесывать волосы. На ней были белые шелковые
брюки и тонкий бирюзовый свитер. Джессика боялась, что оделась
не так, как нужно. Астрид обязательно будет в чем-нибудь сног-
сшибательном, а Ян, похоже, надолго застрял в кабинете.

— Ян! Ты готов? — Грохотанье прекратилось, и она услышала звук шагов.

— Более или менее. — Он улыбался ей из дверей спальни.

— Мистер Кларк, вы выглядите идеально.

— Как и вы. — Он выбрал новый темно-синий блейзер
от Кардена, который она привезла ему из Нью-Йорка, кремо-
вую рубашку, галстук цвета красного вина и бежевые габардиновые брюки, которые она купила во Франции. Они
подчеркивали его длинные, стройные ноги.

— Ты выглядишь ужасно пристойно и неотразимо привлекательно. Я схожу с ума от любви к тебе, дорогой.

Он вежливо кивнул и обнял ее за талию.

— В таком случае, как насчет того, чтобы вместо этого
остаться дома? — У него была хитринка в глазах.

— Ян, не прикасайся ко мне! Астрид будет так разочарована, если мы не сдержим обещания. Тебе она понравится.

— Обещания, обещания. — Когда Джессика взяла белый
шелковый жакет, оставленный на стуле в холле, Ян предложил
ей руку. Он уступил жене в просьбе, согласившись на этот
обед, чтобы только ублажить ее. У него были другие заботы.

Они прошли полквартала к особняку на углу; первый вечер, когда в воздухе повеяло осенью. В Сан-Франциско она
была совершенно другая, чем в Нью-Йорке. Отчасти поэтому

они оба полюбили этот город. Им нравился мягкий, умеренный климат.

Джессика позвонила в дверной звонок. Ответа не было.

— Может быть, она решила, что мы ей не нужны.

— Замолчи. Ты просто хочешь вернуться домой, чтобы поработать над книгой.

Но она улыбнулась ему, когда они услышали шаги. Секунду спустя дверь распахнулась и перед ними предстала Астрид в ослепительном длинном черном платье с ниткой жемчуга. Волосы были распущены, а глаза сияли, когда она проводила их внутрь. Она выглядела более эффектной, чем раньше. Ян был сражен. Он ожидал увидеть заурядную женщину средних лет и согласился пойти только ради Джесси. Его пленила эта красавица в черном с кукольной талией, длинной, изящно изогнутой шеей и с таким божественным лицом. Это была не вдова с аристократическими манерами. Это была женщина.

Пока Астрид и Джессика обнимались, на секунду забыв о нем, Ян огляделся по сторонам, заинтригованный как женщиной, так и ее внушительным домом. Нельзя было не восхищаться. Смотрел ли он на женщину или на дом.

— А это — Ян.

Он чувствовал себя как маленький мальчик, представленный своей матерью хозяйке дома: «Скажи добрый вечер тете».

— Здравствуйте. — Неожиданно Ян порадовался, что надел новый пиджак. Это не будет похоже на обычный обед. Астрид, должно быть, сноб, решил он. Судя по ее наряду. И к тому же вдова. Чертовски богата... Но внутренний голос подсказывал ему, что все не так просто. Держалась она непринужденно, без снобистских замашек. На одухотворенном лице выделялись умные прекрасные глаза. Она производила благоприятное впечатление.

Провожая их наверх, в библиотеку, Астрид весело смеялась. Супруги обменялись быстрыми взглядами, когда проходили мимо изящных эскизов и офортов... Пикассо... Ренуар... опять Ренуар... Моне... Гойя... Ему захотелось присвистнуть, а Джессика заговорщически ухмыльнулась. Он приподнял брови, тогда она показала ему язык. Астрид шла впереди, и они вынуждены были держаться в рамках приличий. Пока не вернутся домой. Джессика с радостью следила за тем, как меняется выражение на лице мужа, это наводило ее на озорные мысли. Она ущипнула его, когда проходила вперед, чтобы первой войти в библиотеку.

У Астрид уже было приготовлено блюдо с закусками, а также роскошный паштет. В камине горел огонь. Ян взял немного паштета на тоненьком ломтике тоста и не смог удержаться от смеха.

— Миссис Боннер, не знаю, как это выразить. Я чувствую себя четырнадцатилетним мальчишкой, я просто ошеломлен вашим домом. И моя жена.

Астрид улыбнулась той невинной улыбкой, которая так нравилась Джесси, и засмеялась вместе с ними.

— Благодарю за прекрасный комплимент, но вот называть меня «миссис Боннер» не стоит. Чувствуйте себя подростком, но не заставляйте меня ощущать себя почти четырехсотлетней старухой. Для вас, мои дорогие, я просто Астрид. — Она проказливо взмахнула руками. — Или мне придется выставить вас за дверь. И Боже упаси называть меня тетушка Астрид.

Все трое засмеялись, она сняла туфли и, поджав ноги, уютно устроилась в большом удобном кресле.

— Я рада, что вам понравился дом. Но в нем очень не хватает Тома. Иногда это так угнетает. Временами я не могу избавиться от ощущения, что никогда он не станет родным. Я хочу сказать... это так... так... как будто дом принадлежит моей матери, а я всего лишь присматриваю за ним. Я ли это? В этом особняке? Как смешно!

Но в этом не было ничего смешного. Ян задавался вопросом, знала ли Астрид, как превосходно она смотрелась среди всей этой роскоши. Он представил себе Тома, мысленно вписав его в интерьер дома, включая картины и вид из окна.

— Знаете ли, вам все это очень идет.— При обмене любезностями Ян внимательно следил за выражением ее глаз, Джессика же ограничилась ролью стороннего наблюдателя.

— Да, в какой-то степени, но не всегда. Порой это отпугивает людей. Стиль жизни. Богатство. То, что... полагаю, вы можете назвать аурой. В основном причина тому — Том и... окружавшие нас вещи.

Она небрежно повела кругом рукой, обводя нешуточное состояние, заключенное в произведениях искусства. Вещи.

— И отчасти я. — Яну понравилось, как она допустила такую возможность. — Когда живешь вот так, от тебя ждут чего-то экстравагантного, чего во мне нет ни грамма. Случается и так, что людям просто некогда понять, что я собой представляю. Я уже говорила Джесси, что поменяла бы свой дом на ваше гнездышко в любую минуту. Но... — Она расплылась в улыбке, как нежащаяся на солнце кошка. — И здесь неплохо жить.

— Совсем неплохо, миссис... Астрид.

Они ответили взрывом смеха на его оговорку.

— Сомневаюсь, что вам понравится наше «гнездышко». Как-то раз, когда мы включили фен, у нас сгорела сушилка, в другой — прорвало водопровод и в подвале появилась вода. У нашего жилища свои причуды.

— Похоже, немало смешного.

Было ясно, что ничего подобного в ее замке произойти не может. Джессика улыбнулась, вспомнив, как однажды, когда перегорели пробки, а Ян отказался ими заниматься, они провели остаток вечера при свечах, пока ему не понадобилась для работы электрическая пишущая машинка.

— Ну, детки? Не хотите отправиться на экскурсию? — прервала Астрид их размышления. Джесси еще не видела всего, а Ян был у нее дома впервые.

Босиком Астрид прошла через застланный ковром холл, щелкая выключателями под медными канделябрами, открывая двери и прибавляя свету. Наверху находились три спальни. Принадлежавшая ей была выдержана в ярко-желтых тонах и выходила окнами на залив. В ней стояла большая кровать с пологом на четырех столбиках и скромное зеркальное трюмо. К спальне примыкала отделанная белым мрамором ванная; такая же, но в бледно-зеленых тонах располагалась по другую сторону холла, за ней начиналась элегантная спальня, обставленная старинной французской мебелью.

— Здесь спит моя мама, когда приезжает в город, ее это как нельзя более устраивает. Вы поймете, что я имею в виду, когда познакомитесь с ней. Она очень подвижная, небольшого роста, смешная; любит, чтобы повсюду было много цветов.

— Она живет на востоке? — заинтересовался Ян. Он вспомнил, как Джесси упомянула, что Астрид приехала из Нью-Йорка.

— Нет, мама живет на ранчо, подальше от городской суеты. Купила его несколько лет назад и очень довольна. К нашему удивлению, оказалось, что ранчо на самом деле ее стихия. Мы думали, что эта затея надоест ей через полгода, но ошиблись. Она — очень независимая, ездит верхом и любит изображать из себя ковбоя, несмотря на свои семьдесят два года.

Джессика улыбнулась, представив себе седую старушку в ковбойском костюме, уютно устроившуюся в хорошо обставленной комнате.

Спальня, разместившаяся рядом с покоями Астрид, выглядела более унылой и принадлежала, вероятно, ее мужу. Джессика и Ян обменялись вопросительным взглядом: у них были раздельные спальни? Джесси, однако, не забывала о разнице в возрасте. Рядом с его комнатой находился небольшой рабочий кабинет с кожаной мягкой мебелью и красивым столом старинной работы, заставленный портретами Астрид.

Хозяйка дома быстро проскользнула через эту часть особняка, выйдя опять в холл, и, после того как за ней проследовали Ян и Джессика, закрыла за собой двери зеленой комнаты для гостей.

— Великолепный дом. — Джесси вздохнула. — Да. Сюда хочется вернуться разодетым в пух и прах, со всеми своими драгоценностями и остаться хоть навсегда.

Теперь им было понятно, почему Астрид не продала дом и не нашла что-нибудь поменьше. Он поведал им о людях, которые ко всему относились с любовью: к красоте, друг к другу, к жизни.

— То, что вы уже видели внизу, не очень впечатляет, но красиво.

Джесси с удивлением отметила отсутствие прислуги. Можно было бы обзавестись по крайней мере горничной в белом переднике или дворецким, но Астрид, похоже, жила одна.

— Вы любите крабов? Я должна была спросить вас заранее, но забыла.

— Любим! — ответила за двоих Джесси.

— Отлично! Похоже, каждый раз, когда я заказываю их для друзей и забываю предварительно спросить, оказывается, что у кого-то на них аллергия или что-нибудь в этом роде. Мне они нравятся.

В столовой был необычный пир. На огромное блюдо в центре стола Астрид выложила гору расчлененных крабов, поставила рядом внушительный графин белого вина, добавила салат и горячие булочки и пригласила гостей отведать угощение. Она закатала рукава своего черного вязаного платья, предложив Яну снять пиджак.

— Ян, ты — чудовище, — воскликнула она капризно, как ребенок. — Сам знаешь, я первой увидела. — Взяв клешню с блюда, она легонько дала ему по рукам, хихикая и потягивая вино. Астрид была права: больше всего она напоминала маленькую девочку, чья мать ушла из дома, позволив ей пригласить друзей на обед «до тех пор, пока им не станет плохо». Она была в ударе, и они оба, Джессика и Ян, влюбились в нее.

Троица безмятежно наслаждалась приятным вечером. Глядя на них, создавалось впечатление, что они напрочь лишены всяких проблем. Было уже за полночь, когда Ян встал и протянул руку Джесси.

— Астрид, я мог бы остаться здесь и до утра, но мне надо завтра пораньше встать, чтобы поработать над книгой, а если Джесси не выспится, то превратится в ужасную зануду. — Всем было жаль, что вечер подошел к концу. — Надеюсь, ты пойдешь с нами на балет?

— С удовольствием. Тебе, думаю, просто необходимо знать, что Джесси убеждала меня, что ты мне понравишься, и оказалась права на все сто. Не могу себе и представить, что с вами я буду третьим лишним.

— Третий лишний — какая чепуха! — Все дружно засмеялись.

Когда они уходили, Астрид обняла их, словно старых знакомых. Иначе нельзя описать и их чувства по отношению к хозяйке дома, которая, стоя босиком в дверях, помахала им на прощание рукой, прежде чем захлопнуть сияющую черную дверь с кольцом в виде головы льва.

— Боже, Джесс, что за чудный вечер. И какая замечательная Астрид. Она — исключительная женщина.

— Ты прав. Но, похоже, очень одинока. В ней чувствуется много нерастраченной любви, но не на кого ее излить.

На последних словах Джессика зевнула. Ян кивнул: разговоры за столом всегда оставались лучшей частью вечера. Она уже и не помнила, было ли такое время, когда Яна не было рядом, чтобы поделиться с ним секретами, высказать свое мнение, задать вопрос. Казалось, они знали друг друга с самого рождения.

— Как ты думаешь, что собой представлял ее муж, Джесс? Полагаю, он не был таким добродушным, как она.

— С чего ты взял? — удивилась Джессика, а потом засмеялась, когда поняла, что имел в виду Ян. — Раздельные спальни? — Он покорно ухмыльнулся, и она ущипнула его. — Ну и мерзкий ты тип.

— Вот уж нет. И позвольте вам заявить, мадам, что, даже если я доживу до девяноста лет, вы никогда не выкинете меня из нашей спальни... или из нашей постели!

Он выглядел таким непреклонным и очень довольным собой.

— Это — обещание, мистер Кларк?

— В письменном виде, если вам так больше нравится, миссис Кларк.

— Я обяжу вас к этому. — Они замерли на минуту и поцеловались, прежде чем одолеть последние несколько ступенек в дом.

— Я рада, что тебе понравилась Астрид, дорогой. Мне с ней хорошо. Хотелось бы узнать ее получше. С немногими можно так запросто поговорить. Знаешь, я... Ну, я чуть было не рассказала ей, что с нами происходит. Мы беседовали на днях и... — Джесси пожала плечами, ей было трудно передать словами свои чувства, а Ян начал хмурить брови. — Она располагает к общению.

Ян остановился и посмотрел на жену:

— Сказала?

— Нет.

— Правильно. Думаю, ты ошибаешься, Джессика. Астрид — прекрасный человек, но никто не в силах понять, что с нами сейчас происходит. Никто. Как можно признаться, что тебя обвиняют в изнасиловании? Сделай одолжение, детка, не распространяйся об этом. Будем надеяться, что вся эта неразбериха скоро закончится, и мы забудем обо всем. Если мы кому-то расскажем, то потом годами это будет неотступно следовать за нами.

— Я так и рассудила. Доверяй мне хоть немного, хорошо? Я не такая глупая. Понимаю, что для большинства людей будет трудно переварить то, что случилось с нами.

— Так не проси их о таком одолжении.

Джессика не ответила, и Ян обогнал ее, чтобы открыть входную дверь. В первый раз на ее памяти их добровольное уединение от остального мира, схожее разве что с тайным обществом, оборачивалось изоляцией. Она не могла поделиться своими переживаниями с людьми. Ян запретил. Прежде выбор всегда оставался за ней. Она общалась, с кем хотела. Джесси проследовала за ним, оставив жакет в передней.

— Любимый, не хочешь выпить чая перед сном? — Она поставила чайник на плиту и услышала, как он поднимается в кабинет.

— Нет, спасибо.

Джессика на минуту остановилась в дверях его кабинета, улыбнувшись ему, когда он сел за стол. Сбоку стоял бокал коньяка, а перед ним лежала небольшая стопка бумаг. Он ослабил узел галстука и сел, посмотрев на жену.

— Здравствуй, прекрасная леди.

— Привет. — Они обменялись наинежнейшими улыбками, и Джесси склонила голову набок. — Собираешься поработать?

— Совсем немного.

Она кивнула и ушла снять с плиты чайник, который уже неистово свистел. Она налила чашку чая, выключила свет и медленно прошла в спальню. Джесси знала, что Ян не появится в течение нескольких часов. Он боялся. Он боялся новой неудачи после того, что случилось накануне. Как и все остальное, что происходило с ними в последнее время, это явилось неожиданностью и принесло новую боль.

Посещение балетного спектакля тоже удалось на славу, так же как и последовавший ужин у них дома. Джесси приготовила мясо по-татарски, холодную спаржу, домашний пирог со сливочной помадкой, подала несколько сортов сыра и рогалики, а также большую тарелку клубники. Это было просто объедение, о чем одобрительно высказалась дегустировавшая ее изыски аудитория.

— Девочка, дорогая, есть ли что-нибудь, чего ты не можешь сделать?

— Много чего. — Но Джесси была польщена комплиментом.

— Не верь ей. Она может сделать что угодно, — повторил комплимент в ее адрес Ян, подкрепив его поцелуем, после того, как разлил «Шато Марго» пятьдесят пятого года. Подходящий случай для того, чтобы выставить одно из своих самых любимых вин.

Все трое чувствовали себя непринужденно, шутили и рассказывали забавные истории. Они уже хорошо приложились ко второй бутылке вина, когда Астрид встала и посмотрела на часы:

— Бог ты мой, два часа. Не скажу, что меня завтра ждут какие-то дела, но у вас-то полно забот. Я чувствую себя виноватой, что задержала вас.

Ян и Джессика обменялись проницательным взглядом: им надо было рано вставать завтрашним утром. Однако Астрид ничего не заметила, ища глазами сумочку.

— Глупости. Такие вечера — подарок для нас, — улыбнулась Джесси.

— Не говоря уже обо мне. Вы и понятия не имеете, как мне у вас понравилось. Какие планы на завтра? Может быть, пообедаем в «Вилла таверна»?

— Я... Извини, Астрид, но я не могу составить тебе компанию завтра. — Еще один взгляд метнулся в сторону Яна. — У нас назначена деловая встреча утром, и я не знаю, когда мы освободимся.

— Тогда почему бы нам всем троим потом не отправиться на ленч? — Астрид нашла сумочку и была готова уйти. — Вы можете мне сообщить, когда освободитесь.

— Астрид, мне неприятно об этом говорить, но как-нибудь в другой раз, — произнес с сожалением Ян.

— Какие вы неуступчивые. — Но теперь и она почувствовала напряжение, которого раньше не было. Что-то нарушало их идиллию. Астрид вспомнила о проблеме, на которую намекнула Джесси, когда они впервые встретились. С тех пор о ней никогда не упоминалось, но она пришла к выводу, что это касалось денежных затруднений. Трудно поверить, но ничего другого ей и в голову не приходило. На здоровье они не жаловались, да и браку их, похоже, ничто не угрожало — слишком много было ласковых прикосновений, быстрых похлопываний по спине, объятий, когда они стояли рядом.

— Возможно, нам удастся сходить в кино на этой неделе. — Ян посмотрел на женщин, пытаясь сгладить неприятный момент. — Не такое шикарное зрелище, как балет, но в «Юни-оне» идет новый французский триллер. Есть желающие?

— Есть! — Джесси захлопала в ладоши и взглянула на Астрид, которая ухмыльнулась и приняла строгое выражение.

— Только в том случае, если вы пообещаете купить мне галлон поп-корна.

— Клянусь. — Ян с серьезным видом поднял руку в торжественной клятве.

— Перекрестись!

— Вот вам крест. — Он выполнил требуемое, и вся тро-ица начала смеяться. — Ты много запрашиваешь.

— Иначе нельзя. Я сижу на поп-корне. С маслом! — Она строго посмотрела на них, и он по-братски обнял ее. Астрид тоже обняла его и вытянулась, чтобы чмокнуть в щечку Джесси. — А теперь я желаю вам обоим спокойной ночи. И дайте друг другу немного поспать. Мне правда жаль, что так поздно.

— Все в порядке. — Джессика проводила ее до двери, и Астрид оставила их, унося с собой смутное ощущение надвига-ющейся беды. Что-то нависло над ними, как бетонная глыба.

Предварительные слушания были назначены на следую-щее утро.

Глава 12

Джесси вошла в небольшой зал суда под руку с мужем. Она предпочла темно-синий деловой костюм и темные очки, Ян выглядел бледным и усталым. Накануне он мало спал, и теперь у него болела голова от выпитого вина. Втроем они осушили две полные бутылки «Марго».

Мартин Шварц ожидал их, копаясь в стопке бумаг на маленьком столе, поставленном чуть в стороне от центра зала. Мартин сделал движение в их сторону, чтобы перехватить пару на полпути.

— Я собираюсь просить о закрытом слушании. Вам следует знать об этом. — Шварц казался до ужаса профессиональным, они оба испытали смущение.

— А что такое закрытое слушание?

— Полагаю, жертва может говорить более открыто, если в зале суда нет обозревателей. Только вы, она, помощник прокурора, судья и ваш покорный слуга. Это — разумная мера предосторожности. Если она приведет своих друзей, то пожелает, чтобы о ней сложилось такое впечатление, будто она чиста, как первый снег. Кроме того, она может непредсказуемо отреагировать на присутствие Джессики.

По непонятной для нее самой причине Джессика невольно вздрогнула при упоминании своего имени.

— Послушайте, если я могу с этим справиться, сможет и она.

Джесси была на взводе, ее тошнило от одной мысли, что придется встретиться с той особой. Она хотела убежать отсюда куда глаза глядят. Каждая клеточка ее тела протестовала против предстоящего испытания. Как много бед обрушилось на нее по милости этой женщины.

Мартин видел, как напряжены были они оба. Он пожалел их и безошибочно определил, что лежало в основе тревоги Джессики: Маргарет Бертон.

— Доверься мне, Джесси, думаю, закрытое слушание будет лучшим выходом для всех заинтересованных лиц. Мы должны начать через несколько минут. Почему бы вам не пойти пока прогуляться в холл? Не уходи далеко, я выйду и приглашу тебя, когда судья готов будет начать слушание.

Ян скупо кивнул, и Мартин вернулся на свое место. К рукам Яна будто подвесили свинец. Джесси. Им нечего было сказать друг другу, пока они ходили вперед-назад по холлу.

— Джесси? — неожиданно окликнул ее Ян.

— Да? — Она странно нахмурила брови, когда посмотрела на него, казалось, ей было трудно оторваться от своих воспоминаний.

— Ты в порядке? — забеспокоился он. Джесси сильно сжимала его руку и все убыстряла шаг. Ему пришлось потрясти ее за руку, чтобы она обратила на него внимание.

— Да. Я — в порядке. Просто думаю.

— Перестань. Все будет отлично. Расслабься.

Она хотела что-то сказать, судя по выражению ее лица, отнюдь не комплимент.

— Мне... мне жаль... такой неудачный день. А тебе так не кажется? Или это только мне?

Джессика спрашивала себя, не сходит ли она с ума.

— Нет, не кажется. Дерьмовый — да, но не неудачный.

Ян попытался улыбнуться, но она не смотрела на него. Она вновь ушла в себя. Джессика начинала его пугать.

— Черт побери, послушай, если ты сейчас не соберешься, я отправлю тебя домой.

— Почему? Чтобы я не увидела ее?

— Неужели тебя это волнует? Увидеть ее? И все? Боже, речь идет о моей жизни. Кому она нужна? А если они аннулируют залог?

— Нет.

— Откуда, черт возьми, тебе знать?

— Я... я... Ян, я не знаю. Не могут же они, и все. Да и зачем? — Она даже не допускала такой мысли. Теперь нужно было ломать голову еще и над этим.

— А почему бы и нет?

— Ну, наверное, если бы я соблазнила инспектора Хоугтона или Барри Йорка, нашего обожаемого залогодержателя, тогда они бы и не стали отменять залог. Но так как я этого не совершала, значит, они вполне могут его аннулировать.

Ее тон был горестным и испуганным.

— Отправляйся домой, Джессика.

— Отправляйся к черту.

И тут Ян замер на полуслове. Время, казалось, остановилось, когда Джессика взглянула в том же направлении. Маргарет Бертон.

Она надела ту же шляпку. С изящным бежевым костюмом. Даже выбрала те же белые перчатки. Одежда была недорогой, но опрятной и подходила к месту и случаю. Сама женщина выглядела невыразимо безжизненной. Настоящая школьная учительница или библиотекарь, начисто лишенная сексуальной привлекательности. Волосы, собранные на затылке в тугой пучок, почти полностью скрывала шляпка. На лице не было косметики. Немодные туфли были на низком каблуке. С такой женщиной заниматься любовью можно было только под дулом пистолета.

Ян не произнес ни слова, лишь отвернулся после вынужденной заминки. Джессика буравила ее ненавидящим взглядом, которого Ян раньше за ней не замечал. До поры, до времени.

— Джесс, ну пожалуйста.

Он взял ее за локоть и попытался увести в сторону, но она не двигалась с места. Маргарет Бертон растворилась в зале судебных заседаний, ничем не выдав факта своего знакомства с ним. Вслед за мисс Бертон быстро прошел инспектор Хоугтон. Появился Мартин Шварц и сделал знак Яну, а Джессика с ожесточенным видом все стояла на месте.

— Послушай, присядь на скамейку. Я вернусь как только смогу.

Ее ужасное состояние пугало Яна.

— Ян? — Джессика повернулась и подавленно посмотрела на него.

Он почувствовал, как у него в желудке все сжимается.

— Я больше ничего не понимаю. — В ее глазах даже не было больше слез. Только боль.

— И я. Но мне нужно идти. Ты посидишь здесь или вернешься домой? — Ян сомневался, можно ли оставить жену одну. Застывшее в ее глазах выражение было слишком знакомым.

— Буду здесь.

Ян спросил ее не об этом, но у него не было времени на пререкания. Он исчез за дверями зала суда, а Джесси осталась одна на холодной мраморной скамье. Она наблюдала за тем, как приходят и уходят люди. Мужчины с дипломатами. Женщины, вцепившиеся в бумажные носовые платки. Маленькие грязные дети в стоптанной обуви и брюках, из которых они давным-давно выросли. Помощники шерифа, адвокаты, судьи, жертвы, защитники, свидетели... люди. Они приходили и уходили, а Джесси сидела и размышляла о Маргарет Бертон. Кто она? Почему так поступила? Почему именно Ян? Она выглядела такой гордой, уверенной в своей правоте, когда входила в зал суда. Зал суда...

Неожиданно ее глаза обратились к двери из темного полированного дерева, с круглыми медными ручками и двумя крошечными оконцами, похожими на глаза, выглядывающими... высматривающими... заглядывающими... внутрь... ей было нужно быть там... внутри... увидеть его... послушать... понять почему... она должна...

Маленькая табличка, криво висевшая на одной из дверных ручек, гласила: «Закрыто». Помощник шерифа в серой форме стоял сбоку от двери, безо всякого интереса оглядывая посетителей. Джессика выпрямилась в полный рост, поправила юбку и вдруг почувствовала удивительное спокойствие. Она изобразила вежливую улыбку. В углу правого глаза появился легкий тик, конвульсии бабочки, но кто его заметит?

— Извините, мэм. Закрыто.

— Да, я знаю. Я занимаюсь этим делом.

— Адвокат? — Он было отошел в сторону.

Тик в углу глаза, казалось, оторвет край века. Джесси спокойно кивнула:

— Да. — О Господи, что, если он спросит ее документы? Или зайдет, чтобы переговорить с судьей. Вместо этого он с улыбкой открыл ей дверь, и Джессика степенно вошла в помещение. А что дальше? Вдруг судья прервет заседание и ее с позором вышвырнут вон? Что, если...

Судья оказался маленьким и неприметным, с седыми волосами и в очках. Заметив Джессику, он вопросительно посмотрел на Мартина Шварца. Окинув ее неодобрительным взглядом, адвокат неохотно кивнул, потом покосился на помощника окружного прокурора, которая пожала плечами. Ее допустили.

Инспектор Хоугтон находился неподалеку от судьи, делая, очевидно, какое-то заявление. Комната была обшита деревянными панелями, с обтянутыми кожей скамьями в переднем ряду и со стульями дальше. Помещение едва ли превосходило офис Мартина Шварца по площади, но здесь в воздухе пахло порохом. Ян и Мартин сидели за одним столом слева. Всего лишь в нескольких футах от них находились мисс Бертон и помощник окружного прокурора, которая, к немалому огорчению Джессики, оказалась женщиной. Молодой, на вид несговорчивой, с обильно политыми лаком волосами и избытком пудры на слишком полных щеках. Она выбрала подобающее почтенной матроне зеленое платье и неброскую нитку жемчуга, а в углах ее рта застыло строгое выражение. Она распространяла вокруг себя праведное негодование своего клиента.

Помощник прокурора повернулась, чтобы взглянуть на Джесси. Обе женщины обменялись ледяными взорами. Помимо того, на ее лице застыло презрение, и Джессика поняла, чем это обернется. Классовой борьбой. Здоровый, отвратительный выпускник колледжа с Пэсифик-Хайтс изнасиловал бедную маленькую представительницу низших слоев общества — оскорбленную, неправильно понятую секретаршу, — которую будет защищать чистенькая, настырная и непорочная особа из среднего класса. Бог ты мой! Именно это им и нужно. Джессика вдруг задалась вопросом: может быть, она не так одета? Но даже в брюках и рубашке она отличалась тем стилем, от которого приходили в бешенство подобные женщины.

Мисс Бертон не заметила появления Джессики или не подала виду. Так же, как и Ян. Джессика бесшумно опустилась на место за ним, а он неожиданно, словно его хлопнули по спине, поднял голову и повернулся в кресле. В глазах Яна застыло потрясение, когда он понял, кто находится за его спиной. Он начал было качать головой, потом придвинулся поближе, словно собираясь что-то сказать, когда встретил стальной взгляд Джесси. Она быстро пожала его плечо, и он опустил глаза: бессмысленно было спорить. Но когда Ян отвернулся, его широкие плечи, казалось, поникли.

Инспектор Хоугтон поднялся с того места, с которого он обращался к судье, поблагодарил суд и вернулся в кресло по другую руку от Маргарет Бертон. Что теперь? Сердце Джессики гулко стучало. В этот момент она уже сомневалась в разумности своего прихода. Что она услышит? Сможет ли принять это? Что, если она потеряет голову? Сойдет с ума... закричит...

— Мисс Бертон, пройдите вперед, пожалуйста.

Когда Маргарет Бертон медленно покинула свое место, сердце Джессики забилось так, что, казалось, оно вот-вот выскочит из груди. На виске судорожно билась жилка, глядя на свои трясущиеся руки, она боялась, что вот-вот упадет в обморок. Почему Бертон? Она такая невзрачная, такая некрасивая, такая... дешевка. Джессика подумала о том, как себя чувствует Ян, сидя прямо перед ней. Он выглядел каким-то отстраненным, чего нельзя было сказать о Маргарет Бертон. Джесси овладело безумное желание подбежать к ней, схватить ее, вытрясти из этой мерзавки правду. Скажи им, что там произошло, черт тебя дери! Правду! Джессике не хватило воздуха, и она закашлялась.

— Мисс Бертон, не могли бы вы нам объяснить, что произошло в тот день с того момента, когда вы впервые увидели мистера Кларка. Просто расскажите нам, своими словами. Это — не суд. Это всего лишь предварительное слушание, чтобы определить, заслуживает ли это дело дальнейшего рассмотрения в суде.

Судья говорил так, словно читал наклейку на банке с апельсиновым соком: словами, которые он произносил тысячу раз до того и которых больше не слышал. Но другого приглашения и не потребовалось. Бертон с важным видом и крошечной улыбкой прочистила горло. Инспектор Хоугтон посерьезнел, наблюдая за ней, а обвинитель, казалось, не спускал глаз с судьи.

— Мисс Бертон? — Судья смотрел в пространство, когда говорил, все напряглись в ожидании.

— Да, сэр. Ваша честь.

Джессика почувствовала, что «жертва» не испытывала смятения. Не выглядела оскорбленной. Скорее довольной? Сумасшествие. Довольной чем? Но Джесси не могла избавиться от этого ощущения, когда смотрела на женщину, утверждавшую, что Ян ее изнасиловал. Сольная партия началась.

— Я пообедала в ресторане Энрико, а потом решила пройтись по Бродвею.

У нее был монотонный, неприятный голос. Немного высокий. Немного громкий. Ей бы хорошо удавалось пилить мужа. Для оскорбленной она говорила слишком громко. Оскорбленной до глубины души. Джессике стало любопытно, вникал ли судья в смысл слов. Похоже, что нет.

— Я шла по Бродвею, и он предложил меня подвезти.

— Он угрожал вам или просто предложил подвезти?

Она почти с сожалением покачала головой.

— Нет, не угрожал. На самом деле — нет.

— Что значит: «На самом деле — нет»?

— Ну, я думаю, он вполне мог обезуметь, если бы я отклонила его предложение, но был такой жаркий день, а я нигде не видела автобуса, я опаздывала в офис и...

Она посмотрела на судью, лицо которого сохраняло невозмутимое выражение.

— Я сказала ему, где работаю. — Она на секунду замолкла, посмотрела на свои руки и вздохнула. Джесси захотелось свернуть ей шею. Такой, знаете ли, патетический вздох. Не думая, она вцепилась в плечо Яна, и он подскочил в кресле, обернувшись к ней, обеспокоенный. Джессика выдавила едва заметную улыбку, и он похлопал ее по руке, прежде чем перевести взгляд на Маргарет Бертон.

— Продолжайте. — Судья подгонял ее. Она, похоже, потеряла нить повествования.

— Извините, ваша честь. Он... он не отвез меня назад в офис, и... ну, я знаю, с моей стороны было безумием принять его приглашение. Но был такой прекрасный день, а он казался приличным человеком. Я подумала... я не отдавала себе отчета...

Неожиданно из уголка ее глаза выкатилась слезинка, затем другая. Хватка Джесси на плече Яна стала почти невыносимой. Он взял ее за руку и мягко держал до тех пор, пока она не убрала свою.

— Пожалуйста, продолжайте, мисс... мисс Бертон. — Судья справился о ее имени по бумагам на своем столе, отпил из стакана и поднял голову. Джесси стало ясно, что для него это была ежедневная рутинная работа. Он, похоже, был очень далек от драмы, разворачивающейся на их глазах.

— Я... Он взял меня... в отель!

— Вы пошли с ним? — В голосе не было оценки, только вопрос.

— Я подумала, что он ведет меня назад в офис. — Неожиданно голос ее зазвучал гневно и пронзительно. Слезы уже высохли.

— А когда вы увидели, что он ведет вас не в офис, почему вы не оставили его?

— Я... я не знаю. Подумала, что это могло бы... он только хотел выпить, как он сказал, он не был довольно мил, просто ничего не соображал. Я посчитала, что он не опасен и лучше будет не отказывать ему — выпить, я хочу сказать, а потом...

— В том отеле был бар? — Она помотала головой. — Портье? Кто-нибудь видел, как вы входили? Вы могли позвать на помощь? Я не поверю тому, что мистер Кларк направил на вас оружие или что-нибудь в этом духе. Как вы считаете?

Она залилась краской и неохотно покачала головой.

— Ну, так кто-нибудь вас видел?

— Нет, — произнесла она едва слышно. — Там никого не было. Гостиница напоминала... многоквартирный дом, где сдаются внаем квартиры.

— Вы помните, где он расположен?

Бертон опять покачала головой, и Джессика почувствовала, что Ян беспокойно заерзал на своем месте. Взглянула на него и увидела, что его лицо исказилось от гнева. Наконец-то. Он снова ожил. Стряхнул с себя груз отчаяния и неверия.

— Вы не могли бы сообщить нам местонахождение отеля, мисс Бертон?

Опять отрицательное движение головой.

— Нет. Я... я была так расстроена, что... не посмотрела. Но он... он... — Ее лицо вдруг вновь преобразилось. Глаза вспыхнули и пылали такой ненавистью и такой яростью, что на мгновение Джесси почти поверила ей и заметила, как неожиданно замер Ян. — Он разрушил всю мою жизнь! Он... — Она, кажется, начала рыдать, потом глубоко вздохнула, ее пыл иссяк. — Когда мы вошли, он схватил меня и потащил в лифт и... — Ее молчание было красноречивее всяких слов, она склонила голову, словно признавая свое поражение.

— Вы помните номер комнаты?

— Нет. — Бертон не поднимала головы.

— Вы сможете ее узнать?

— Нет. Думаю, нет.

Нет? Почему нет? Джесси не могла представить, что невозможно не вспомнить комнату, где тебя изнасиловали. Она навсегда отпечатается в мозгу.

— Смогли бы вы узнать отель?

— Не уверена. Полагаю, что нет.

Бертон по-прежнему стояла с опущенной головой, и Джесси засомневалась в правдивости ее рассказа еще больше, а потом поняла, что происходит: если она ставила под сомнение свидетельства жертвы, значит, в чем-то она могла бы принять их за чистую монету. Одной своей вспышкой гнева и ярости женщина убедила их всех. Даже Джессику. Или была близка к этому. Почти. Джессика повернулась, чтобы посмотреть на Яна, их взгляды встретились: его глаза блестели от слез. Он тоже знал, что происходит. Джессика опять взяла его за руку, на этот раз медленно и уверенно. Она хотела поцеловать его, удержать его рядом, сказать ему, что все будет в порядке, но сейчас ее одолевали сомнения. Единственное, в чем она была абсолютно уверена, — это в своей безмерной ненависти к этой женщине.

Мартин Шварц также выглядел не слишком довольным. Если Бертон утверждала, что не помнит, где находится отель, то они потеряли последнюю надежду найти свидетеля, который их там видел. Ян тоже не смог сообщить точное местонахождение гостиницы. Изрядное количество спиртного стерло это из его памяти. Адрес, который он назвал, оказался неправильным. На этом месте находился склад. В том районе было много маленьких неряшливых отельчиков, и Мартин заставил Яна обойти дюжину до начала слушаний, но ни один из них не был ему знаком. Таким образом, генеральная линия оставалась прежней: его слово против ее, и ни одна из сторон не могла подкрепить их другими доказательствами. Шварцу все меньше и меньше нравились перспективы этого дела. Бертон была чертовски неприятным свидетелем. Колеблющаяся, эмоциональная, то твердая, как скала, то трогающая до слез. Судья несомненно передаст их дело для дальнейшего рассмотрения, чтобы самому не заниматься этим.

— Хорошо, мисс Бертон, — произнес судья, уставившись в противоположную стену. — Вы не помните того, что произошло в комнате? — Его тон был сухим и скучным.

— Что произошло?

— Что сделал мистер Кларк после того, как втащил вас в комнату? Вы сказали, он втащил вас в комнату?

Она кивнула.

— Он не использовал оружие?

Бертон покачала головой и посмотрела наконец на собравшихся.

— Нет. Только... только рукой. Он несколько раз ударил меня и пригрозил, что убьет, если не получит того, что хочет.

— А что он хотел?

— Я... он... он принудил меня к оральному сексу... сделать... ну, сделать это ему.

Джессике захотелось врезать ей опять.

— И вы подчинились?

— Да.

— А затем? Достиг... достиг ли мистер Кларк оргазма?

Бертон кивнула.

— Пожалуйста, ответьте на вопрос.

— Да.

— А дальше?

— Потом он склонил меня к анальному сексу.

Она произнесла это бесцветным, скучным голосом, и Джесси почувствовала, как вздрогнул Ян. Самой ей было невыносимо противно. Она предполагала драму, а не этот медленный, специально затянутый монолог. Боже, как унизительно было все это. Как бесстрастно, как безобразно и ужасно. Слова, действия — все так замшело и вытерто.

— Испытал ли он оргазм?

— Я... я не знаю. — У нее хватило тонкости покраснеть.

— А вы?

Ее глаза широко раскрылись, Хоугтон и молодая помощник прокурора внимательнейшим образом следили за ней.

— Я... Как я могла? Он... я... он изнасиловал меня.

— Некоторые женщины получают от этого удовольствие, мисс Бертон, несмотря на свое неприятие подобных действий. Как было в случае с вами?

— Конечно же, нет!

— А позже вы испытывали оргазм?

Джессике уже начинало нравиться, как неуютно было той женщине.

— Нет, конечно, нет! — почти прокричала она, выглядя напряженной, разгневанной и нервозной.

— Хорошо. А что потом? — Судья выглядел донельзя утомленным: на него не произвело ровным счетом никакого впечатления негодование мисс Бертон.

— Потом он изнасиловал меня опять.

— Каким образом?

— Он... он просто изнасиловал меня. Знаете... как обычно, на этот раз.

Джессика чуть было не рассмеялась. «Обычное» изнасилование.

— Он причинил вам боль?

— Да, конечно.

— Сильную?

Но она опять опустила глаза, холодная, задумчивая и грустная. Именно в такие моменты нельзя было ей не посочувствовать. На секунду Джессика задумалась о своих собственных впечатлениях. В любом другом месте история, которую она услышала, тронула бы ее. Возможно, даже очень. Но сейчас... как она могла позволить, чтобы это тронуло ее? Она не верила той женщине. Но что подумал судья? На последний вопрос ответа не последовало.

— Мисс Бертон, я спросил, сильную ли боль причинил вам мистер Кларк?

— Да. Очень... Я... он... ему было наплевать на меня. Он просто... просто...

Слезы медленно потекли по ее лицу. Почему должен был заботиться о ней незнакомый человек, если он ее насиловал?

— Ему было наплевать, забеременею я или... Он просто... просто ушел.

Теперь ею вновь овладел гнев.

— Я знаю этих типов, забавляются с бедными девушками вроде меня! Девушками без денег, простого происхождения, и потом они... они, сделав то, что сделал он... они уходят.

Ее голос опустился до шепота, когда она невидящим взором смотрела на свои руки.

— Он ушел и вернулся к ней.

— К кому? — Судья выглядел смущенным, а слегка удивленная мисс Бертон опять подняла голову.

— К кому он вернулся?

— К своей жене. — Она произнесла это обыденно, не глядя на Джессику.

— Мисс Бертон, были вы знакомы с мистером Кларком до этого? У вас были с ним какие-нибудь отношения?

Так, значит, судья ухватился и за это — слабую надежду, что они не были совсем чужими.

— Нет. Никогда.

— Тогда как вы узнали о его жене?

— Он производил впечатление женатого. И он сказал мне.

— Понимаю. И потом он просто оставил вас в гостинице?

Бертон опять кивнула.

— Что вы сделали после этого? Вызвали полицию? Отправились к врачу? Вызвали такси?

— Нет. Я немного прошлась. Я была не в себе. А потом вернулась домой и вымылась. Я чувствовала себя ужасно.

Она опять производила правдоподобное впечатление.

— Вы были у врача?

— После того, как вызвала полицию.

— А когда вы это сделали? Не сразу, не так ли?

— Нет.

— Почему?

— Я испугалась. Мне надо было подумать об этом.

— Это правда? То, что вы первоначально сообщили в полиции, несколько отличается от этого, а?

— Я не знаю, что сказала им. Я была не в себе. Но сегодняшний рассказ — правда.

— Вы принесли присягу, мисс Бертон, так что, надеюсь, это — правда.

— Да. — Она кивнула безо всякого выражения, ее глаза были пусты.

— Вы ничего не хотите добавить?

— Нет.

— А вы уверены, что между вами не произошло недопонимания: полуденный флирт, обернувшийся размолвкой?

При этих словах в ее глазах промелькнула вспышка ненависти, она закрыла глаза, чтобы сдержаться.

— Он разрушил мою жизнь, — отчетливо прошипела она в тишине комнаты.

— Хорошо, мисс Бертон. Спасибо. Мистер Шварц, у вас есть вопросы?

— Да, ваша честь. Я быстро. Мисс Бертон, раньше с вами происходило что-то подобное?

— Что вы имеете в виду?

— Я хочу спросить, были ли вы когда-либо изнасилованы, даже в шутку, возможно, во время игры, любовником, либо вашим приятелем, либо мужем?

— Конечно, нет. — Она, похоже, пришла в ярость.

— Вы когда-нибудь были замужем?

— Нет.

— Обручены?

— Нет. — Никакого колебания и на этот раз.

— Никаких расторгнутых помолвок?

— Нет.

— Какие-либо серьезные неудачные романы?

— Ни одного.

— Спасибо, мисс Бертон. Как насчет легкого флирта? Прежде вы когда-нибудь знакомились подобным образом?

— Нет.

— Тогда вы согласитесь с тем, что подцепили мистера Кларка?

— Нет! Я... он предложил подвезти меня и...

— И вы приняли приглашение, несмотря на то что вы его не знали. Как вы считаете, благоразумный ли это поступок в таком городе, как Сан-Франциско?

Его тон оставался вежливо-заинтересованным, а мисс Бертон, казалось, пришла в смущение и не находила себе места от гнева.

— Нет, я... это... нет, я никогда ни с кем до того не знакомилась. Я просто подумала, что... он выглядел так, будто он — в полном порядке.

— Что вы имеете в виду под «в полном порядке», мисс Бертон? Он же был пьян, не так ли?

— Немного поддатый, может быть, но не в «стельку» пьяный. И он выглядел... как хороший парень.

— Вы хотите сказать богатый? Утонченный? Или что? Как выпускник Гарварда?

— Не знаю. Он казался подтянутым.

— И привлекательным? Как вы считаете, он — красив?

— Я не знаю. — Она уставилась на свои руки.

— Вы рассчитывали на то, что у вас с ним завяжется роман? Влюбитесь? Вполне допустимое предположение. Вы неплохо выглядите, почему бы и нет? Жаркий летний день, привлекательный парень, одинокая женщина... сколько вам лет, мисс Бертон?

— Тридцать один, — пробормотала она.

— В полиции вы сказали тридцать. Наверное, скорее — тридцать восемь? Разве не может быть, что...

— Протестую! — Окружной прокурор вскочила на ноги, ее лицо пылало гневом, и судья кивнул.

— Протест принят. Мистер Шварц, это еще не суд, вы могли бы вашу тактику давления попридержать на потом. Мисс Бертон, вы не обязаны отвечать на этот вопрос. Вы уже почти закончили, мистер Шварц?

— Почти, ваша честь. Мисс Бертон, что было на вас в день вашей встречи с мистером Кларком?

— Что на мне было? — Она пришла в волнение и смутилась. Он обрушился на нее с непростыми вопросами. — Я... я не знаю... Я...

— Что-нибудь вроде того, что на вас сейчас? Костюм? Или что-то легкое, более открытое? Может быть, что-то сексуально привлекательное?

Помощник прокурора сурово хмурилась, и Джессика начала получать удовольствие от развивавшейся сцены. Ей нравился стиль Мартина. Даже Ян казался заинтригованным и довольным.

— Я... я не знаю. Пожалуй, я надела летнее платье.

— Какое? С глубоким вырезом?

— Нет. Я не ношу таких вещей.

— Вы уверены, мисс Бертон? Мистер Кларк утверждает, что на вас было очень короткое розовое платье с глубоким вырезом и шляпка. Вы выбрали ту же шляпку? Очень милая.

Вдруг оказалось, что она разрывается между комплиментом и обвинением в соучастии.

— Я не ношу розового.

— Но ведь шляпка — розовая, не так ли?

— Она нейтрального цвета, вроде бежевого.

В шляпке, однако, преобладал оттенок розового, что было очевидно всем.

— Понимаю. А что с платьем? У него тоже был такой же бежевый оттенок?

— Я не знаю.

— Хорошо. Вы часто бываете у Энрико?

— Нет, была пару раз. Но я иногда прохожу мимо.

— Раньше вы видели мистера Кларка?

— Нет. Не помню, чтобы я его видела. — Она вновь обрела былую уверенность, так как ей не составляло труда отвечать на вопросы.

— Почему вы сказали ему, что работаете в баре, где официантки разгуливают с открытой грудью?

— Я никогда этого не говорила. — Женщина в очередной раз вспылила, и Мартин кивнул, поглощенный, казалось, своими мыслями.

— Хорошо, спасибо, мисс Бертон. Благодарю вас, ваша честь.

Судья вопросительно посмотрел на помощника окружного прокурора, которая покачала головой: ей нечего было доба-

вить. Он показал, что Маргарет Бертон может сойти с трибу-
ны, и произнес ненавистные Джессике слова:

— Мистер Кларк, займите ваше место.

Ян и Маргарет Бертон прошли в дюйме друг от друга с
бесстрастными лицами. Лишь несколько минут назад она заявила, что он разрушил ее жизнь, а теперь смотрела сквозь
него. Она заводила Джессику в тупик.

Клятва была принесена, судья посмотрел на Яна поверх очков.

— Мистер Кларк, не могли бы вы сообщить нам вашу
версию случившегося?

Судья, похоже, был сыт по горло, когда Ян начал излагать
свою версию происшедших событий. Ленч, выпивка, знакомство, то, как соблазнительно она была одета, ее рассказ о том,
что она официантка в топлес-баре, поездка на Маркет-стрит
по адресу, который она ему дала и который он не помнит. И
наконец, ее приглашение в свою комнату, где они выпили и
занимались любовью.

— Чья это была комната?

— Не знаю. Я посчитал, что ее. Но она была пустовата.
Не знаю. Я много выпил во время ленча и мыслил не очень
трезво.

— Но достаточно трезво, чтобы подняться с мисс Бертон
наверх?

Ян залился краской смущения. Он чувствовал себя как
отбившийся от рук ученик, вызванный к директору... «Ян, ты
заглядывал Мэгги под платье?» Но здесь все было по-другому. Слишком высокие ставки для этого детского спектакля.

— Моя жена уехала, ее не было три недели.

Сердце Джесси забилось сильней. Неужели это ее вина?
Подтекст был такой? Он хотел, чтобы она это почувствовала?

— А что произошло после того, как все закончилось?

— Я ушел.

— Просто ушли? Вы намеревались встретиться с мисс Бертон еще?

Ян покачал головой:

— Нет, я не рассчитывал увидеть ее снова. Я чувствовал себя чертовски виноватым за то, что произошло.

Мартин нахмурился при его словах, Джесси съежилась. Судья тоже не оставил их без внимания.

— Виноватым?

— Я имею в виду из-за моей жены. Обычно я такими вещами не занимаюсь.

— Какими вещами, мистер Кларк? Изнасилованиями?

— Нет. Ради Бога, я ее не насиловал! —простонал Ян, на лбу у него блестели капельки пота. — Я хотел сказать, что чувствую себя виноватым, обманув жену.

— Но вы принудили мисс Бертон подняться наверх?

— Нет. Это она повела меня наверх. Это была ее комната, а не моя. Она меня пригласила.

— Для чего?

— На глоток спиртного. А также, возможно, именно за тем, что и получила.

— Тогда почему она утверждает, что вы ее изнасиловали?

— Я не знаю. — Ян выглядел озадаченным и изнуренным.

Судья покачал головой и обвел зал взглядом.

— Леди и джентльмены, не знаю и я. Целью этого слушания было определить, не вкралось ли недоразумение, и есть ли возможность решить проблему здесь и сейчас, выяснить, имело ли место изнасилование в действительности, и требуется ли в данном случае дальнейшее судебное разбирательство. Моя задача заключается в том, чтобы закрыть дело или же отправить его на рассмотрение в суд высшей инстанции. Для того чтобы я принял решение о прекращении разбирательства, я должен быть совершенно уверен, что это не было изнасилованием.

В том случае, если у меня нет полной уверенности, мне не остается другого выбора, кроме как отправить его на рассмотрение в суд высшей инстанции — возможно, в суд присяжных. А то дело, которое находится сейчас перед нами, представляется далеко не таким простым. Показания обеих сторон весьма разнятся. Мисс Бертон утверждает, что имело место изнасилование, мистер Кларк отрицает. Нет доказательств ни с той, ни с другой стороны. Так что, по-видимому, этим делом должен заняться суд присяжных. Мы не можем просто отмахнуться от него. Я буду ходатайствовать о том, чтобы дело взял на рассмотрение Верховный суд, а мистеру Кларку будет предъявлено обвинение Верховным судом под председательством судьи Саймона Уорберга в течение двух недель, начиная с сегодняшнего дня. Слушание закрыто.

И без каких-либо комментариев он встал и вышел из зала суда. Джессика и Ян поднялись и посмотрели в смущении друг на друга, Мартин зашелестел бумагами. Инспектор Хоугтон тем временем умыкнул Маргарет Бертон.

— Что теперь? — Джессика разговаривала с Яном шепотом.

— Ты слышала: суд.

— Да.

В последний момент она посмотрела в спину удаляющейся Бертон, новый порыв ненависти к этой женщине, необъяснимо разрушающей их жизни, наполнил ее душу. Сейчас она знала ничуть не больше того, что и три часа назад. Почему?

— Ну, Мартин? — Джессика повернулась к адвокату. Он выглядел очень серьезным. — Что вы думаете?

— Мы обсудим это в моем офисе, но одно мне нравится. Я не вполне уверен, но как-то, много лет назад, у меня уже был похожий случай. Сумасшедшее дело с сумасшедшим истцом. Там было что-то связанное с местью. Не в отношении того парня, который, как она утверждала, изнасиловал ее, а к тому, кто действительно надругался над ней в юношеском возрасте. Она ждала двадцать два года, чтобы отомстить невинному человеку. Не могу сейчас объяснить, однако у меня такое ощущение, что это дело — похожее.

Он говорил едва слышным шепотом. Джессика наклонилась вперед, чтобы получше слышать. Ее заинтересовала эта мысль. У нее тоже было какое-то странное чувство в отношении этой Бертон. Ян по-прежнему выглядел слишком потрясенным, чтобы хоть как-то реагировать. Он с раздражением посмотрел на Джесси.

— Я велел тебе подождать снаружи.

— Я не могла.

— Я ждал, что ты здесь появишься. Было смешно, не правда ли? — с горечью произнес он усталым голосом. Они одни оставались в зале суда, Ян посмотрел по сторонам, словно только что проснулся после кошмара. Изнурительное заседание, за одно утро даже Джессика, казалось, состарилась на пять лет.

— Когда состоится суд? — Джессика обратилась к Мартину, так как не знала, что сказать Яну: слишком многое нужно было сказать, слишком многое.

— Через шесть недель. Как вы слышали, предъявление обвинения Верховным судом — через две. Суд состоится через месяц после этого. А нам нужно проделать еще кое-какую работу.

У Мартина на лице было соответствующее моменту серьезное выражение, и Джессике вдруг захотелось спросить, как выпутался тот клиент, несправедливо обвиненный в изнасиловании, но она не решилась. Ян тоже не задал этот вопрос, а Мартин промолчал.

— Я хочу, чтобы Грин круглые сутки занимался этим делом, а также, чтобы я в любой момент мог встретиться с вами, если вы мне понадобитесь.

Его голос был тверд.

— Мы будем в вашем распоряжении. — Джессика ответила первой, с трудом сдерживая слезы. — Мы выиграем, не так ли, Мартин? — Она говорила шепотом, не зная почему, хотя в этом больше не было необходимости.

— Думаю, придется трудновато. Да, мы должны выиграть.

По мнению Джессики, его голос звучал недостаточно убедительно, на нее опять свалилась вся тяжесть происходящего. Как же все случилось? Как началось? Произошло ли это из-за того, что она оставалась в Нью-Йорке слишком долго? А он был возбужден? Стечение обстоятельств? Была ли Бертон ненормальной, охотившейся за невинной жертвой, или она как-то выделила Яна? Чьим это было упущением? И когда кончится этот кошмар?

— Аннулируют ли они залог? — Вот чего она сейчас боялась. И Ян тоже.

— Могут, но не станут. Нет причин, пока он появляется в суде, к тому же судья не упомянул об этом. Не выезжайте за пределы города. Никаких деловых поездок, никаких визитов к родственникам. Вы мне понадобитесь. Договорились?

Они торжественно кивнули и медленно вышли с ним из зала суда. Джесси размышляла о том, что он сказал. Семья? Какая семья? Старые и слабые, как родители Яна? К ним они обратятся в последнюю очередь. Она уже обсудила это с Яном. Его старики были такими правильными, такими податливыми, да и к тому же слишком старыми, чтобы что-то понять. Он был их единственным сыном, случившаяся с ним беда в буквальном смысле убьет их. А кроме того, зачем? Все уладится. Должно.

Ян и Джессика пожали руку Мартину, и он удалился. Какое бесконечное утро.

— У нас есть минутка, чтобы заскочить в туалет? — Джессика нервно посмотрела на Яна. Она чувствовала себя неуютно, чужой рядом с ним, словно ей только что сообщили, что у него — рак. Она не знала, плакать ей или же приободрить мужа, а может быть, просто убежать и спрятаться. Джесси не могла разобраться в своих чувствах.

— Конечно. Думаю, он в холле. Мне тоже нужно.

У них завязался неловкий разговор. Трудно будет найти дорогу назад. Но когда они проходили по холлу, Ян неожиданно задержал ее, повернув к себе:

— Джесси, не знаю, что и сказать. Я не делал этого, но мне уже самому интересно, а имеет ли это вообще какое-нибудь значение. Битых два часа из меня делали дурака, а тебе приходится за все расплачиваться.

Она устало улыбнулась в ответ.

— А как же ты? Может быть, ты получаешь от этого удовольствие? Мы влипли, и нужно продолжать идти вперед, пока все не останется позади. И постарайся не падать духом.

Она смотрела на него нежным взглядом, которого Ян не замечал на себе весь день. В длинном мраморном холле Джессика обвила его шею руками, он прижался к ней, не произнеся ни слова. Она была нужна ему и знала это.

— Дорогой, мне надо в туалет, — томно произнесла Джессика с хрипотцой в голосе.

Ян улыбнулся ей, когда они шли по холлу, держась за руки. Их связывали особые отношения. Они были всегда и всегда будут, если только сумеют справиться с бедой.

— Я вернусь через секунду.

Джессика запечатлела на его носу нежный поцелуй, пожала ему руку и исчезла за дверями дамской комнаты. Внутри она зашла в одну из кабинок и заперла дверь. По обе стороны от нее было занято. Пара розовых туфель на платформе и темно-синих свободных брюк слева, худые лодыжки и простые черные туфли — справа. Джессика поправила юбку и открыла дверь в ту же минуту, когда черные туфли покинули свое убежище справа. Она бросила быстрый взгляд в том направлении, когда шла к раковине, и неожиданно застыла на месте, уставившись в лицо Маргарет Бертон, фактически глядя сверху вниз из-за разницы в росте. Розовая шляпа лишь слегка суживала обзор лица ее врага.

В свою очередь, Маргарет Бертон застыла на месте, не сводя с нее глаз. Джессика почувствовала, как всю ее сковал могильный холод. Бертон стояла прямо перед ней... в пределах досягаемости... схватить ее... ударить... убить, но она не могла пошевельнуться. Слышно было только дыхание Бертон, когда та опомнилась и со всех ног помчалась к двери, ее шляпка спланировала к ногам Джесси. Все произошло в доли секунды, но, казалось, прошли часы, дни, годы... и вот ее нет, а Джесси по-прежнему стоит там — беспомощная, по ее щекам катятся слезы. Очень медленно она наклонилась и подняла шляпу, прежде чем так же медленно подойти к двери. Она слышала, как кто-то яростно, нервно колотит в дверь. Ян. Выходя из мужской уборной на противоположном конце холла, он видел, как Маргарет Бертон пулей вылетела из туалета. Он ужаснулся. Что произошло? Что натворила Джессика?

Она появилась как привидение, со злополучной шляпой в руке и слезами на щеках.

— Что случилось?

Джессика, вцепившись в шляпку, только покачала головой.

— Она сделала что-нибудь?

Еще движение головой.

— А ты?

Другое безмолвное отрицание.

— Ну, малышка. — Он прижал ее к себе, забрал у нее шляпу и швырнул ее на ближайшую скамью. — Давай выбираться отсюда. Поедем домой.

По правде говоря, он собирался увезти ее из города. К черту рекомендации Мартина, им нужно было улизнуть. Может быть, в Кармел, куда угодно. Ян задавал себе вопрос, как долго еще Джессика сможет выдерживать прессинг. А он? Шляпка, казалось, обвиняюще смотрела на него со скамьи в то время, когда он держал в объятиях жену. Ян вздрогнул. Это была та же шляпка, которую она надела у Энрико. Тот день... день, за который так или иначе он будет расплачиваться всю жизнь. Ян обнимал Джессику за плечи, ведя ее к лифту. Он думал излить ей душу, но не знал, хватит ли у него самого сил. Ему страстно хотелось, чтобы весь этот ужас закончился, тогда как он только начинался.

Когда подошел лифт, Джесси молча вошла в кабину, ее взгляд прилип к двери, Яну больно было смотреть на жену. Он видел, как она опять замкнулась в своей раковине, а на ее лице застыла знакомая маска.

Лифт выплюнул их в бурлящий хаос вестибюля, заполненного инспекторами, частными детективами и помощниками окружного прокурора, а также посетителями, стоявшими в очереди в ожидании пропусков в тюрьму. Ян и Джессика влились в гудящее людское море. На их пути попадались и обычные, спокойные лица. Кто-то пришел оплатить квитанцию за неправильную парковку или заполнить документы на машину.

Но их было так мало, что они сливались с остальной массой, вот почему ни Ян, ни Джессика не заметили Астрид, пришедшую уладить дело со штрафом, так как наклейка на ветровом стекле слетела во время мойки машины. Они прошли всего лишь в нескольких футах, так и не заметив ее. Она же прекрасно разглядела своих новых знакомых и была потрясена выражением их лиц. Так же выглядела и она, когда врачи сообщили ей о неизлечимой болезни Тома.

Глава 13

На следующее утро Ян принял решение. Джессика должна исчезнуть. Оба они должны. Когда она готовила завтрак, он переговорил об этом с Мартином по телефону. Тот согласился, и Ян поставил Джесси перед свершившимся фактом.

— Что ты сказал? — Она недоверчиво смотрела на мужа, стоя на кухне в халате и босиком.

— Через полчаса мы уезжаем в Кармел. — На этот раз Ян улыбнулся. — Складывай чемоданы, дорогая.

— Ты — сумасшедший. Мартин просил...

— ...прислать ему открытку. — Ян победно улыбался. Джессика довольно фыркнула.

— А когда он так сказал?

— Только что.

— Ты звонил ему? — Она все еще, казалось, терялась в догадках, но была приятно удивлена.

— Я только что повесил трубку. Итак, моя дорогая... — Он медленно приблизился к ней с мимолетной улыбкой. — Давай пошевеливайся, чтобы не упустить день.

— Ты — псих.

Ян поцеловал ее, и она улыбнулась ему с закрытыми глазами. Он такой милый.

Они добрались до Кармела за два часа. За рулем «моргана» сидел Ян. Воздух был холоднее, чем несколько недель назад, и всю дорогу было солнечно. Они опустили верх машины и прибыли к цели своего путешествия обдуваемые ветром и немного повеселевшие. Ощущение было такое, что постоянный поток воздуха на шоссе выдул из них все заботы.

После первых пятидесяти миль Джесси прекратила воображать, что инспектор Хоугтон преследует их. Ее постоянно терзали мысли о нем, может быть, теперь этому будет положен конец. Он, похоже, был всесильным. Уйдет, а потом вернется с ордером на обыск, с пистолетом, с напарником, со своим взглядом... ухмылкой в углу рта... он пугал ее, Джессика не смела признаться мужу — насколько сильно он ее пугал. Она никогда не упоминала о нем. Помимо этого она также беспокоилась по поводу трат на путешествие, но Ян убедил ее в том, что оставшихся на его счету денег хватит, чтобы покрыть расходы. Ей приказали не совать нос в чужие дела и предупредили, что будут экономить на всем, так что никаких люксов на этот раз. Она чувствовала себя виноватой, сомневаясь в его заверениях, но ведь их ждали значительные судебные издержки. А Ян так легкомысленно относился к деньгам, возможно, потому, что у него никогда их не было. Он обладал талантом делать ей замечательные подарки и вносить приятное разнообразие в их жизнь, когда они были на мели. Он смело брал последнее из того, что она отложила, и со вкусом швырял деньги на ветер. В прошлом эта привычка мужа забавляла ее. Сейчас — нет.

Тем не менее она была благодарна Яну за поездку в Кармел. Джессика знала, как она им необходима. Нервы были на пределе у обоих.

Астрид рассказала им о маленькой гостинице, где она останавливалась прошлой весной, утверждая, что там недорого. Таким образом, они распрощались с привычной роскошью «Дель Монте», поменяв ее на уютные пледы и аромат хвои «Оберж». Делами там заправляла среднего возраста французская пара, и среди прочих прелестей местечко могло похвастаться завтраком, состоявшим из домашних рогаликов и булочек с дымящимся кофе с молоком, который подавали в постель.

Они гуляли по пляжу и детально изучили ассортимент местных магазинов, а в воскресенье выбрались на пикник, местом проведения которого выбрали выходящий на море утес.

— Еще вина, любимый?

Ян кивнул и отвел белокурый локон, закрывавший ей глаз. Они лежали рядом, Джессика смотрела вверх, в небо, пока он, расположившись на одном локте, наблюдал за ней. Ян провел по ее лицу рукой и нежно поцеловал в губы, в глаза, в кончик носа.

— Если будешь продолжать в том же духе, то я никогда не поднимусь, чтобы налить тебе вина.

Ян опять улыбнулся, и она послала ему воздушный поцелуй.

— Знаешь, Ян...

— Что?

— Ты делаешь меня такой счастливой. — Его лицо помрачнело, когда она это произнесла. Джессика поймала подбородок мужа двумя руками, вынудив его посмотреть на нее. — Мне действительно хорошо. И все это благодаря тебе.

— Как ты можешь так говорить сейчас?

— А чем отличается сегодняшний день от другого, Ян? Ты балуешь меня. Ты даешь то, что мне необходимо, а у меня большие запросы. Иногда тебе приходится за это расплачиваться. Да, сейчас трудно, но скоро все останется в прошлом. В общем, думаю, нам чертовски повезло.

Джессика села, посмотрев мужу прямо в лицо, Ян был вынужден отвести взгляд.

— Повезло? Это как посмотреть, — с горечью произнес он. Она взяла его за руку.

— Ты считаешь, что нам не повезло?

— Нет, я так не думаю. А ты, Джесси? Только честно. — Ян взглянул на нее, и в его глазах появилось незнакомое выражение. Прямота, которая даже испугала Джессику. Он словно все подвергал сомнению. Ее. Себя. Их брак. Жизнь. Все.

— Да, мне повезло. — Ее голос был шепотом в порыве сильного ветра солнечного октябрьского дня.

— Джессика, любимая, я был неверен тебе. Я занимался любовью с шлюхой-невротичкой. Ты содержала меня почти шесть лет. Я — писатель-неудачник. Я предстану перед судом за изнасилование, может быть, отправлюсь в тюрьму... Тебе столько пришлось из-за меня пережить. А ты говоришь, что тебе повезло? Я поражен тобой.

Джессика надолго замолчала, опустив глаза, потом посмотрела в лицо мужа.

— Ян, мне наплевать на то, что ты изменил мне с другой женщиной. Мне это не нравится, но для меня не имеет никакого значения. Полагаю, ты изменил мне не в первый раз, но я не хочу ничего знать. Не это главное. Главное — что дальше? Ты спал с другой женщиной, ну и что? Ты внес неразбериху в нашу жизнь, ну и что? Мне наплевать. Тебе понятно? Мне все равно. Я беспокоюсь о тебе, себе, о нашем браке, о твоей карьере. И я не содержу тебя. «Леди Джей» содержит нас обоих. Нам повезло, что она у нас есть, на днях ты собираешься продать книгу, по которой снимут фильм, потом напишешь другую и еще кучу замечательных вещей, чтобы разбогатеть. Так в чем дело?

— Джессика, ты сошла с ума. — Он улыбался ей, но глаза по-прежнему были серьезные.

— Нет. Нет, нет и нет. Я уверена. Ты делаешь меня счастливой. Ты наполняешь меня жизнью, заставляешь заботиться о тебе, чувствовать себя любимой, ты всегда рядом со мной. Ты знаешь, что я собой представляю на самом деле. Я смотрю на других людей, и они, похоже, не имеют того, что есть у нас.

Ее глаза пылали огнем.

— Не знаю, что ответить, Джесси... Я люблю тебя. И ты мне нужна. Не просто поддерживать меня, пока я пишу. Мне нужно... черт...

Он улыбнулся, больше себе, чем ей.

— Мне нужно, чтобы ты сидела обнаженной, с серьезным лицом в два ночи, объясняя мне, почему четвертая глава слабовата. Мне нужно, чтобы ты влетала в кабинет с радостным воплем: «Вот это здорово!» Чтобы ты уважала меня, даже если я сам не уважаю себя.

— Ян. — Джессика приникла к нему и закрыла глаза.

— Ты так мне нужна. Но... что-то должно измениться.

Ее глаза медленно открылись. Он сейчас сказал что-то важное. Она поняла это больше по тому, как изменилось его объятие, чем по его словам.

— Что ты имеешь в виду?

— Не знаю еще. Но что-то должно измениться после того, как мы переживем эту катастрофу.

— Что, черт возьми, изменить? — Ее голос неожиданно перешел на крик, она немного отодвинулась от него, чтобы видеть по глазам, что происходит у него в душе.

— Не бери в голову, Джессика. Думаю, пришло время пересмотреть нашу жизнь. Не знаю, может быть, мне пора забыть о карьере писателя. Расстаться с честолюбивыми мечтами. Что-то должно измениться. Мы не можем продолжать жить так, как прежде.

— Почему нет?

— Потому что я — на поводке. Ты оплачиваешь все счета или большую их часть, а я не могу с этим дальше жить. Ты знаешь, каково это — не иметь собственных средств? Чувствовать себя ущербным каждый раз, когда залезаешь в так называемый совместный счет, чтобы купить парочку футболок? А тебе не приходит в голову, что чувствую я сейчас, когда ты платишь по счетам за эту катастрофу? Платишь за то, что я кого-то изнасиловал? Господи, Джесси! Я задыхаюсь. Это загонит меня в гроб. Почему, черт возьми, я с недавних пор стал импотентом? Потому что я так напуган сам собой, тем, как я живу.

— Ты же не можешь серьезно воспринимать это. Ты невероятно напряжен. — Джессика хотела замять разговор, но Ян не позволил.

— Правильно. Я в напряжении. Но часть напряжения из-за того, что у нас в жизни не так, как должно быть. Ты когда-нибудь спрашивала себя, как мы существовали бы, если не было бы «Леди Джей», если бы твои родители не оставили тебе наследство?

— Я бы служила в какой-нибудь фирме, а ты бы работал в рекламном бизнесе и ненавидел его. Ну не смешно ли это?

— Нет. А что, если бы ты вообще не работала, а у меня было бы другое занятие?

— Например? — Ее лицо посуровело при этих словах.

— Не знаю пока. Еще не придумал.

— Ян, ты сошел с ума. Я никогда не видела, чтобы ты так увлеченно трудился над книгой, как сейчас. Я никогда не слышала, чтобы ты говорил о ней с такой уверенностью. А теперь ты хочешь все бросить?

— Я этого не говорил. Еще нет. Я хочу сказать следующее: что случилось бы с тобой, с нами, с нашим браком, если бы не ты поддерживала нас материально, а я? Что, если мы сохраним твои деньги на черный день, вложив их в ценные бумаги?

— А что я буду делать весь день? Вышивать? Играть в бридж?

— Нет. Я подумал о другом. — В его глазах было что-то туманное и отрешенное, когда он говорил. — Может быть, потом... после того, как вся суета уляжется, мы заведем детей. Мы давно не обсуждали эту тему. С тех самых пор...

Она знала, с каких «тех самых пор». С тех пор, как их жизнь изменилась. Когда умерли ее родители. Джессика получила наследство... Они оба понимали.

— Джесси, малышка, я хочу заботиться о тебе. Ты этого заслужила.

— Почему?

— Что значит «почему»? — Ян сразу смутился.

— Какая необходимость сейчас все менять местами? Почему ты должен тащить весь груз? Мне нравится работа, для меня она не в тягость. Скорее — забава.

— А дети не могут тоже быть забавой?

— Я не сказала «нет». — Ее лицо было твердым как никогда. — Но почему именно сейчас? Этот вопрос не возникал годами.

— Я не сказал «сейчас». Просто предположения.

— Это смешно. Ты как будто играешь в игры. — Она отвернулась и вдруг почувствовала руку мужа. Жесткую.

— Это не игры. Я говорю абсолютно серьезно, Джесс. За последние шесть лет я превратился в жиголо. Я неудачник как писатель, я переспал с грошовой шлюхой и в итоге ложно обвинен в изнасиловании. Я пытаюсь разобраться в своей жизни, что-то изменить в ней. Так ты собираешься меня выслушать и поговорить со мной или нет?

Джессика сидела, безмолвно глядя на него. Но она знала, что у нее нет выбора. Ян отпустил ее руку и налил еще два стакана вина.

— Извини, но для меня это важно, Джесс.

— Хорошо, я попробую. — Она взяла стакан и тяжело вздохнула, посмотрев в небо. — И зачем только я сказала тебе, что ты делаешь меня счастливой? Надо было держать рот на замке! — Она улыбнулась мужу, и он опять поцеловал ее.

— Я знаю. Я — негодяй. Но, Джесси... я хочу как лучше. Меня не интересуют другие женщины, что бы ты там ни говорила. Я рад, что приношу тебе счастье, и ты тоже делаешь меня счастливым. Очень счастливым. Но вместе у нас получится лучше, я знаю, мы сможем. Я должен чувствовать себя твоим мужем, мужчиной, я должен нести всю тяжесть или по крайней мере большую часть, даже если для этого потребуется продать дом и жить в квартире, за которую я могу платить. Я устал от того, что ты заботишься обо мне. Я не хочу быть неблагодарным, Джесс... но я должен изменить такое положение дел!

— Ладно. Но почему сейчас? Из-за этой ненормальной? Маргарет Бертон? Из-за нее ты должен бросить писать и перевезти нас в какую-то лачугу, где ты сможешь платить за квартиру?

Джессика становилась стервозной, и ему это не нравилось. Комментарий не прошел мимо цели.

— Нет, дорогая. Маргарет Бертон — всего-навсего симптом, так же, как сотня или две до нее. Тебе это хотелось узнать, Джесс? Получай.

Она допила остаток вина одним глотком и пожала плечами.

— Не понимаю смысла.

— Может быть, в этом и заключается смысл. Как тогда, когда я говорю о ребенке. До тебя тоже не доходит. Неужели тебе безразлично, Джесси?

Она серьезно покачала головой, глядя вниз, избегая встречаться с ним глазами.

— Я не понимаю. Почему? Посмотри на меня, черт возьми. Это для меня важно. Для нас обоих.

Но он был удивлен, когда она подняла глаза.

— Это пугает меня.

— Дорогая?

Джесси никогда раньше не признавалась ему. Обычно она чувствовала себя не в своей тарелке и быстро меняла тему. Это открытие наполнило его нежностью к ней. Пугает?

— Пугает в физическом смысле? — Он ласково взял ее
за руку.

— Нет. Это... Мне придется делиться тобой с кем-то еще,
Ян, и я... Я не могу. — Слезы заполнили ее глаза, подборо-
док дрожал, когда она смотрела на мужа. — Я правда не могу.
Не смогу, никогда. Ты для меня все. Ты...

— Ну, малышка... — Ян обнял ее и стал нежно укачи-
вать, слезы застилали ему глаза. — О чем ты говоришь?
Ребенок принесет в наш дом столько счастья.

— Да, но он будет твоим. Твоей семьей.

И тут Ян все понял. У него были родители, но они жили
далеко и такие старые. Он редко виделся с ними. А ребенок
будет рядом.

— Ты — моя семья, глупенькая. Ты всегда будешь моей
настоящей семьей.

Как часто он говорил ей это после смерти ее родителей?
Тысячу раз? Десять тысяч? Странно было мысленно возвращаться к тем дням. Она была похожа на испуганного ребенка,
потерявшегося на войне, — потрясенная, убитая горем, бродя-
щая от одного пепелища воспоминаний к другому. Потерянная
и одинокая. Попытка самоубийства случилась после смерти
Джейка. Она изменила Джессику. Лишила ее прежней уверенности в себе и ощущения безопасности. Именно Ян помог
ей справиться с душевным кризисом. Вот когда она стала называть его настоящей семьей. Там, где прежде был спутанный
клубок, вдруг появились прочные нити. Теперь в ее сердце не
было места даже для ребенка. Он знал это давным-давно, но
думал, что в конце концов паника пройдет. Но этого не произошло, теперь Ян был в этом уверен. Ее запросы по-прежнему были большими и, вероятно, всегда такими и останутся.
Ему горько было это признать.

— О Господи, Ян. Я так сильно люблю тебя, и я так боюсь... Я так боюсь.

Он опять держал ее в объятиях. Джессика тяжело вздохнула и прижалась к нему. Ян медленно провел по ее волосам, думая о том, что понял сейчас и с чем должен смириться. Должен. Ничего не изменится. Во всяком случае, не ее отношение к материнству. Она никогда не станет полностью самостоятельной, чтобы иметь ребенка.

— Я тоже боюсь, Джесс. Но все уладится.

— Как может уладиться, если ты собираешься перевернуть вверх дном нашу жизнь? Ты хочешь, чтобы я продала магазин, родила ребенка, а сам собираешься бросить писать и найти работу, заставить нас шевелиться... Ян... это ужасно!

Джессика вновь расплакалась в его объятиях, и он нежно засмеялся. Может быть, в ней и заключалась вся его жизнь. Наверное, в его стремлении иметь ребенка было что-то ненормальное. Возможно, это всего-навсего навязчивая идея. Ян постарался прогнать эти мысли.

— Господи, да я разве сказал, что собираюсь все изменить сразу? Может быть, мы ограничимся пока немногим. У меня будет ребенок, у тебя — работа и... Извини, любимая. Я знаю, что-то необходимо исправить.

— Но все то, о чем ты говорил?

— Нет, вероятно, не все. И конечно, пока ты не согласишься со мной. Иначе не получится. Здесь нужно обоюдное согласие.

— Ты так рассуждаешь, словно наша жизнь уже никогда не будет такой, как прежде.

— Возможно, нет, Джесси. Полагаю, и не должна быть. Ты когда-нибудь задумывалась об этом?

— Нет.

— И похоже, не собираешься, а? Посмотри на себя, ты согнулась, как индианка, и пытаешься пропустить мимо ушей все, что я тебе говорю, а тем временем по твоей руке ползет муравей.

Ян подождал. Это заняло доли секунды. Джессика с воплем вскочила на ноги.

— Что-о?

— О... как я мог забыть? Верно, ты боишься муравьев.

Он аккуратно поднял ее рукав, и она ударила его в грудь.

— Черт тебя побери, Ян Кларк! У нас серьезный разговор, как ты можешь так со мной поступать! Не было на мне никакого муравья? Не было?

— Стал бы я тебе лгать?

— Ненавижу! — Она вся дрожала от переизбытка чувств. Ян выдумал муравья, чтобы поднять настроение. Это была шутка, на которые Ян был большой мастер.

— Ты же утверждала, что я сделал тебя счастливой. — Ян был сама невинность.

— Не прикасайся ко мне! — прикрикнула она, пытаясь скрыть улыбку. — Знаешь... — Ее голос опять был мягким. — Иногда я спрашиваю себя, а любишь ли ты меня на самом деле?

— Когда-то все задают себе такие вопросы, Джесс.

— Ты хочешь мне что-то сказать? — Неожиданно Джессика напряглась.

— Нет, глупышка, только то, что я люблю тебя. Иногда мне кажется, что я знаю причину, по которой ты терпишь от меня столько неприятностей, платишь по счетам — потому что это твой способ обладания мной. Открою тебе маленькую тайну: таким образом тебе меня не удержать. Я с тобой совсем по другим причинам.

— Каким еще причинам?

— Ну... то, как ты замечательно шьешь.

— Шью? Я не умею шить. — Джессика странно посмотрела на него и засмеялась.

— Не умеешь?

— Ни капельки.

— Я тебя научу.

— Ты восхитителен.

— Подумай об этом. Вспомнил. Залезь ко мне в карман.

Ее брови удивленно поползли вверх, и она шаловливо улыбнулась:

— Сюрприз?

— Нет, счет из прачечной.

— Мерзавец. — Однако она осторожно опустила руку в карман его пиджака, пока они разговаривали, ее глаза сияли от восторга, и с улыбкой вытащила коробку, зажав ее в кулаке.

— Не собираешься разжать?

— Это самое интересное.

Она захихикала, и он улыбнулся, глядя на жену:

— Не надейся, это не бриллиант от Хоупа.

— Нет? — Неожиданно Джессика открыла коробочку, Ян наблюдал за ней. — О... это... О Ян! Прелесть! Расскажи, как ты достал такое сокровище?

— Увидел и понял, что оно тебе просто необходимо.

Смеясь, Джессика вынула из коробки тонкую золотую цепочку с золотым кулоном в форме лимской фасоли. Эту фасоль она больше всего не любила в детстве.

— Господи, не думала, что придет день, когда я стану носить одну из этих чертовых фасолинок. Да еще золотую.

Она снова засмеялась и поцеловала мужа.

— Выглядит очень элегантно. Если не знать, что это такое, никогда не догадаешься. У меня был выбор между обыкновенной фасолью, лимской и какой-то еще. Хочу, чтобы ты знала: они выполнены одним и тем же ювелиром.

— А ты просто увидел их в витрине?

— Да. И подумал, что с таким талисманом ты сможешь полмира перевернуть.

— Какую половину?

— Любую половину, соблазнительница. Давай, пошли в отель.

— Лимская фасоль... дорогой, ты сошел с ума. Могу ли я спросить, какую часть твоего состояния забрала эта чудодейственная лимская фасоль?

Джесси обратила внимание на то, что золото высокой пробы, а футляр — из дорогого магазина.

— Как можно задавать такие вопросы?

— Из чистого любопытства.

— Не будь любопытной. И сделай одолжение. Не ешь ее.

Она снова засмеялась и ласково укусила его в шею.

— Дорогой, уж в этом-то ты можешь быть уверен. Я никогда не стану есть лимскую фасоль. Даже золотую.

И они оба расхохотались, потому что именно это она сказала ему, когда он в первый раз приготовил для нее дома обед восемь лет назад. Тогда он угощал ее жареной свининой, картофельным пюре и лимской фасолью. Джесси попробовала мясо и пюре, однако, вернувшись из кухни, куда она послала его за стаканом воды, Ян обнаружил, как жена избавляется от фасоли. Она вскинула голову и, подняв руки, рассмеялась.

— Ян, я никогда не буду есть лимскую фасоль. Даже если она из чистого золота.

А это украшение было вылито действительно из чистого золота. В какой-то момент у нее защемило в груди, когда она подумала о цене. Но это был Ян. С присущим им стилем они опускались на дно. С пикниками, страстью и дорогими подарками.

Оставшаяся часть уик-энда прошла безоблачно. При каждом удобном случае Джессика хвасталась своей золотой цепочкой, они нежничали, обнимались и целовались. «Оберж» вернул их былую любовь. Они устроили настоящий пир при свечах в своем номере — с жареным цыпленком и бутылкой шампанского, которую купили по пути в отель. Они резвились, как дети, и играли в молодоженов, позабыв утренние тревоги.

Огорчало Яна только нежелание Джессики иметь детей. Безумно, отчаянно он хотел стать отцом, именно сейчас, до суда... до... что, если... кто знал, что его ждет? Через год он может сидеть в тюрьме или умереть. Отнюдь не радостные перспективы, однако реальность начинала пугать Яна. Ребенок стал бы молодым стебельком травы, пробивающимся из пепла. Но теперь, когда он понял, в каком ужасном состоянии находилась Джессика, вопрос был закрыт. Он станет работать еще упорнее над новой книгой, она-то и будет его детищем.

В воскресенье Джессика купила Яну цилиндр и трубку из стержня кукурузного початка. За ленчем они полакомились мороженым с бананами, сбитыми сливками и орехами, а потом взяли напрокат велосипед-тандем и катались вокруг гостиницы, посмеиваясь над отсутствием координации совместных усилий. Джессика упала-таки на подъеме.

— Что значит «нет»? Давай толкай!

— Черт с ним. Сам толкай. Я пойду пешком.

— Паршивка.

— Посмотри-ка на эту гору. А я что, Тарзан?

— А ты взгляни на себя. При таких длинных ногах тебе не составит труда взбежать на холм, неся меня на руках, не говоря уже о велосипеде.

— Вы, сэр, просто негодяй.

— Эй... А что это за паучок у тебя на ноге?

— Я... что? А-а-а-а-а... Ян! Где? — Но он смеялся над ней, и когда она перевела взгляд, то уже знала об этом. — Ян Кларк, если ты еще раз так со мной поступишь, я... — Она бессвязно лопотала, а он смеялся еще сильнее. — Я... — Джесси ударила его по плечу, сбив с велосипеда в высокую траву рядом с дорожкой.

Но он дотянулся до нее, согнувшуюся пополам от смеха, и толкнул рядом с собой.

— Ян, не здесь! Здесь, наверное, змеи! Ян! Черт возьми! Прекрати!

Он просунул руку под ее блузку с таким плотоядным взглядом, что Джесси не могла удержаться от смеха.

— Ян... Я серьезно — нет! Ян... — Она почти сразу же забыла о змеях.

Глава 14

— Ну, как вам понравилось мое любимое убежище в Кармеле? — Астрид с улыбкой просунула голову в кабинет Джессики.

— Мы в восторге. Заходи. Как насчет кофе? — Улыбка
Джесси рассказала все. Два дня в Кармеле были островком
спокойствия в бурном житейском море.

— Я, пожалуй, откажусь от кофе, спасибо. Еду на встречу
с адвокатами Тома. Может быть, загляну на обратном пути.

Джессика показала ей цепочку с кулоном в форме лимской
фасоли, дала краткий обзор событий прошедшего уик-энда,
опустив ненужные места, и послала ей с порога воздушный
поцелуй. До конца дня бутик «Леди Джей» напоминал сумасшедший дом.

Поступили новые товары, появились новые покупатели и
старые клиенты, которые требовали чего-нибудь новенького,
но хотели при этом, чтобы вещи подогнали по фигуре немедленно. Забот прибавили попавшие не туда накладные, а две
партии товаров, которые были так нужны Джессике, не пришли вовсе. Катсуко ничем не могла помочь, так как была по
горло занята подготовкой к предстоящему показу мод. Зина в
это время развлекала как могла покупателей, пока Джесси
пыталась разобраться с обрушившимися на них проблемами. И
со счетами. Следующие две недели были во многом схожими.

Харви Грин появлялся в магазине дважды, оба раза чтобы
обсудить незначительные детали с Джессикой, касающиеся при-
вычек ее и Яна, но она мало что могла рассказать ему. Равно
как и Ян. Они жили обычной жизнью, им нечего было скрывать. Девушки в магазине все еще не знали, что происходит, и
две недели спустя после внезапных отлучек и исчезновений
Джесси были слишком заняты, чтобы задавать вопросы. Они

пришли к выводу, что проблема, какой бы она ни была, разрешилась сама собой, а Астрид была слишком воспитанна, чтобы спросить напрямик.

Ян с головой окунулся в свою книгу, и два последующих появления в суде прошли гладко. Как Мартин и предсказывал, залог не аннулировали, на это не было даже и намека. Джессика оба раза ходила с Яном в суд, однако там не происходило ничего заслуживающего внимания. Он садился рядом с Мартином, они обсуждали что-то вполголоса перед судьей, а потом все расходились. Теперь это казалось частью их повседневной жизни, беспокоиться им стоило о других вещах. Джесси расстраивалась из-за неприбывшей части осенних товаров и о другом заказе, который до нее тоже не дошел, тогда как деньги на ее банковском счету таяли. Ян сражался с девятой главой и был безразличен ко всему на свете. Так, своим чередом, шла их обычная жизнь, как бы в противовес рутинным появлениям перед скучавшим судьей.

Месяц спустя о себе дал знать Харви Грин, прислав к оплате первую половину счета, составлявшего его гонорар. Тысяча восемьсот долларов. Выписка счета пришла на бутик, как Джессика и просила. При виде суммы она открыла от изумления рот и чуть не упала со стула. Тысяча восемьсот долларов. Совершенно ни за что. Он ни черта не нашел, кроме имени мужчины, с которым Маргарет Бертон дважды обедала и ни разу не спала. Бертон, похоже, была чиста. Коллеги по работе считали ее порядочной женщиной, хотя и не очень общительной, но надежной, с которой приятно работать. Несколько человек назвали ее сдержанной и угрюмой. В ее прошлом не было бурных романов, никаких проблем с наркотиками или склонности к алкоголю. Она ни разу не возвращалась ни в один отель на Маркет-стрит и не пригласила ни одного мужчину в свою квартиру с тех пор, как была установлена слежка.

После работы каждый вечер возвращалась домой одна, за месяц, опять же одна, сходила три раза в кино, попытка познакомиться с ней в автобусе не имела успеха. Помощник Грина несколько кварталов строил ей глазки, как он сказал, получил обнадеживающий взгляд в ответ, а затем решительное «нет», когда пригласил ее выпить. Он добавил, что она его чуть не послала. В худшем случае Бертон была смущена, а в лучшем — шла сразу за Девой Марией, и позиция Яна будет выглядеть очень неубедительно в суде. Им просто необходимо было что-то раскопать. Но они ничего не нашли. Теперь же Харви Грин требовал половину своего гонорара. А они даже не могли отказаться от его услуг. Мартин убедил их, что за ней нужен глаз да глаз до самого суда и, возможно, во время, хотя он, как и Грин, признали, что, по всей видимости, в полиции ей порекомендовали вести себя осторожно. Обвинение не хотело, чтобы мисс Маргарет Бертон сгорела на каком-нибудь паршивом романчике за несколько недель до суда.

Грин не выполнил поставленной задачи и в отношении ее прошлого. Когда-то она была замужем — в возрасте восемнадцати лет, брак был расторгнут через несколько месяцев. Но он не знал причины, не знал и за кого она вышла. Ничего. Об этом не было свидетельств, возможно, именно поэтому она не сообщила об этом факте во время предварительных слушаний. То, что Грин узнал, ему рассказала женщина, с которой Маргарет Бертон работала.

Вскрыв остальную почту, Джесси сидела за своим столом, уставившись на счет Грина. Выписка счета от Мартина на пять тысяч, который они все еще должны были оплатить, и девять счетов из Нью-Йорка за товары весеннего ассортимента. Счет Яна на двести сорок два доллара за медосмотр двухмесячной давности, по-прежнему неоплаченный, плюс ее собственный, за рентгеновский снимок грудной клетки, на со-

рок долларов, а также счет из магазина пластинок на семьдесят четыре доллара, где она кутнула до отъезда в Нью-Йорк.
Сидя теперь в своем кабинете, Джессика задавалась вопросом,
почему она тогда решила, что семьдесят четыре доллара за
пластинки — это сущий пустяк. Она помнила, как обмолвилась об этом Яну. Да-а... Не так уж много, если не нужно
платить десять тысяч долларов в счет адвокатских расходов...
а торговец цветами... а химчистка... а аптека... Джесси чувствовала, как что-то сжимается у нее в груди, когда она пыталась суммировать расходы. Она сняла трубку, посмотрела на
визитку в записной книжке и позвонила.

До встречи с агентом Джесси переговорила с банком, и ей
более или менее повезло. Основываясь на предыдущем испол-
нении ею своих обязательств, банк согласился оставить ссуду
не покрытой дополнительным обеспечением. Она могла продать машину. В глубине души Джессика надеялась, что ей не
позволят. Но теперь у нее не было выбора.

Она продала «морган» в два часа дня. За пять тысяч двести долларов. Спасибо и на том. Она положила деньги на счет
до закрытия банка и послала чек на пять тысяч долларов Мартину Шварцу. Ему было уплачено. Теперь Джессика могла
перевести дух, они были спасены. Неделями ей снились кошмары о том, как Барри Йорк угрожает отправить Яна назад в
тюрьму. Услуги юриста оплачены. Если с ней что-то случится,
у Яна будет официальный защитник.

После этого Джессика сняла тысячу восемьсот со счета
«Леди Джей», чтобы оплатить услуги Грина. Она вернулась в
бутик в половине третьего с раскалывающейся головой. Астрид появилась в половине пятого.

— Выглядишь не очень счастливой, леди Джей. Что-то не так?

Астрид была единственной, кто называл ее так. Джесси
устало улыбнулась:

— Поверишь, все не так.

— Нет. Не поверю. Не хочешь ничего рассказать?

Астрид потягивала кофе, который ей приготовила Зина. Джесси сделала отрицательный жест и покачала головой:

— Рассказывать особенно нечего. Как прошел день у тебя?

— Получше. Но я не рисковала. Встала в одиннадцать и провела утро у парикмахера.

Господи. Как она могла рассказать? Как Астрид догадалась?

— Возможно, в этом я была не права. Я сама помыла волосы вчера вечером. — Она нервно улыбнулась подруге, но Астрид сохраняла серьезное выражение. Она была обеспокоена. Джесси выглядела уставшей и замотанной, но не позволяла себе проронить и слова.

— Почему бы не закончить на этом день и не отправиться домой к своему роскошному супругу? Джессика, если бы Ян был моим мужем, меня здесь ничто не могло бы удержать.

— Знаешь что? Думаю, ты права. — Это была первая непринужденная улыбка, которая удалась Джессике за весь день. — Ты домой? Я могла бы этим воспользоваться.

— А где твой малыш?

— «Морган»? — Джессика попыталась уклониться от ответа. Она не хотела лгать, но... Астрид кивнула, и она почувствовала, как колет сердце. — Я... он в магазине.

— Нет проблем. Я подвезу.

Из окна своего кабинета Ян наблюдал, как жена выходила из авто Астрид, и удивился. В любом случае пора было прерваться, он работал без перерыва с семи утра. Ян открыл дверь Джесси, прежде чем она вынула ключ.

— Что с машиной? Ты оставила ее в бутике?

— Да... Я...

Она подняла глаза, и он увидел, как краска заливает ее лицо. Она должна была сказать ему.

— Ян, я... Я продала ее. — Она вздрогнула, увидев выражение его лица. Все замерло.

— Что ты сделала?! — Все вышло хуже, чем Джессика представляла.

— Продала. Дорогой, мне пришлось ее продать. У нас не густо с деньгами, а в течение двух недель нужно найти почти семь тысяч долларов, чтобы заплатить гонорар Мартину и первую половину гонорара Грина, еще один счет он пришлет через пару недель. Другого выхода не было.

Джесси протянула руку, чтобы дотронуться до мужа, но он убрал ее.

— Ты могла бы спросить мое мнение! Спросить меня, сказать хоть что-то. Но ты больше не советуешься со мной. Я подарил тебе эту машину. Она что-то значила для меня!

Ян схватил бутылку виски и плеснул себе немного в стакан.

— А ты не думаешь, что она что-то значила и для меня?

Голос у нее дрожал, но он ничего не замечал. Джессика наблюдала за тем, как Ян выпил содержимое стакана.

— Дорогой, я так... я просто не видела другой... — Она замолчала на полуслове, в ее глазах застыли слезы. Джессика так хорошо помнила тот день, когда они привезли «морган» домой. Теперь... Ян допил виски и натянул пиджак. — Куда ты собрался?

— Куда глаза глядят. — Его лицо было похоже на камень.

— Ян, пожалуйста, не совершай необдуманных поступков. — Его решимость испугала Джессику, но он только покачал головой.

— В этом нет необходимости. Я уже сделал. — Мгновение спустя за ним захлопнулась дверь.

Он вернулся в полночь, безмолвный и подавленный, Джессика не спросила, где он был. Она боялась неожиданного визита инспектора Хоугтона, но отругала себя за эту мысль, когда смотрела, как муж снимает туфли. Из них высыпались две маленькие горсточки песка. Он выглядел лучше. Они всегда уходили на пляж ночью, чтобы поговорить по душам, или подумать, или просто спокойно погулять вдвоем. Ян водил ее туда, когда умер Джейк. На их пляж. Всегда вместе. Сейчас она боялась даже протянуть руку, чтобы коснуться его, а ей это было так необходимо. Ян молча бросил взгляд на нее и прошел в ванную, закрыв за собой дверь. Джесси выключила свет и смахнула две слезинки с лица. Она нащупала смешную золотую фасолинку на шее и попыталась заставить себя улыбнуться, но не смогла. Смех остался в прошлом, и кто знает, может быть, однажды ей придется продать и кулон с лимской фасолью. Лежа в темноте, Джесси злилась на себя и весь мир.

Она услышала, как открылась дверь ванной, затем мягкие шаги Яна. Он сел на кровать и закурил, потом прислонился к спинке и вытянул ноги. Прошла, казалось, вечность. Джессика знала все эти движения, даже не глядя на него. Она лежала очень тихо, спиной к нему, делая вид, что спит. Она не знала, что ему сказать.

— У меня кое-что есть для тебя, Джесс. — В тишине комнаты его голос казался низким и хриплым.

— Типа удара в челюсть?

Он засмеялся и положил руку ей на бедро.

— Нет, куколка. Перевернись.

Она покачала головой, как ребенок, и посмотрела через плечо.

— Ты не злишься на меня, Ян?

— Я злюсь на себя. Ты не могла больше ничего сделать. Знаю. Я ненавижу себя за то, что втянул нас в эту передрягу, но я скорее бы продал уйму других вещей, чем «морган».

Джессика кивнула, по-прежнему не находя слов.

— Извини.

— И ты меня. — Ян нагнулся и нежно поцеловал ее в губы, а потом вложил что-то легкое ей в руку. — Вот. Нашел в темноте. — Это была молочно-белая раковина.

— Дорогой, какая красивая.

— Я люблю тебя, — прошептал он, а потом с ласковой улыбкой привлек ее к себе и начал осыпать поцелуями.

Последующие две недели пролетели как один миг. Работа в магазине, обеды дома, бурные споры о том, кто должен поливать цветы, страстные примирения и занятия любовью, выходы в свет. То их мучила бессонница, то они спали чуть ли не до полудня, забывали поесть и чревоугодничали, швырялись деньгами и боялись счетов. Приобрели роскошный бумажник от Гуччи для Яна и замшевую юбку из дорогого магазина для Джесси, когда она могла купить ее гораздо дешевле у себя; безделушки, хлам и всякая всячина — и все это стоило денег, которые они швыряли, как будто час расплаты никогда не придет. Верх безумия. Это было лишено всякого смысла. Неделями Джесси чувствовала себя так, словно она, как мячик, отскакивала от стен, потеряв надежду прекратить метаться, Яну же казалось, что он тонет.

Точка была поставлена накануне суда. Джесси предупредила Зину и Катсуко, что уходит на неделю в отпуск. Она рано ушла из бутика и долго гуляла, прежде чем вернулась домой к Яну. Он ел в кресле и любовался видом из окна. Впервые Джесси застала мужа не работающим над новым романом. Это было его основное занятие, когда он не тратил деньги или безмолвно и настойчиво не овладевал ею. Они разговаривали меньше, чем прежде. Даже обеды протекали

либо в полном молчании, либо в каком-то безумии, но никогда —
в нормальной обстановке.

В тот вечер они разожгли камин и проговорили до темноты. У Джесси было такое ощущение, как будто она не видела
Яна несколько месяцев, и вот опять беседовала с ним — с
мужчиной, которого любила, со своим мужем, любовником,
другом. Ей не хватало его дружеского участия в эти нескончаемые недели. Впервые они не смогли протянуть друг другу
руку помощи. Вечером накануне суда они мирно поужинали,
сидя на полу перед камином. Предстоящее испытание не так
пугало, как раньше. Страх перед тюрьмой притупился, как и ее
отчаянные усилия для освобождения мужа. И как расставание
с изумрудным кольцом ее матери. Но что такое суд? Пустая
формальность. Словесная перепалка двух наемных актеров —
их и государственного, с взирающим сверху судьей в черной
мантии, а где-то на заднем плане — никому не известная
женщина по имени Маргарет Бертон. Неделя, может быть,
две, и все останется позади. Вот единственная реальность.

Джесси перекатилась на ковре на спину и покорно улыбнулась Яну, когда он наклонился, чтобы поцеловать ее. Это был
долгий, запомнившийся на всю жизнь поцелуй, вернувший по-
терянную нежность. Через несколько минут они уже жадно
занимались любовью. Это была одна из тех редких ночей,
когда души и тела сливались воедино и разгоралась страсть,
пылая час за часом. Слова были не нужны. Лишь на рассвете
Ян перенес сонную Джессику в постель.

— Я люблю тебя, Джессика. А сейчас немного поспи.
Завтра будет трудный день.

Он прошептал эти слова, и она улыбнулась при звуках его
голоса, медленно погружаясь в сон. Трудный день? Правильно... показ мод... или они собирались на пляж?.. Джессика не
могла вспомнить... пикник? Что?

— Я тоже тебя люблю. — Ее голос затих, она заснула, обвив мужа руками, словно маленький ребенок. Ян нежно погладил ее по руке, потом закурил сигарету. Спать ему не хотелось. Одолевали тревожные мысли.

Остаток ночи он провел без сна, наблюдая за Джессикой и с тревогой ожидая нового дня.

На следующее утро он должен был предстать перед судом.

Глава 15

Зал судебных заседаний городского совета выглядел помпезно по сравнению с небольшим скромным помещением, где проходило предварительное слушание. Позолота, деревянные панели, длинные ряды кресел, на возвышении — место судьи и выставленный на всеобщее обозрение американский флаг. В зале было многолюдно, секретарь по одному выкрикивала имена присяжных.

Ян с Мартином сидели впереди, за столом, отведенным защите. В нескольких футах от них находился уже другой помощник окружного прокурора, рядом с которым расположился инспектор Хоугтон. Маргарет Бертон нигде не было видно.

Двенадцать присяжных заняли свои места, и судья объяснил суть дела. Несколько женщин выглядели удивленными и бросали взгляды на Яна, а один из мужчин покачал головой. Мартин быстро пометил что-то для себя и внимательно оглядел присяжных заседателей. У него так же, как и у помощника прокурора, было право отвода десяти человек из их числа, чьи лица сейчас казались безобидными — не опаснее пассажиров автобуса.

До начала заседания Мартин высказал Яну и Джесси свое мнение о составе суда присяжных. Никаких старых дев, которые будут шокированы обвинением в изнасиловании или могли бы отождествлять себя с жертвой, возможно, им стоит опереться на непоколебимых домохозяек из среднего класса, которые могут осудить Бертон за то, что она позволила обвиняемому подцепить ее. Поступок Яна мог вызвать у молодых людей сочувствие, однако не было уверенности в том, как они отнесутся к прекрасному внешнему виду этой пары. Они шли по тонкому льду.

Джесси внимательно разглядывала присяжных заседателей со своего места в первом ряду. Но едва Мартин встал, чтобы задать вопросы первому кандидату, судья объявил перерыв на ленч.

Отбор кандидатов представлял собой крайне медленный процесс — состав присяжных избрали лишь к концу второго дня. И защитник, и обвинитель задавали вопросы об их отношении к изнасилованию, об их работе и друзьях, привычках и количестве детей. Мартин объяснил, что мужчины, годящиеся в отцы Маргарет Бертон, тоже не самый удачный вариант: они были настроены слишком покровительственно по отношению к жертве. Так много вещей необходимо было учесть, что какие-то моменты неизбежно оставались без внимания. Например, в составе заседателей по-прежнему оставались двое, которые не встречали полного одобрения у Мартина, но он уже исчерпал свою квоту на отвод, и им приходилось надеяться на лучшее. Мартин Шварц постарался расположить к себе присяжных заседателей, установив с ними доверительные отношения.

В итоге был выбран окончательный состав присяжных. Пятеро мужчин — трое пожилых и двое молодых, а также семь женщин — пять среднего возраста, счастливых в браке, и две молодые, незамужние. Настоящий подарок судьбы, так как они надеялись, что это нейтрализует двоих пенсионеров, которые не понравились Мартину. В целом, однако, он был вполне удовлетворен, и Ян с Джессикой не могли не признать, что у него есть на то основания.

Когда они вышли из зала суда в конце дня, Джесси знала наизусть биографии всех присяжных, могла перечислить места их работы и имена друзей. Она нашла бы их даже в многолюдной толпе.

Первый удар они получили на третий день. Спокойный помощник прокурора — мужчина, который заменил раздражавшую их женщину из прокуратуры, не появился в суде.

Сообщили, что его прооперировали рано утром того же дня по поводу аппендицита. Судью заверили, что замена уже подобрана и прибудет с минуты на минуту. У Яна и Джесси упало сердце...

Мартин наклонил голову, чтобы прошептать что-то Яну на ухо, когда судья объявил короткий перерыв, пока они ожидали прибытия нового помощника окружного прокурора. Все встали, потягиваясь и шаркая ногами, и двинулись в вестибюль, судья тоже удалился. Было еще очень рано, и даже чашка кофе из автоматов в холле пришлась по вкусу. Можно хоть чем-то заняться. Все мысли занимала только вынужденная замена помощника прокурора. Джесси посмотрела на Яна, но он промолчал, а Мартин тем временем куда-то испарился.

Он просил их не обсуждать дело в холле во время перерыва или ленча, и неожиданно оказалось трудно найти банальные фразы, чтобы прервать тягостное молчание. Так они и стояли, безмолвные, похожие на беглецов, ждущих прибытия поезда, но не понимающих, что с ними происходит.

— Еще кофе?

— Что?

— Кофе. Хочешь еще кофе? — повторил Ян. Но она только покачала головой с вялой улыбкой. — Не беспокойся так, Джесс. Все будет хорошо.

— Я знаю.

Слова. Одни слова. Лишенные смысла. Все происходящее, казалось, не имело смысла, приводило в смущение. Почему они стояли, как бедные родственники на похоронах? Джессика раздавила сигарету на мраморном полу и посмотрела на потолок. Он был витиевато украшен, и она ненавидела его. Слишком изысканно. Слишком утонченно. Напоминал ей о том, где она находилась. Муниципалитет. Суд. Она закурила другую сигарету.

— Ты только что одну затушила, Джесс. — Его голос был мягким и грустным. Ян тоже не знал, что происходит.

— Что? — Она искоса посмотрела на мужа сквозь пламя зажигалки.

— Ничего. Вернемся в зал?

— Конечно. Почему бы и нет? — Джессика попыталась улыбнуться, швыряя пустой стаканчик в большую металлическую пепельницу, заполненную песком.

Они вместе вернулись в зал суда, не прикасаясь друг к другу. Ян медленно шел к своему месту, Мартин — сам по себе. Джессика не спускала глаз с обоих — с Яна, с Мартина, который быстро делал пометки в длинном желтом блокноте. Прекрасный адвокат, образ, схваченный в столбе света, разлетелся брызгами на мраморном полу. Джесси вглядывалась в пятно света около минуты, ни о чем не думая, мечтая только оказаться где-нибудь в другом месте, потом рассеянно бросила взгляд в сторону, на стол помощника окружного прокурора.

Там-то она и устроилась. Матильда Ховард-Спенсер. Высокая, худощавая, все в ней казалось острым. У нее была узкая голова с неровно подстриженными короткими светлыми волосами, длинные тонкие проворные пальцы, похоже, уже были готовы сложиться в обвиняющий жест. Спенсер выбрала унылый серый костюм и бледно-серую шелковую блузку, ее глаза почти сливались с цветом костюма. Синевато-серые и острые, как и весь ее облик. Длинные тощие ноги; единственное украшение, которое она надела, — тонкая золотая цепочка. Матильда была замужем за судьей Спенсером, фамилию которого и взяла себе. Она наводила ужас на весь штат окружного прокурора и охотно бралась за дела об изнасилованиях. Ни Ян, ни Джессика ни о чем не подозревали, но Мартин ее прекрасно знал, он едва не завыл от отчаяния, когда увидел, как Спенсер входит в зал суда. Однажды он схватился с ней в одном деле и проиграл. Никто никогда не выигрывал у нее. Его клиент покончил с собой спустя девять дней после начала процесса. Возможно, он все равно бы наложил на себя руки, но... Матильда, дорогая Матильда ускорила его смерть.

Ян видел женщину, которая заставляла его нервничать. Перед глазами Джесси предстало изваяние изо льда, она чувствовала, как ее заполняет страх. Теперь это была не игра. Это была настоящая война. Одно только то, как женщина смотрела на Яна, сказало Джессике все. Спенсер обменялась с Хоугтоном быстрым потоком слов, он кивнул несколько раз, потом встал и вышел. Ясно, кто тут всем верховодит. Джессика проклинала того человека, который так некстати попал в больницу. Только Спенсер им и не хватало.

— Встать... — Судья вернулся на свое место, в воздухе повисло напряжение. Он выказывал признаки явного удовольствия пополнением числа действующих лиц, удостоверив присутствие помощника прокурора уважительным приветствием. Ужасно.

Матильда Ховард-Спенсер сделала несколько быстрых дружеских замечаний присяжным, на все из которых, похоже, последовал ответ. Она могла вызвать как доверие, так и страх. Голос и манеры Матильды полны власти и давали неверное представление о ее возрасте: ей, должно быть, было не больше сорока двух — сорока трех лет. Она была человеком, на которого можно положиться, который возьмет все на себя, проследит за ходом дела. Эта женщина могла выиграть войну, командовать армией и воспитывать детей. Но их у нее не было. Она была замужем меньше двух лет. Юриспруденция заменяла ей возлюбленного, а мужу она отвела роль друга, ему было хорошо за шестьдесят.

Схватка началась с одного из наименее важных свидетелей. Место для дачи показаний занял судебный патологоанатом, не представив ничего из того, что могло бы повредить Яну, равно как и быть полезным для Маргарет Бертон. Он признал только то, что имело место половое сношение, но более ничего не мог удостоверить. Несмотря на яростный натиск Матильды Ховард-Спенсер, патологоанатом стоял на своем: доказательств применения силы не было. Возражения Мартина о ее давлении на свидетеля были быстро отметены, хотя свидетельские показания не имели особого значения. Джессике все это казалось ужасно скучным, час спустя она сосредоточила внимание на полосе красного нейлона на флаге и предалась размышлениям, которые унесли ее прочь от того места, где она находилась... Эти слова, их бесконечное гудение: «постыдное противоестественное преступление»... извращение... изнасилование... половое сношение... прямая кишка... влагалище... сперма — прямо какой-то детский путеводитель по запретным темам, которые приятно щекочут нервы. Теперь Джессика имела возможность взвесить каждое из них. Влагалище. Спенсер, похоже, была в восторге от него. И изнасилование. Она произносила его с большой буквы.

И вот день подошел к концу, они молча — как и на протяжении всей недели — отправились домой. Утомительным было уже одно присутствие в суде. Если хмуришься, присяжные могли подумать, что ты злишься на Яна или расстроена. Расстроена? Нет, конечно, нет! Если улыбаешься, значит, относишься к процедуре несерьезно. Если на тебе было надето не то, ты выглядела богатой. Что-то слишком жизнерадостное — и складывалось впечатление, что ты легкомысленна. Сексапильна в суде? По обвинению в изнасиловании? Боже упаси! Влагалище? Где? Нет, конечно, у меня его нет. Судебная процедура даже больше не пугала, просто изнуряла. А эта проклятая Спенсер была неумолима, выдавливая до капельки каждого свидетеля. Мартин же вел себя чересчур джентльменски. Но какое это имело значение? Если они с достоинством будут появляться в суде, вскоре все их мучения останутся позади.

Вскоре... но, похоже, до конца было еще далеко. Тем вечером они молча поужинали, и Джессика сразу крепко заснула, прямо в халате, прежде чем Ян вышел из душа.

Она сонно потянулась в машине на следующее утро и устало улыбнулась, глядя на дома, освещенные солнечными лучами.

— Чему ты улыбаешься, Джесс?

— Сумасшедшая мысль. Подумала, что вот так же мы когда-то ездили вместе на работу в Нью-Йорке.

Она выглядела задумчивой, но Ян не улыбнулся.

— Не совсем так.

— Нет. У нас есть время, чтобы по пути проглотить по чашке кофе? — У них не было времени на завтрак.

— Лучше там попьем кофе из автомата, Джесс. Я не хочу опоздать. Они могут лишить меня залога. — Господи. Всего из-за чашки кофе.

— Хорошо, любимый.

Она нежно дотронулась до его плеча и закурила новую сигарету. Единственным местом, где Джессика теперь не курила, оставался суд. Она взяла его за руку, когда они поднимались по ступенькам муниципалитета. Все вокруг казалось новым, ярким и сияющим. Утро, когда не страшны никакие ужасы, происходящие в жизни, словно Господь не знает о них и дарит людям столько солнечного света и тепла.

До начала судебного заседания оставалось три минуты, и Джессика поспешила за кофе.

— Хочешь немного?

Он начал было отказываться, но потом утвердительно кивнул. Ян взял чашку из ее руки, которая так дрожала, что он чуть не пролил.

— Малышка, у нас уйдет год на то, чтобы вернуться к нормальной жизни.

— Ты имеешь в виду мою замечательную дрожь?

Ян улыбнулся в ответ.

— А ты заметила мою? — Он вытянул вперед руку, и они оба засмеялись.

— Полагаю, производственная травма.

— Насильника?

— Ладно, Ян, хватит.

Короткий разговор между ними закончился, и Джессика заметила деловую суматоху возле незамеченной двери. Люди входили и выходили. Четверо мужчин, женщина, звук голосов, словно прибывал кто-то весьма важный.

Активность привлекла внимание Джессики, но если кто и выглядел загадочно, так это Ян, склонивший голову набок и внимательно слушавший. Она хотела спросить его, что происходит, но не была уверена, что ей нужно это делать. Он, казалось, был поглощен голосами и звуками. Потом раздался хлопок двери, и женщина в простом белом шерстяном платье обогнула угол. Джессика аж задохнулась от изумления. Это была Маргарет Бертон.

У Яна от изумления открылся и снова закрылся рот, а Джессика стояла, прикованная к месту, чувствуя холодок на спине. Она впилась глазами в Бертон, которая резко остановилась, сделала один короткий шажок назад и замерла с выражением изумления на лице; все трое застыли. Казалось, здание полностью погрузилось в тишину, будто они были единственными людьми, оставшимися на всем белом свете. Лицо Маргарет Бертон медленно-медленно, словно восковая маска, плавящаяся на солнце, раздвинулось в неправдоподобной торжествующей улыбке, предназначавшейся исключительно Яну. Напуганная Джессика не спускала с нее глаз, а потом, не отдавая себе отчета, бросилась вперед и ударила Бертон намертво зажатой в руке сумочкой.

— Почему?! Черт возьми, почему? — Пронзительный крик боли, вырвавшийся из сердца Джессики. Женщина с удивлением на лице отступила назад, будто очнувшись, в ту же минуту Ян схватил Джесси. Могло произойти что-то ужасное. У нее в глазах горел огонь мщения, а этот крик «Почему?» все еще звучал в стенах холла. Маргарет Бертон убежала, выбивая каблучками навязчивое стаккато по мраморному полу, а Джесси рыдала в объятиях Яна.

Толпа любопытных заявила о своем присутствии на месте события, но быстро повернула назад, увидев только Яна и Джесси. Скандал не состоялся. Обычная семейная сцена. Мартин также услышал эти звуки и по какому-то наитию бросился на шум, когда был уже на пороге зала суда. А потом, увидев, как Маргарет Бертон быстро вбегает в дверь рядом с залом заседаний, он понял — что-то произошло. Его глазам предстала трясущаяся Джесси на скамье и пытающийся ее успокоить Ян.

— Она в порядке?

Ян выглядел угрюмым и не ответил.

— Что произошло?

— Ничего... Она... мы только... неожиданно повстречали знаменитую Маргарет Бертон.

— Она что-нибудь сделала с Джесси? — Мартин очень на это надеялся.

— Она улыбнулась. — Джесси прервала рыдания и уже сама была в состоянии объяснить.

— Она улыбнулась? — Мартин был озадачен.

— Да. Как человек, который очень рад тому, что только что убил другого.

— Послушай, Джесс... — Ян попытался успокоить жену, но знал, что она была права. Именно так выглядела Маргарет Бертон, но они были единственными, кто успел это заметить.

— Вы сами, черт побери, прекрасно знаете, что так она и выглядела. — Джесси пыталась объяснить Мартину, но он промолчал.

— Вы пришли в себя?

Тяжело вздохнув, она медленно кивнула:

— Да.

— Хорошо. Нам пора в зал. Нам нельзя опаздывать. — Джессика встала, покачиваясь, Мартин и Ян с беспокойством следили за ней. Она еще раз вздохнула и закрыла глаза. Какое зловещее утро.

— Джесси.

— Нет. Оставьте меня одну, и мне станет лучше. — Она знала, что собирается сказать Ян. Он хотел, чтобы она вернулась домой.

Когда они вошли в зал судебных заседаний, Джесси почувствовала, как в их сторону повернулись несколько человек. Сразу стало ясно, кто слышал крики, когда Бертон бежала по холлу. Не успели они пройти и три фута, как на их пути оказался воинственно настроенный инспектор Хоугтон, обратившийся непосредственно к Джесси.

— Если вы еще раз так поступите, я прикажу арестовать вас, а его залог аннулируют так быстро, что у вас обоих голова закружится.

Ян, похоже, испытывал сильные мучения, Джессика от удивления раскрыла рот, а Мартин шагнул вперед.

— Поступите как, инспектор?

— Угрожая мисс Бертон.

— Джессика, ты угрожала мисс Бертон? — Мартин смотрел на нее, как отец, спрашивающий, не она ли вылила мамины духи в унитаз.

— Нет. Я... Я кричала...

— А что ты кричала?

— Не знаю.

— Она произнесла: «Почему?» Вот и все, — пришел на помощь Ян.

— Мне это не кажется угрозой, инспектор. А вам? По правде говоря, я услышал, как миссис Кларк выкрикнула это слово в другом конце холла, что и привело меня к месту событий.

— Я рассматриваю это как угрозу.

— По моему мнению, инспектор, «почему» — это вопрос, а не угроза. Если такого рода вопрос не пугает вас.

Не произнеся больше ни слова, Хоугтон повернулся на каблуках и вернулся в кресло рядом с Матильдой Ховард-Спенсер, выглядя отнюдь не удовлетворенным, как, впрочем, и Ян. Джесси чувствовала, как его бьет дрожь.

— Я убью этого сукиного сына до того, как завершится суд.

Выражение лица Мартина заставило их обоих замолчать. Это было ужасно.

— Нет, черт возьми, ты будешь сидеть здесь и сохранять спокойствие. Прямо сейчас. Ясно? Джессика, к тебе это тоже относится. А теперь улыбнись. Вот так-то лучше. Возьми ее за руку, Ян. Нам нужно, чтобы присяжные думали, что у нас — горе. А у нас его нет. Пока. Помните об этом.

С этими словами он с важным видом подошел к своему столу, на его лице не было ни малейшего намека на озабоченность. Мартин улыбнулся обвинителю, заполнив зал атмосферой благожелательности. Джесси и Яну это представление удалось не так хорошо, хотя они очень старались. Им предстояло пережить свидетельские показания Маргарет Бертон. Но что примечательно, после той дьявольской улыбки это оказалось значительно легче, чем они предполагали.

Бертон, выпрямившись на свидетельском месте, пересказала уже известную историю. В белом платье она выглядела непорочной и напоминала даму из высшего света. Наигранная скромность бросалась в глаза. Ее ноги, похоже, срослись до того, как она вошла в зал суда. Джессика заметила, что волосы у нее приобрели каштановый оттенок. Если на ней и был макияж, то совсем немного. Всякий намек на грудь Бертон тщательно замаскировала. Все было учтено.

— Мисс Бертон, не могли бы вы рассказать нам, что произошло?

Помощник окружного прокурора надела потрясающе унылое черное платье, контрастировавшее с белым платьем жертвы, что создавало впечатление сцены из дешевого кинофильма. Последовавший монолог прозвучал знакомо. В самом конце обвинитель спросила:

— Что-нибудь подобное с вами случалось раньше?

Бертон повесила голову и едва слышно прошептала:

— Нет. — Звук ее голоса походил на шелест падающего на землю листа, и Джесси почувствовала, как ее ногти впиваются в ладони. Первый раз в жизни в ней разгорелась такая неистовая ненависть. Ей хотелось убить эту женщину.

— Что вы чувствовали после того, как он оставил вас в этом дешевом отеле?

— Я была близка к самоубийству. Думала об этом. Вот почему прошло столько времени, прежде чем я вызвала полицию.

Какое представление! Не хватало настоящей овации и грома ободрительных выкриков, чтобы по достоинству ее оценить. Джесси знала, что наигранной скромностью Маргарет Бертон склоняла присяжных на свою сторону.

Что после этого мог сделать Мартин? Перекрестный допрос будет напоминать катание на роликовых коньках по минному полю.

Более часа Матильда Ховард-Спенсер задавала вопросы Бертон. Настала очередь Мартина. Джессика чувствовала, как у нее внутри все сжимается. Ей хотелось уцепиться за Яна. Она не могла больше выдержать. Но должна. Что он чувствовал, сидя отрезанный от всего мира? Обвиняемый. Насильник. Джессика вздрогнула.

— Мисс Бертон, почему сегодня утром вы улыбнулись мистеру Кларку? — Первый вопрос Мартина поверг всех в изумление. Присяжные заседатели впали в шок, пока Хоугтон, затаив недовольство, шептал что-то обвинителю.

— Улыбнулась?.. Я... почему... Нет... Я не улыбалась ему! — Она покраснела и взъярилась, от прежней девственницы не осталось и следа.

— Тогда что вы сделали?

— Я... ничего, черт возьми... Я... я хочу сказать... Я не знаю, что я сделала. — Опять предстала беспомощная девственница, неспособная понять свою выгоду. — Я была так потрясена, увидев его там, а его жена обозвала меня.

— Правда? Как она вас назвала?

Мартин выглядел очень удивленным, и Джесси было любопытно, на самом ли деле. По нему трудно было судить, с каждым днем она убеждалась в этом все больше и больше.

— Продолжайте, мисс Бертон, не будьте застенчивой. Скажите нам, как она вас назвала. Но помните, что вы под присягой.

Он улыбнулся ей и принял подобающее выражение.

— Я не помню, как она меня назвала.

— Не помните? Если это такое травмирующее столкновение, разве вы не вспомните, как она вас назвала?

— Протест, ваша честь!

Сильно раздосадованная Матильда Ховард-Спенсер вскочила на ноги.

— Поддерживаю.

— Хорошо.

— Одна деталь... не правда ли, что вы с таким интересом смотрели на мистера Кларка, словно...

— Протест! — Голос помощника окружного прокурора мог пробить бетонные стены, и Мартин ангельски улыбнулся. Он получил очко.

— Поддерживаю.

— Извините, ваша честь.

Но это было хорошее начало. Вся остальная часть истории после этого пошла ко дну. Как она была унижена, оскорблена, использована и опозорена! Слова почти что вызывали смех.

— А что именно вы ожидали от мистера Кларка?

— Что вы хотите сказать? — Заносчивая свидетельница, казалось, была смущена.

— Вы предполагали, что он сделает вам предложение в этой гостиничной комнате или вытащит из кармана обручальное кольцо, а может быть... ну, так чего вы ожидали?

— Я не знаю. Я... он... Я подумала, он только хотел выпить. Он уже был слегка пьян.

— Вы посчитали его привлекательным?

— Конечно, нет.

— Тогда почему вы хотели выпить с ним?

— Потому что... я не знаю. Потому что я подумала, что он — порядочный человек.

Она, похоже, была в восторге от своего ответа, как будто он все объяснил.

— Ага. Так вот как? Порядочный человек. Скажите, а стал бы джентльмен приглашать вас в гостиницу на Маркет-стрит?

— Нет.

— Привел ли мистер Кларк вас в гостиницу на Маркет-стрит... или это вы его туда привели?

Она залилась краской, спрятав лицо в ладонях и бормоча что-то, чего никто не мог разобрать, пока судья не призвал ее к ответу.

— Я никуда его не приводила.

— Но вы пошли с ним. Несмотря на то что не считали его привлекательным. Вы хотели выпить именно с ним?

— Нет.

— А что тогда вы хотели сделать?

Ой! Вопрос почти заставил Джесси улыбнуться. Замечательно.

— Я хотела... Я хотела... подружиться.

— Подружиться? — Мартин, похоже, забавлялся еще больше. Она поставила себя в глупое положение.

— Нет, не подружиться. Я не знаю. Я хотела вернуться на работу.

— Тогда почему вы согласились пойти с ним, чтобы выпить?

— Я не знаю.

— Вы были возбуждены?

— Возражение!

— Задайте вопрос по-другому, мистер Шварц.

— Сколько времени прошло с тех пор, как вы были близки с мужчиной, мисс Бертон?

— Я должна ответить на этот вопрос, ваша честь? — Она умоляюще смотрела на судью, но он кивнул в знак согласия.

— Да. Должны.

— Я не знаю.

— Ну намекните нам. — Мартин настаивал.

— Я не помню.

— Примерно. Давно? Не так давно? Месяц... два месяца... неделю? Несколько дней.

— Нет.

— Нет? Что значит «нет»? — Мартину это начинало надоедать.

— Нет, не несколько дней.

— Тогда сколько? Ответьте на вопрос.

— Какое-то время.

Судья свирепо посмотрел на нее, и Мартин придвинулся поближе.

— Ладно. Долго. Может быть, год, — наконец проговорила Бертон.

— Или дольше?

— Возможно.

— Запомнился ли вам тот партнер?

— Я... Я не помню... Я... Да! — Она едва не выкрикнула последнее слово.

— Может быть, он вас чем-то обидел, мисс Бертон? Или не любил вас сильно, как должен был? Быть может, он... — Голос Мартина убаюкивал, но неожиданно помощник окружного прокурора взорвала тишину.

— Протест!

На остаток вопросов у Мартина ушло два часа, и Джессика думала, что к концу превратится в маленькое размытое пятнышко, невидимое для окружающих. Она и представить себе не могла, что Маргарет Бертон доведут до рыданий. У Джессики сложилось впечатление, что сурового обвинителя интересовал сам прецедент, а не жертва.

Судья объявил перерыв, а затем закрыл заседание до понедельника. На мгновение они потеряли дар речи, но Джесси настолько устала, что ей хотелось забраться в постель и спать чуть ли не целый год. Ян выглядел постаревшим на пять лет.

Покидая зал суда, Мартин шел позади них, но Маргарет Бертон нигде не было видно. Под охраной ее провели через помещение судьи. Мартин предполагал, что Бертон выведут через более безопасный выход, чтобы избежать столкновений, подобных сегодняшнему. У него было чувство, что Хоугтон также не вполне доверял этой женщине и не желал больше неприятностей, чем те, которые имел.

Когда они вышли на солнечный свет, Джесси не могла избавиться от ощущения, что не видела его годами. Пятница. Была пятница. Конец невыносимой недели и целых два дня передышки. Два с половиной дня. Она хотела поскорее очутиться дома и забыть эту дыру в стиле рококо, где неистовствовала сумасшедшая Спенсер. На глазах присяжных вполне могла разыграться трагедия.

— О чем ты думаешь? — Ян все еще беспокоился о жене после утренней вспышки гнева. Сейчас больше чем когда-либо. Свидетельские показания были мраком.

— Не знаю. Не уверена, что вообще могу думать. Я просто плыву куда-то.

— Давай тогда поплывем домой. Хорошо? — Он проводил Джессику к машине и открыл для нее дверь. Усаживаясь в «вольво», она ощущала себя древней старухой. Ей хотелось смыть с себя это отвратительное утро.

— Твое мнение, дорогой? — Она посмотрела на мужа сквозь облачко сигаретного дыма, когда Ян медленно вел машину домой.

— Что ты имеешь в виду? — Он попытался уклониться от ответа.

— Как, по-твоему, идет дело? Мартин сказал что-нибудь?

— Немного. Он предпочитает помалкивать.

Она опять кивнула.

Когда они уходили, Шварц сказал лишь, что хочет видеть их у себя в офисе в субботу.

— Мне кажется, все не так плохо.

— Неплохо? Господи, что за мерзкое зрелище. Но этого и следовало ожидать. Не правда ли?

— Мне нравится стиль Мартина.

— И мне.

Ян и Джессика по-прежнему думали, что выиграют, но теперь они начинали осознавать цену, которую им придется заплатить. Не деньгами и не машинами, но плотью и кровью, своей душой.

Глава 16

В субботу утром Ян отправился в офис Мартина, чтобы обсудить показания, с которыми ему предстояло выступить на следующей неделе. Джессика с приступом головной боли осталась дома. Оказав им любезность, вечером приехал Мартин, чтобы навестить их, а также чтобы обсудить ее собственные показания.

Позже днем, когда супруги, как два трупа, сидели перед телевизором, смотря старые кинофильмы, позвонила Астрид:

— Привет, детки. Может быть, заглянете ко мне вечером на спагетти?

В первый раз Джесси оборвала подругу:

— Извини, Астрид, мы не можем.

— Ах, вы опять заняты, заняты, заняты. Я пыталась пробиться к тебе всю неделю, но тебя не было в магазине.

— У меня была какая-то работа дома, я помогаю Яну редактировать книгу.

— Забавно.

— Да. Вроде того. — Но Джессика плохо справлялась с ложью. — Я позвоню на следующей неделе. Спасибо за приглашение.

Они попрощались, и Джессика подивилась неведению окружающих. Странно, что газеты не ухватились за это дело, но потом она поняла, что все происходящее с ними не выходило за рамки обыденного. Каждый день слушались дюжины подобных дел. Это было ново для них, но не для средств массовой информации. Были и более пикантные истории — если, конечно, не учитывать пункт о проживании на Пэсифик-Хайтс и роскошный магазин Джесси. Выплыви что-то наружу, ее бизнесу пришел бы конец. Но, похоже, с этой стороны не предвиделось никакой угрозы. Пока поблизости не объявился ни один газетчик. За это можно было благодарить судьбу. И она благодарила. Мартин же пообещал пресекать всякие поползновения репортеров.

Джесси чувствовала себя неловко после разговора с Астрид. Они давно не виделись, а с остальными друзьями не встречались уже два месяца. Трудно было общаться с ними. Еще труднее — с Астрид. И совсем невозможно — с девушками в магазине. Джесси опасалась, что они слишком многое поймут по ее лицу. Она не собиралась даже близко подходить к бутику. По тем же причинам Ян избегал встреч со всеми, кого знал до ареста. Он был полон решимости углубиться в книгу. Персонажи, которых он создал, стали его окружением.

Тем временем счета стали накапливаться. С начала суда Зина каждый день разбирала почту, большую часть которой составляли счета, включая второй счет от Харви Грина на девятьсот долларов. И опять ни за что. Эти деньги были потрачены на всякий случай — на случай, если Маргарет Бертон имела что-то неприглядное в своей биографии, на случай, если что-то всплывет, на случай... но ничего не происходило. Вплоть до воскресного вечера, сразу после того, как Джесси поговорила с Астрид.

Зазвонил телефон, это был Мартин. Он и Грин хотели прийти к ним немедленно. Она разбудила Яна, и они стали ждать прибытия поздних гостей, горя от нетерпения узнать, что же раскопал Грин.

А раскопал он фотографию, запечатлевшую бывшего мужа Маргарет Бертон, с которым они быстро развелись почти двадцать лет назад. Высокий блондин с голубыми смешливыми глазами был очень похож на Яна. Он стоял рядом с автомобилем, который напоминал «морган». При более внимательном рассмотрении можно было заметить некоторые различия. Волосы мужа Бертон были короче, чем у Яна, лицо — немного длиннее, машина — черная, а не красная... Детали не совпадали, а в остальном сходство было поразительным. Фотография объяснила мотивы поступка Маргарет. Первое подозрение Мартина оказалось правильным. Теперь они знали, что это несомненно была месть.

Все четверо сидели в гостиной в полной тишине. Грин получил фотографию от двоюродной сестры мисс Бертон.

Шварц вздохнул с некоторым облегчением и откинулся на спинку кресла.

— Ну, теперь мы все знаем. Сестра станет давать показания? Грин покачал головой:

— Заявила, что воспользуется пятой поправкой к Конституции или солжет. Она не хочет быть втянутой в это дело. Говорит, что Бертон убьет ее. Знаете, эта женщина, сестра, похоже, боится Маргарет Бертон. Утверждает, что та — самый мстительный человек на свете. Вы собираетесь вызвать ее повесткой?

— Нет, поскольку она намерена воспользоваться своим конституционным правом. Она сказала вам, почему Бертон расторгла брак?

Мартин задумчиво грыз кончик карандаша, задавая вопросы, тогда как Ян и Джессика слушали молча. Ян по-прежнему с волнением держал фотографию в руке, поражаясь сходству.

— Мэгги Бертон не хотела разводиться. Это муж настоял.

Мартин вопросительно поднял брови.

— Двоюродная сестра считает, что Маргарет была беременна — просто догадка. Она закончила среднюю школу и работала в юридической фирме «Хилмэн энд Наулз», которая принадлежала отцу этого парня. Ни больше ни меньше.

Ян поднял взгляд, а Мартин присвистнул. Она вышла замуж за сына Наулза. Парня по имени Джед Наулз. В то время он еще только учился в юридическом колледже и летом работал в фирме отца. Он — тот самый мужчина на фотографии.

Грин небрежно указал на снимок в руке Яна:

— Так или иначе, в конце лета они в ужасной спешке устроили свадьбу, хотя и без лишнего шума. Папаша постарался, чтобы в прессу ничего не просочилось: никаких объявлений о браке, ничего. Родители девушки жили на Среднем Западе, так что здесь из родни никого не было, кроме двоюродной сестры. Они только-только поженились, и следующее, что она помнит, — Маргарет попала в больницу на пару недель. Она полагает, что у сестры был выкидыш. Сразу после этого Наулз расторг брак, и Маргарет осталась без мужа, без работы и, может быть, без ребенка. У нее случилось что-то вроде нервного срыва — похоже на то, — она провела три месяца в католическом монастыре. Я поехал проверить то место, но его снесли двенадцать лет назад, а сестер из этого прихода перевели в Канзас, Монреаль, Бостон и Дублин. Вряд ли мы найдем какие-либо свидетельства об этом, а если таковые и есть, то их нельзя будет огласить в суде.

— А что с сыном Наулза? Ты проверил его?

— Да-а. — Грин был не очень доволен. — В том году на День Благодарения с большим шумом и помпой он женился на какой-то девушке из высшего общества. Вечеринки, приемы, объявления во всех газетах. В вырезках из «Кроникл» сообщается, что они были обручены больше года — вот почему, очевидно, папа Наулз не хотел давать объявления, когда его сын женился на Бертон.

— Ты разговаривал с Наулзом?

— Спустя семнадцать месяцев он и его жена разбились на двухмоторном самолете. Отец умер от сердечного приступа этим летом, а его мать путешествует по Европе, но где, похоже, никто не знает.

— Ужасно. — Мартин помрачнел и вцепился зубами в карандаш. — Братья, сестры? Друзья, которые могли бы знать, что произошло? Кто угодно?

— Мартин, это — тупик. Никаких родственников. А из друзей кто сейчас вспомнит? Джед Наулз умер восемнадцать лет назад. Чертовски длинный срок.

— Да-а. Чертовски длинный, чтобы иметь на кого-то зуб. Мы зашли в тупик, и нам никто не может помочь. Никто.

— Что значит никто? — Ян заговорил в первый раз с того момента, как увидел фотографию. Он внимательно прислушивался к обмену мнениями. — Похоже на то, что у нас уже все есть.

— Да. — Мартин не спеша потер глаза одной рукой и опять их открыл. — И ничего из того, что мы можем использовать в суде. Все это — гадание на кофейной гуще. То, чем мы располагаем, — несомненно, правда, а также психологически объясняет, почему Маргарет Бертон обвинила тебя в изнасиловании. Ты похож на сына богатых родителей, от которого она забеременела, который, возможно, заставил сделать аборт, а потом бросил ее и несколько недель спустя женился на девушке своего круга. Мисс Бертон встретила сказочного принца, а он не оправдал ее надежд. Снова Золушка. Она подстерегала его двадцать лет. Вот, по всей видимости, почему Маргарет не пыталась выжать из вас деньги. Ей нужны не деньги, а месть. Вероятно, после первого раза она получила небольшую сумму в качестве отступного. Для некоторых людей деньги не имеют значения.

При этих словах Джессика закатила глаза, а Ян сделал движение, чтобы успокоить ее.

— Дело в том, что она скорее отправит тебя в тюрьму, чем станет шантажировать ради денег. По ее мнению, ты — еще один Джед Наулз и должен расплатиться за него. Ты — вылитый он, у тебя такая же машина. Насколько мы можем судить, ты даже говоришь, как он. Она, вероятно, заметила тебя у Энрико несколько месяцев назад. Ты там постоянный клиент. Она вполне могла выбрать тебя на эту роль с самого начала. Но дело в том, что мы не можем доказать это в суде.

Он повернулся к Грину:

— Ты уверен, что сестра не станет давать показания по своей воле?

— Абсолютно. — Грин был немногословен и категоричен.

Мартин покачал головой.

— Замечательно. Именно поэтому, Ян, мы не можем провернуть это чертово дело в суде. Потому что враждебно настроенный свидетель, который прибегнет к пятой поправке, разрушит нашу защиту быстрее, чем если бы мы вовсе не вызовем ее. Кроме того, даже в том случае, если она выступит, мы ничего не сможем доказать. Все, что мы знаем, — это то, что Бертон вышла замуж за Наулза, и вскоре после этого он расторг брак. Все остальное — чистые догадки, домыслы. На это нельзя опираться в суде, Ян, не имея солидных доказательств. За несколько минут обвинение сделает из нас посмешище. Нам теперь известно, что произошло, но мы не сможем доказать это присяжным, не имея кого-то, кто даст показания о том, что Бертон была беременна, когда Наулз женился на ней, что она действительно сделала аборт, что у нее был нервный срыв, что кто-то слышал, как она поклялась отомстить. А как ты собираешься доказать все это, даже если двоюродная сестра выйдет, чтобы дать показания? Боюсь, что мы знаем правду и не имеем возможности доказать это.

Джессика почувствовала, как слезы наполняют глаза. Ян побледнел.

— Что мы теперь будем делать?

— Сделаем попытку и будем молиться. Я вызову Бертон для повторной дачи показаний и посмотрю, в чем она признается. Но рассчитывать на многое не приходится, Ян.

Грин ушел несколько минут спустя, молча пожав им руки. Мартин кивнул и почти сразу же отправился к себе.

Суд продолжился в понедельник; Мартин вновь вызвал Маргарет Бертон для дачи показаний. Была ли она замужем за Джедом Наулзом? Да. Как долго? Два с половиной месяца. Десять недель? Да. Десять недель. Правда ли это, что ему пришлось жениться на ней, потому что она была беременна? Твердое нет. Был ли у нее нервный срыв после этого?.. Протест!.. Протест отклонен!.. Был ли у нее нервный срыв после расторжения брака? Нет. Никогда. Не имел ли обвиняемый бросающегося в глаза сходства с мистером Наулзом? Нет. Она не замечала сходства. Женился ли мистер Наулз почти сразу же после... Протест! Поддержан с замечанием присяжным не принимать во внимание цепь предыдущих вопросов. Судья указал Мартину на недопустимость постановки вопросов, не относящихся к делу, и давления на свидетеля. Джессика заметила, что Маргарет Бертон была молчалива и бледна, но полностью владела собой. Пожалуй, даже слишком. Она надеялась, что женщина выдаст себя, завоет, забьется в истерике, уничтожив себя признанием, что хотела засадить Яна потому, что тот похож на Джеда Наулза. Но ничего подобного. Она была освобождена от дальнейших показаний, и Джесси больше никогда ее не видела.

В середине дня Мартин попросил Яна подобрать двух друзей, которые могли бы дать свидетельства о его характере и моральном облике. Как и к показаниям Джессики, к ним отнеслись бы с некоторым предубеждением, но такие свидетели не могли повредить. Ян согласился опросить пару человек, но в его глазах сквозило такое отчаяние, что Джессике было больно смотреть. Словно Маргарет Бертон уже выиграла процесс. Она просто ускользнула. Сбросила бомбы и улетела, оставив их с фотографией в качестве объяснения.

Яну не хотелось объяснять посторонним, что происходило в его жизни, так как за последние годы он несколько отстранился от друзей. Литературное творчество, казалось, отнимало у него все больше и больше времени и сил. Он хотел закончить книгу, продать ее. Перестав видеться с друзьями, Ян оставшееся время проводил с Джессикой. Для себя она добилась привилегированного положения.

В тот вечер он позвонил знакомому писателю и однокашнику по колледжу, биржевому брокеру, который тоже переехал на Запад. Они были потрясены обвинениями, выдвинутыми против Яна, высказывали сожаление и выразили желание помочь ему. Ни один из них не испытывал горячих чувств к Джесси, ибо оба не одобряли этот брак. Писатель считал, что Джессика хочет чересчур много от Яна, что она слишком цеплялась за него, не оставляя ему возможности писать. Друг по колледжу всегда считал Джессику слишком своевольной особой. Она относилась не к их типу женщин.

Тем не менее оба выступили с приятными, хвалебными словами в суде. Писателю недавно была присуждена премия, и три его рассказа напечатали в «Нью-Йоркер», вышел также в свет и новый роман. Он был уважаемым человеком и неплохим писателем и хорошо отозвался о Яне. Друг по колледжу произвел столь же приятное впечатление, но в несколько ином русле. Солидный человек из среднего класса, респектабельный семьянин, который знал Яна долгие годы. Они сделали все, что могли, что, впрочем, было не очень много.

Во вторник днем судья отпустил всех рано, и Ян с Джессикой приехали домой, чтобы отдохнуть.

— Как держишься, малышка? В последнее время нам это дается с трудом. — Он горестно улыбнулся и открыл холодильник. — Хочешь пива?

— Давай. — Джесси сбросила туфли и потянулась. — Господи, как я устала от этой грязи. А она все тянется, и тянется, и тянется. У меня такое чувство, будто я за год не присела и не поговорила с тобой.

Она взяла у него пиво и пошла прилечь на диване.

— Кроме того, у меня заканчивается приличная одежда. — На ней был ужасный костюм из твида, который сохранился еще со студенческих дней.

— Да черт с ним. Иди завтра хоть в бикини. Присяжные уже заслужили, чтобы посмотреть на что-то стоящее.

— Знаешь, я думала, суд будет драматичнее. Смешно, но это не так.

— Ты права. Сейчас меня даже не смущает твое присутствие.

Да, когда Маргарет Бертон больше не появляется в суде.

— А меня просто душит смех, когда кто-нибудь произносит: «Пресловутое противоестественное преступление». Это кажется перебором.

Они от души посмеялись в первый раз за долгое время. Здесь, в знакомой обстановке гостиной, суд казался неудачной шуткой. Чьей-то плохой шуткой.

— Хочешь сходить в кино, Джесси?

— Знаешь что? С удовольствием.

Напряжение отпускало их. Они решили, что все складывалось в их пользу, даже без твердых доказательств того, что

Маргарет Бертон мстила мужчине, который умер почти двадцать лет назад. Ну и что? Ян был невиновен.

— Дорогой, хочешь, возьмем с собой Астрид?

— Конечно. Почему бы и нет? — Он наклонился и поцеловал ее. — Но не звони ей в следующие полчаса. — Джесси улыбнулась в ответ и медленно повела пальцем вверх по его руке.

Астрид была приятно удивлена приглашением, и все трое отправились в кино, где смеялись до слез. Именно это и было нужно Джессике и Яну.

— Я начала думать, что никогда не увижу вас больше. Чем вы занимались? По-прежнему работаете над книгой?

Они согласно кивнули, переменили тему и вышли, чтобы выпить кофе. Это был приятный вечер, который поднял всем настроение. Ян выглядел изможденным, а Джессика — усталой, но они снова были счастливы. Может быть, та проблема, которая их мучила, была решена.

Астрид сообщила, что заходила в бутик чуть ли не каждый день, показ мод стал сенсацией. Катсуко проделала огромную работу. Астрид даже купила четыре или пять вещей с показа, что, как сказала Джессика, было глупо.

— Без меня ничего не покупай. Я предоставлю тебе скидку. По крайней мере оптовую. А некоторые вещи могу продать по себестоимости.

— Это безумие, Джессика. Почему ты должна это делать? С таким же успехом ты могла бы поделиться со мной своим состоянием!

Она широко развела руки, сверкнув дорогими кольцами, и все трое засмеялись.

Они отвезли ее домой в «вольво», а на вопрос о «моргане» Джессика ответила, что двигателю необходим серьезный ремонт.

— Какой замечательный вечер! — Джессика скользнула в постель с улыбкой, а Ян зевнул с довольным видом.

— Я рад, что мы прогулялись.

— И я.

Они потолковали о всяких пустяках. Джесси заметила маленький синяк на его ноге и спросила, как он его заработал, Ян, в свою очередь, попросил ее никогда не обрезать волосы. Словно ничего страшного не было и в помине. Наконец они уснули, что было весьма кстати, так как на следующее утро Ян должен был занять место для дачи показаний.

Глава 17

Показания Яна под присягой длились два часа. Присяжные выглядели не более заинтересованными, чем обычно. И только ближе к концу они проснулись. Настала очередь Матильды Ховард-Спенсер задавать ему вопросы. Она прохаживалась перед обвиняемым, словно размышляя о чем-то, а все глаза в зале были прикованы к ней, и в особенности — глаза Яна. И вот она остановилась, скрестив руки на груди и склонив голову на одну сторону.

— Так вы с востока? — Вопрос удивил его, как и дружеское выражение на ее лице.

— Да. Нью-Йорк.

— Где вы учились?

— В Йеле.

— Хорошая школа. — Она улыбнулась ему, он — ей в ответ. — Я пыталась поступить в тамошнюю юридическую школу, но, боюсь, мне это оказалось не по силам.

Вместо этого она поступила в Стэнфорд, но Ян не мог этого знать и неожиданно оказался в затруднительном положении: выразить ли сочувствие, промолчать или улыбнуться?

— Вы сделали дипломную работу? — Спенсер разговаривала с ним так, как будто знала его или хотела узнать. Интересный собеседник на вечеринке.

— Да. Я получил степень магистра.

— Где? — Она опять заинтересованно склонила голову. Такой линии поведения Мартин не ожидал. С этим было гораздо легче справиться.

— В Колумбийском университете. Факультет журналистики.

— А потом?

— Я занимался рекламным бизнесом.

— У кого? — Он назвал крупную фирму в Нью-Йорке. — Конечно, мы все знаем, кто они такие. — Спенсер опять улыбнулась ему и задумчиво посмотрела в окно.

— Вы увлекались кем-нибудь в колледже? — Ага, вот и ловушка, но прокурор по-прежнему старалась мягко задавать вопросы.

— Несколькими девушками.

— Например?

— Просто девушками.

— Из соседних колледжей? С кем? Не могли бы вы назвать имена?

Это казалось смешным. Ян не видел причины скрывать:

— Вивека Гэрефорд. Мэдди Уилан. Фифи Истабрук. Спенсер не могла их знать. Зачем тогда спрашивать?

— Истабрук? «Истабрук энд Ллойд»? Самые крупные биржевые брокеры на Уолл-стрит, не так ли? — Она казалась очень довольной, словно он сделал что-то замечательное. — Никогда бы не подумала. — Ее замечание заставило его почувствовать себя неуверенно.

Конечно, это были Истабрук из «Истабрук энд Ллойд», но не поэтому он встречался с Фифи.

— Похоже, что и Мэдди Уилан тоже была не из бедной семьи. Что-то подсказывает мне, что она была очень важной персоной. Посмотрим-ка, Уилан... Знаю... Универсальный магазин в Фениксе, не так ли?

Ян краснел, а Матильда Ховард-Спенсер смотрела на него с ангельской улыбкой, наслаждаясь своей выходкой.

— Не помню.

— Конечно, помните. Кто еще?

— Не могу вспомнить. — Довольно-таки странные вопросы. Ян не мог понять, куда Спенсер клонит, если не считать того, что она выставила его дураком. Неужели это так просто?

— Хорошо. Когда вы познакомились со своей женой?

— Около восьми лет назад. В Нью-Йорке.

— И у нее много денег, не так ли? — Тон прокурора был почти смущенным, словно она задала неприличный вопрос.

— Протест! — Мартин разозлился. Он совершенно точно знал, к чему она клонила, не важно, виновен был Ян или нет. Тем не менее Ян сам поддался и угодил прямо в ее ловушку.

— Поддержан. Сформулируйте вопрос по-другому.

— Извините, ваша честь. Хорошо, насколько я понимаю, у вашей жены процветающий бизнес здесь, в Сан-Франциско. А в Нью-Йорке у нее тоже есть магазин?

— Нет. Когда мы познакомились, она занимала пост координатора и стилиста по моде в рекламном агентстве, где я работал.

— Она занималась этим ради удовольствия? — В ее голосе появился металл.

— Нет. Ради денег. — Яну начинало надоедать.

— Но ей не было нужды работать, не так ли?

— Я не интересовался.

— Она и сейчас может не работать, не так ли?

— Я не... — Он беспомощно посмотрел на Мартина, но от него не пришло ничего обнадеживающего.

— Ответьте на вопрос. Нужно ли ей сейчас работать или у нее достаточный доход, чтобы поддерживать вас да еще и жить на широкую ногу?

— Не на широкую ногу, нет.

Господи! Джессика и Мартин одновременно съежились. Какой ответ. Вопросы сыпались на него, как из рога изобилия, не было времени от них увернуться.

— Но у нее достаточный доход, чтобы поддерживать вас обоих?

— Да. — Ян сильно побледнел в эту минуту. А также разозлился.

— Вы работаете?

— Да. — Но он произнес это очень тихо, и Спенсер улыбнулась.

— Извините, я не слышала вашего ответа. Вы работаете?

— Да!

— В учреждении?

— Нет. Дома. Но это — работа. Я — писатель.

«Бедный, бедный Ян. Почему ему пришлось пройти через все это? Сука», — подумала Джессика.

— Много ли вы продаете из того, что написано?

— Достаточно.

— Достаточно для чего? Чтобы поддерживать свое существование?

— Не в настоящий момент. — От нее нельзя было скрыться.

— Это вас злит? — Вопрос прозвучал ласково. Не женщина, а настоящая гадюка.

— Нет, это меня не злит. Джессика понимает.

— Но вы обманываете ее. Это она понимает?

— Протест!

— Отклонен!

— Понимает ли она это?

— Я не обманываю ее.

— Ну, ну. Вы сами признали, что добровольно отправились в постель с мисс Бертон. Это — нормальное событие в вашей жизни?

— Нет.

— Это было в первый раз?

Его глаза были прикованы к рукам.

— Не помню.

— Вы под присягой. — Ее голос был похож на шуршание кобры, готовящейся к броску.

— Нет.

— Что?

— Нет. Это было не в первый раз.

— Вы часто обманываете свою жену?

— Нет.

— Как часто?

— Я не знаю.

— А каких женщин вы используете: вашего круга, из низших слоев, бедных девушек, каких?

— Протест!

— Отклонен!

— Я никого не использую.

— Понимаю. Стали бы вы обманывать свою жену с Фифи Истабрук или она приличная девушка?

— Я давно ее не видел. Десять, одиннадцать лет. Я не был женат, когда у нас с ней был роман.

— Я хочу сказать, стали бы вы обманывать свою жену с кем-то, похожим на нее, или вы просто спите с «дешевыми» женщинами, с которыми вы не пересекаетесь в собственном окружении? Это может усложнять дело. Гораздо проще, наверное, забавляться как можно дальше от дома.

— Да.

Господи. Нет, Ян... нет... Мартин уставился на стену, пытаясь сохранить отстраненное выражение лица, а Джесси почувствовала, что катастрофа уже не за горами.

— Понимаю. Вы спите с дешевыми женщинами, чтобы держаться подальше от дома? Вы посчитали мисс Бертон дешевой женщиной?

— Нет. — Но он именно так и поступил, и его «нет» было слабым аргументом.

— Она не принадлежала к вашему социальному слою?

— Не знаю.

— Принадлежала?

Вопросы обволакивали его.

— Нет.

— Вы предполагали, что она вызовет полицию?

— Нет. — Потом, подняв голову, охваченный паникой, он запоздало добавил: — Ей незачем было вызывать полицию.

Поздно. Она добилась своего.

Прокурор отпустила Мартина с оговоркой, что может повторно опросить его позднее. Однако она только что уже растоптала его. Ян спокойно покинул свидетельское место и тяжело плюхнулся рядом с Мартином. Пять минут спустя судья объявил перерыв на ленч. Они не спеша вышли из зала суда, Ян брел, покачивая головой. Наконец все трое оказались на улице.

— Я проиграл.

Джесси никогда не видела мужа в таком состоянии.

— Ты ничего не мог поделать. Такие у нее методы. Смертоносная женщина. — Мартин вздохнул и продемонстрировал им едва заметную ледяную улыбку. — Присяжные это тоже понимают. А они не такие уж невинные дети. — Однако Мартин был обеспокоен. Супружеская неверность не волновала его в той мере, в какой ставка Спенсер на социальное неравенство жертвы и обвиняемого.

— Днем я собираюсь дать выступить Джессике.

— Да, и Спенсер сможет сделать котлету из нас двоих в один и тот же день.

— Не глупи.

— Ты считаешь, что тебе по силам схватиться с ней? — спросил Ян с горечью.

— Почему бы и нет?

— Объясню почему. Потому что, если ты выйдешь против нее, Ян проиграет. — Мартин быстро прокомментировал проис-

ходящее. — Ты должна быть самой нежной, самой обаятельной, самой спокойной женой на свете. Если ты выско-
чишь как черт из табакерки, она тут же разделается с тобой.
Мы все обсудили во время уик-энда. Ты знаешь, что тебе
надо делать.

Джессика мрачно кивнула, Ян вздохнул. Мартин и с ним
обсудил все детали, но эта чертовка не задала ни одного из
предполагаемых вопросов. Кто знает, что она спросит у Джесси.

— Все понятно?

— Да. — Джессика мягко улыбнулась, и они расстались с
Мартином у здания муниципалитета. Ему нужно было заехать
в свой офис, а они решили отправиться домой, чтобы немного
успокоиться. Джессика хотела помочь Яну прийти в себя. После
такого утра ему необходимо расслабиться, кроме того, это от-
влечет ее от мыслей о предстоящем выступлении в суде.

Когда они оказались дома, она заставила Яна лечь на диван, сняла с него туфли, ослабила галстук, ласково погладила
по волосам. Он лежал так несколько минут, просто смотря на нее.

— Джесс... — Он даже не знал, как это сказать, знала она.

— Нет. Лежи и отдыхай. Я приготовлю ленч.

На этот раз он не спорил: он слишком устал. Когда Джессика вернулась с закрытой миской горячего супа и тарелкой,
доверху заполненной сандвичами, Ян уже спал. На его измож-
денном лице застыла трагическая маска. Джессика постояла,
посмотрела на мужа, и в ней поднялась волна жалости к нему.
Почему она так защищала его? Почему она думала, что он не
сможет со всем справиться? Почему не сердилась на него?
Почему? Она рассердилась, когда Ян попал в тюрьму, но
сейчас он был рядом. Остальное не имело значения. Испытания ужасны, но не продлятся долго. Суд принесет боль, выбь-
ет Яна из привычной колеи и унизит, как и все остальные
неприятности, но не убьет его. И не заберет его. Пока Джессика

тихо сидела рядом, держа руку мужа на коленях, она знала, что никто и ничто никогда не разлучит его с ней. Ни Маргарет Бертон, ни окружной прокурор, ни суд, ни даже тюрьма. Маргарет Бертон поблекнет, Матильда Ховард-Спенсер возьмется за другое дело, так же как Мартин и судья, и все останется позади. Нужно только продержаться на плаву до тех пор, пока не пройдет шторм. Она не даст волю своим чувствам.

Взглянув на залив, Джессика почувствовала привкус горечи, когда вспомнила об отце. Он не сделал бы ничего подобного и не заставил бы мать пройти через подобное унижение. Он защитил бы ее больше, чем это делал Ян. Но то был отец. Сравнения не имели смысла. У нее был Ян. Этим все сказано. Она многого требовала от него и должна была расплачиваться за это. Сейчас подошел ее черед отдавать.

Спящий Ян был похож на уставшего маленького мальчика. Джессика расправила ему волосы на лбу и тяжело вздохнула, вспомнив о второй половине дня. Она не проиграет. Она решила это после разгромного утра. Дело будет выиграно. Вот так-то. Ужасно, что оно зашло так далеко. Но дальше это не пойдет. Джесси была уже сыта по горло судебным разбирательством.

Ян проснулся около двух и посмотрел с удивлением:

— Я заснул?

— Нет. Я стукнула тебя по голове туфлей, и ты потерял сознание.

Он улыбнулся жене и зевнул.

— Ты замечательно пахнешь. Каждая твоя вещь хранит запах твоих духов.

— Хочешь супа? — Она улыбалась, польщенная комплиментом.

— Господи, какой у тебя решительный вид. Что собираешься сделать?

— Ничего. Хочешь супа? — Она кокетливо взглянула на него, держа фарфоровую миску в одной руке и лучший половник ее матери — в другой.

— Заманчиво. — Ян сел и поцеловал жену, посмотрев на поднос. — Знаешь, Джессика, ты — самая замечательная женщина, которую я знаю. И самая лучшая.

Ей хотелось спросить, лучше ли она, чем Фифи Истабрук, но не отважилась. Она подозревала, что утренние раны еще кровоточили.

— Для вас, милорд, только самое лучшее. — Джессика заботливо налила ему супа со спаржей и положила два аккуратных маленьких сандвича с ростбифом на тарелку. Был еще и свежий салат.

— У тебя единственной самый обыкновенный ленч может выглядеть как званый обед.

— Я просто люблю тебя. — Она обвила его шею руками и укусила за ухо, потом потянулась и встала.

— Ты не собираешься есть?

— Уже. — Джесси солгала, она не могла притронуться к еде. Посмотрев на часы, она направилась в ванную. — Я подкрашусь. Нам нужно выйти через десять минут.

Ян радостно помахал ей рукой.

— Готова? — Он вошел в спальню пять минут спустя, завязал галстук и посмотрел в зеркало на свои взъерошенные волосы. — Бог ты мой, я выгляжу так, словно спал весь день.

— Честно говоря, дорогой, так оно и есть.

Сон пошел ему на пользу. Время, проведенное дома, взбодрило их обоих. Джесси ощущала себя сильнее, чем когда-либо. Маргарет Бертон не заденет их за живое. Да ей это и не удается. Джесси твердо решила не обращать на нее внимания, лишить Бертон ее власти. А Ян, похоже, почувствовал у жены второе дыхание.

— Знаешь что? Я чувствую себя лучше. Меня действительно раздавили сегодня утром.

Ян со страхом думал о том, что через это придется пройти и Джессике, но она, казалось, была готова к испытанию.

— Решила переодеться. Так будет лучше.

На ней было замечательное платье из мягкого серого шелка с длинными рукавами и поясом из того же материала. Такое можно надеть к чаю. Строгое, без затей, оно говорило о классе.

— Поскольку они считают нас представителями среднего класса, у нас есть шанс выглядеть пристойно. Я так устала от этих паршивых твидовых юбок, что собираюсь все их сжечь на парадном крыльце в тот день, когда наши мучения закончатся.

— Ты выглядишь роскошно.

— Оделся?

— Полностью.

— Отлично. — Джессика выбрала черные туфли-лодочки, надела жемчужные сережки и, взяв сумочку, отправилась за черным пальто. Ян с восхищением любовался женой и гордился ею. Он гордился тем, как она принимала случившееся.

Когда они вошли в зал суда, Мартин не разделял его восторгов. Он заметил черное пальто Джессики и краешек серого шелка. Именно то, чему он противился. Все в ней кричало о богатстве. Словно она собиралась доказать всем то, что предполагала Матильда Ховард-Спенсер. Господи! О чем они думали? Сумасшедшие подростки, они не понимали, что происходит. С непоколебимой уверенностью, словно все было распланировано и волноваться не о чем, супруги заняли свои места. Неподходящий случай демонстрировать силу. Утром они выглядели разбитыми.

Новый уверенный взгляд подчеркнул связь между ними. Перед присяжными предстали не просто Ян и Джессика, а супружеская пара. Страшно было подумать, что будет, если кто-то попытается их разлучить. Если они проиграют.

Джессика выглядела необыкновенно спокойной, когда взошла на трибуну для дачи свидетельских показаний. Серое платье грациозно двигалось в такт ее движениям. Она приняла присягу и на мгновение посмотрела на Яна, прежде чем перевести взгляд на Мартина.

Его вопросы создали образ преданной жены, которая слишком уважала своего мужа, чтобы сомневаться в правдивости его слов. Ему понравилось спокойствие Джессики и ее благородные манеры и, передавая своего свидетеля прокурору, Мартин скрыл довольную улыбку.

Матильда Ховард-Спенсер не собиралась понапрасну тратить время с Джессикой.

— Скажите нам, миссис Кларк, вы знали, что ваш муж изменял вам прежде?

— Косвенно.

— Что вы имеете в виду? — Обвинитель выглядела озадаченной.

— Я хочу сказать, что допускала такую возможность, но считала это не очень серьезным.

— Понимаю. Небольшие сердечные забавы? — Спенсер села на любимого конька, но Джесси была настороже.

— Нет. Ничего подобного. Ян — не легкомысленный. Он — чувствительный человек. А мне иногда приходится по делам отлучаться из дома. Всякое может случиться.

— И с вами такое бывает? — Теперь глаза прокурора опять блестели. Попалась!

— Нет, не бывает.

— Вы под присягой, миссис Кларк.

— Я знаю. Ответ: «Нет».

Она казалась удивленной.

— Но вы не отрицаете того, что ваш муж гуляет на стороне?

— Не обязательно. Зависит от обстоятельств. — Джесси-ка держалась с достоинством, Ян был невероятно горд за нее.

— А при данных конкретных обстоятельствах, миссис Кларк, что вы ощущаете?

— Уверенность.

— Уверенность? — Спенсер, казалось, была неприятно поражена, Мартин беспокойно заерзал.

— Уверена, что правда восторжествует и мой муж будет оправдан.

Мартин наблюдал за присяжными. Она понравилась им. Но и Ян тоже им понравился. Более того, они должны были поверить ему.

— Я восхищаюсь вашим оптимизмом. Вы оплачиваете судебные издержки?

— Нет, не совсем. — Ян чуть не вздрогнул. Она лгала под присягой. — Мой муж с толком вложил деньги после того, как разошелся тираж последней книги. Мы решили продать машину, чтобы покрыть расходы. Так что, можно сказать, не я оплачиваю расходы.

Браво! «Морган». И она говорила правду. Он хотел вскочить со своего кресла и обнять ее.

— У вас хороший брак?

— Да.

— Очень хороший?

— Весьма. — Джессика улыбнулась.

— Но ваш муж спит с другими женщинами?

— Предположительно.

— Он говорил вам о Маргарет Бертон?

— Нет. И, думаю, их было не много.

— Вы поощряли его похождения?

— Нет.

— Но до тех пор, пока они были никем, вы не обращали внимания, не так ли?

— Протест!

— Поддержан! Наводящий вопрос.

— Извините, ваша честь. — Она повернулась к Джессике: — Ваш муж был когда-нибудь груб по отношению к вам?

— Нет.

— Никогда?

— Нет.

— Он много пьет?

— Нет.

— Страдает ли его мужское самолюбие из-за того, что вы оплачиваете счета?

Каков вопрос!

— Нет.

— Вы сильно его любите?

— Да.

— Вы защищаете его?

— Что вы имеете в виду?

— Вы оберегаете его от неприятностей?

— Конечно. Я — его жена.

Лицо Матильды Ховард-Спенсер расплылось в довольной улыбке.

— Включая ложь в суде, чтобы защитить его?

— Нет.

— Свидетель свободен.

Помощник окружного прокурора повернулась и пошла на свое место, оставив Джессику сидеть в изумлении на свидетельском месте. Этой чертовке опять удалось обвести их вокруг пальца.

Глава 18

На следующее утро все были на местах, чтобы не пропустить подведение итогов между обвинителем и защитником. Ян и Джессика были довольны тем, как Мартин повернул дело, а также его манерой обращения к присяжным. Они чувствовали, что ему удалось вызвать волну симпатии к защите. Все было под контролем. Затем встала Матильда Ховард-Спенсер. Помощник окружного прокурора оказалась сущим демоном. Она нарисовала портрет обманутой и оскорбленной в своих лучших чувствах женщины с разбитым сердцем — трудолюбивой и непорочной Мэгги Бертон. Она также подчеркнула, что таким безответственным мужчинам, как Ян Кларк, нельзя позволить безнаказанно развлекаться, особенно учитывая то, что они делают это при попустительстве и поддержке жен, которые готовы на «все, чтобы защитить их». Мартин подал протест, который получил поддержку суда. Позднее он объяснил, что спор при подведении итогов возникает редко, но эта женщина исторгала пламя при одном только упоминании имени Яна. А Джесси все еще не могла перевести дух, когда суд распустили на ленч.

— Ты слышал, что сказала эта стерва? — Ее голос был громким и пронзительным, Мартин и Ян одновременно бросили на нее умоляющие взгляды.

— Потише, Джесс.

Не стоило настраивать против себя людей, особенно — присяжных заседателей, которые шли мимо них на обед. Он заметил, как двое бросили на Джессику любопытные взгляды.

— Мне наплевать. Эта женщина...

— Заткнись. — Потом он обнял ее за талию. — Болтушка. Но я все равно люблю тебя.

Джесси громко вздохнула и улыбнулась.

— Черт, как я расстроилась.

— И я. Давай забудем об этой мерзости хоть нанемного и поедим. Договорились? Никаких разговоров о деле?

— Ладно, — произнесла она сердито, когда они пересекали холл.

— Не ладно. Мне нужно торжественное обещание. Я не желаю повредить своему пищеварению. Представь, что мы — в составе присяжных и не можем это обсуждать.

— Ты действительно думаешь, что они придерживаются этого правила?

Ян безразлично пожал плечами и потянул ее за прядь волос.

— Мне все равно, что они делают. Так ты обещаешь мне? Никаких разговоров о деле. Идет?

— Идет. Обещаю. Ну и зануда ты.

— Да, я такой. Твой ворчливый муж. — Ян выглядел очень взволнованным, когда они спускались по лестнице, хотя и был в хорошем настроении. Они вернулись домой на ленч.

Джесси просматривала почту, пока он пробегал взглядом по страницам «Паблишерс уикли».

— Сегодня ты ужасно общителен. — Она ела сандвич с индейкой и с ухмылкой щелкнула по газете.

— Гм?

— Я сказала, что у тебя ширинка расстегнута.

— Что? — Он посмотрел вниз и скорчил рожу. — Ради Бога.

— Черт возьми, поговори со мной, мне одиноко.

— Я читаю газету пять минут, а тебе уже одиноко?

— Угу. Хочешь вина?

— Нет. Пропущу. У нас есть кола?

— Посмотрю.

Она ушла на кухню, а когда вернулась с банкой холодной кока-колы, Ян по-прежнему читал газету.

— Послушай, ты...

— Тсс... — Он недовольно дернул рукой и продолжал читать.

Что-то изменилось в его лице, глазах. Ян казался потрясенным.

— Что там?

Он не ответил, дочитал статью и поднял голову.

— Прочитай.

Он указал на первые четыре колонки на второй странице, и у Джесси упало сердце, когда она увидела заголовок: «Изнасилование — пора принять меры». Статья сообщала о заседании комитета по уголовному законодательству, проведенном за день до суда, на котором обсуждалось текущее положение с наказанием насильников. В статье шла речь о более строгих наказаниях, отмене условного освобождения, предлагалось сделать процедуру заявления об изнасиловании легче и менее унизительной. Оставалось только повесить без лишнего шума любого обвиненного в изнасиловании. Джесси отложила газету и взглянула на Яна. Им не повезло, что сообщение появилось в газетах в тот день, когда присяжные заседатели должны решить их судьбу.

— Ты думаешь, это повлияет, Ян? Судья сказал им не попадать под влияние...

— Какая ерунда, Джессика. Если я что-то говорю тебе, а кто-то третий просит не принимать во внимание, пропустишь ты это мимо ушей или нет? Они тоже люди. Конечно, они находятся под влиянием того, что слышат, как все мы.

Ян провел рукой по волосам и отодвинул тарелку с бутербродами. Джессика сложила газету и бросила на стол.

— Ладно, может быть, они прочитали эту статью, а может — нет. Мы все равно ничего не можем сделать. Так что давай не будем на этом зацикливаться. Ты помнишь, что обещала мне?

Джессика нежно улыбнулась мужу. Его глаза были похожи на сапфиры — темные, сверкающие, тревожные.

В суд они ехали молча. Джессика слышала, как отдается эхом стук ее каблучков по мраморному полу. Сердце с такой же силой ухало в такт с эхом, как погребальный звон.

Судья обратился к присяжным заседателям, и они вышли гуськом на совещание в комнату с другой стороны холла, помощник шерифа стоял снаружи в качестве охраны.

— Что теперь, джентльмены? — Мартин и Ян присоединились к Джесси, сидевшей на своем месте.

— Ждем. Судья объявит перерыв, коль скоро они не примут решение к пяти. Тогда они вернутся утром.

— Так просто? — удивилась Джессика.

— Да, так.

Как странно. Все закончилось. Почти. Все это монотонное гудение и скука пополам с напряжением и неожиданной драмой. А потом все позади. Две команды закончили дебаты, судья произносит небольшую речь перед присяжными, они идут, чтобы закрыться в комнате, разговаривают друг с другом, выносят вердикт, все отправляются по домам, и суд завершен. Все очень детально организовано и превращено в ритуал. Племенной обряд. От этой мысли Джессика чуть не засмеялась, но Ян и Мартин выглядели такими серьезными. Она улыбнулась мужу, а их адвокат посмотрел на них тревожно. Она на самом деле не понимала. Мартин не был уверен, что и Ян понимал. Может быть, и к лучшему.

— Что думаешь, Мартин? — Ян повернулся к нему с вопросом, но у него сложилось впечатление, что он спрашивает больше ради Джесси, чем из собственного интереса.

— Не знаю. Видел утреннюю газету?

Лицо Яна помрачнело.

— Да. За ленчем. Это нам не поможет, ведь так?

Адвокат покачал головой.

— По крайней мере мы организовали неплохое шоу.

— Оно было бы более удачным, если бы Грин нашел что-нибудь весомое о Бертон и Джеде Наулзе. В этом вся загвоздка. — Мартин сердито покачал головой, и Ян похлопал его по плечу.

— Она вернется, чтобы услышать вердикт? — Джесси было любопытно.

— Нет. Она больше не появится в суде.

— Стерва. — Сказано от всей души.

— Джесси! — Ян поспешил утихомирить жену, но не тут-то было.

— Да? Она разносит к чертям наши жизни, едва не доводит нас до банкротства, не говоря уже о том, что эта дрянь сделала с нашими нервами, а потом просто уходит, чтобы полюбоваться закатом. Каких чувств к ней ты ждешь от меня? Благодарности?

— Нет, но нет смысла...

— Почему? — Джесси опять заголосила, и Ян знал, как она заведена. — Мартин, не можем ли мы по окончании дела выдвинуть против нее иск?

— Да, полагаю, что можем, но что нам это дает? У нее ничего нет.

— Тогда мы выдвинем иск против государства. — Она не подумала об этом раньше.

— Послушай, почему бы вам обоим не погулять в холле? — Он многозначительно посмотрел на Яна, и тот кивнул. — Будьте поблизости и не уходите из здания.

Джесси кивнула и встала, ища руку Яна. Мартин оставил их и вернулся к своему столу. Состояние Джессики вызывало у него беспокойство. Она отвергает возможность поражения.

— Жаль, что мы не можем пойти выпить. — Она медленно прошла в холл и прислонилась к стене, пока Ян прикуривал сигарету. Ноги у нее тряслись. Джесси хотела осесть на пол и в отчаянии ухватить Яна за колени. Все должно быть нормально. Должно быть... должно быть... она хотела бить кулаками в дверь, за которой скрылись присяжные...

— Скоро все завершится, Джесс.

— Да. — Она выдавила крошечную улыбку и ухватилась за его руку, когда они шли по коридору. Они долго молчали, Джесси погрузилась в мир своих мыслей, пока курила сигарету и ходила, держась за Яна. Прошел почти час, ее мозг перестал лихорадочно работать, возможно, из-за истощения. Джессика чувствовала себя одинокой и уставшей, ей было грустно, но мысли уже не мчались с такой бешеной скоростью. Хоть что-то.

Она решила позвонить в бутик, просто чтобы узнать, как идут дела. Странное время для звонка, ни с того ни с сего Джессика захотела вернуться в привычную обстановку, убедиться в том, что мир не кончался одним бесконечным коридором, где Ян и она были обречены провести остаток своих дней. Она скучала по суматохе магазина. По лицам покупателей.

Девушки доложили ей о последних событиях, и Джессике стало лучше. Как в тот раз, когда они ходили в кино с Астрид. Будничность. Это уменьшило ее напряжение.

К четырем часам Ян тоже расслабился, они начали играть в слова. В половине пятого уже обменивались избитыми шутками.

— Отгадай, что это? Серое с четырьмя ногами и чемоданом?

— Слон? — Она уже хихикала.

— Нет, дурачок, мышь, собравшаяся в отпуск. — Ян ухмыльнулся, получив удовольствие от шутки. Они были похожи на учеников второго класса, выдворенных в коридор.

— Ладно, умник. Как ты определишь, что у тебя свалились штаны?

Она быстро подошла сзади, и Ян засмеялся, но потом увидел, что Мартин делает им знаки с противоположного конца холла. Шутки закончились. Ян встал первым и посмотрел в лицо Джессике. Она побледнела от охватившего ее ужаса. Вот и пришел этот страшный момент. Никакими играми уже не отгородиться от него. Господи... нет!

— Джесси, без паники! — Ян видел, как она боится, и крепко обнял ее. — Я люблю тебя. Вот и все. Я люблю тебя. Знай это, ничего не изменится, ты — замечательная и всегда будешь такой. Поняла?

Джессика кивнула, но ее подбородок дрожал, когда он посмотрел на нее.

— Ты — замечательная. Я люблю тебя.

— Ты — замечательный, и ты любишь тебя... то есть меня. — Она тихо засмеялась, и Ян снова сжал ее в объятиях.

— Ты замечательная, а не я, глупышка.

— Это ты-то не замечательный? — переспросила она уже несколько окрепшим голосом. Ей всегда становилось лучше, когда Ян приходил на помощь.

— Джесси... Признаюсь тебе. Чертовски жаль, что мои штаны не свалились.

Они оба засмеялись, и он разжал объятия.

— Все будет хорошо. А теперь — пошли.

— Я люблю тебя, дорогой. Жаль, что ты не знаешь, как сильно я люблю тебя. — Слезы застилали ей глаза, когда она шла рядом с ним, пытаясь сказать слишком много в такой короткий срок.

— Ты здесь. Больше никаких слов. Прекрати закатывать сцены и убери грим с лица.

Джессика нервно смеялась и провела ладонями по щекам, на них остались черные дорожки.

— Я, должно быть, выгляжу отвратительно.

— Роскошно.

И вот они пришли. Дверь в зал судебных заседаний.

— Все в порядке? — Он посмотрел на нее долгим, твердым взглядом, пока они стояли, не сводя глаз друг с друга. Помощник шерифа наблюдал за ними, а потом отвернулся.

— Все в порядке. — Она тихо кивнула, и они улыбнулись.

Они вошли в зал суда, когда присяжные и судья уже находились на своих местах. Подсудимого попросили встать, и Джессика чуть было не поднялась со своего кресла вместе с ним, но одернула себя.

— Хорошо, хорошо, хорошо... — Ее пальцы уцепились за сиденье, она закрыла глаза в ожидании. Все непременно будет хорошо, всего лишь ужасное ожидание. Это не убьет, но так ужасно пройти через такое испытание.

Старшину присяжных попросили зачитать вердикт. Джессика затаила дыхание, ей хотелось встать рядом с Яном. Вот оно.

— Господа присяжные заседатели, виновен ли подсудимый в совершении позорного противоестественного преступления?

Они вперились в список остальных обвинений, повисла пауза... Джессика ждала.

— Виновен, ваша честь.

Ее глаза широко раскрылись, и она заметила, как вздрогнул Ян, словно его ударили хлыстом по лицу. Но он не повернулся, чтобы посмотреть на нее.

— А в принуждении к орально-генитальному контакту?

— Виновен, ваша честь.

— В изнасиловании?

— Виновен, ваша честь.

Джессика сидела потрясенная, Ян не двигался с места. Мартин посмотрел в ее сторону, и она почувствовала, как слезы начинают сбегать по ее щекам. Присяжные были распущены и покинули зал. Ян сел как подкошенный, она подошла к нему. В его глазах была пустота. Джессика не знала, что ему сказать. По лицу мужа пробежали две одинокие слезинки.

Глава 19

— Я не делал этого, Джесси. Мне наплевать на других, но я хочу, чтобы ты знала. Я не насиловал ее.

— Я знаю, — еле слышно прошептала она. Джессика вцепилась в его руку, когда помощник окружного прокурора энергично потребовала, чтобы подсудимого до вынесения приговора взяли под стражу.

Через пять минут все было кончено. Они увели его, и Джессика осталась в одиночестве, уцепившись за Мартина. Ян ушел от них. Все ушло. Словно кто-то, взяв молот, вдребезги разнес ее жизнь. И Джессика не могла сказать, где было зеркало, а где стекло, где был Ян, а где — она.

Она не могла сдвинуться с места, не могла говорить, едва могла дышать, поэтому Мартин медленно и осторожно повел ее из зала суда. Эта высокая, пышущая здоровьем женщина превратилась в живой труп. Ее взгляд замер на двери, за которой скрылся Ян. Мартин понятия не имел, как с ней обращаться. Он никогда прежде не оставался один на один с клиентом в таком состоянии. Нужно ли ему обратиться за помощью к секретарше или вызвать жену? Если не считать помощника шерифа, ждавшего, чтобы запереть дверь, зал судебных заседаний был пуст. Покидая свое место, судья с сожалением посмотрел на Джессику, но она этого не заметила. Она даже не видела, как вскоре после Яна ушел Хоугтон. Единственное, что эхом отдавалось в ее голове, было слово... виновен... виновен... виновен...

— Джесси, я отвезу тебя домой. — Он бережно взял ее под руку и был благодарен ей за то, что она не сопротивлялась. Мартин был не совсем уверен, что его клиентка понимала, кто он такой и где они находились, но он был рад, что она не противилась. Потом Джессика остановилась и посмотрела на адвоката отсутствующим взглядом.

— Нет, я... я подожду Яна здесь. Я... я хочу... мне нужен... мне нужен Ян.

Спрятав лицо в ладонях, она отчаянно плакала. Мартин Шварц уселся в кресле в холле, протянул ей носовой платок и похлопал по плечу. Она держала в руках бумажник Яна и ключи от машины, как сокровища, которые были ей завещаны. Ян ушел с пустыми карманами и сухими глазами. В наручниках.

— Что... что... что они сделают... с ним теперь? — Она заикалась в паузах между рыданиями. — Может... может он вернуться домой?

Мартин знал, что Джессика на грани истерики и не в состоянии выслушать правду. Он только еще раз похлопал ее по плечу и помог подняться на ноги.

— Давай сначала отвезем тебя домой. Потом я вернусь и встречусь с Яном. — Он подумал, что это может утешить ее, но добился лишь того, что она пришла в возбужденное состояние.

— И я тоже. Я тоже хочу увидеться с Яном.

— Не сегодня, Джессика. Мы едем домой. — Он выбрал нужный тон. Она встала, взяла его под руку и последовала за ним к выходу. Идти рядом с ней — все равно что прогуливаться с заводной механической куклой.

— Мартин!

— Да?

Они вышли на улицу, на свежем воздухе Джессика вздохнула полной грудью.

— Можем мы подать ап... апелляцию? — Она немного успокоилась. Казалось, она то отчетливо воспринимала действительность, то исчезала в своем собственном мире. Тем не менее Джессика отдавала себе отчет в происходящем.

— Мы обсудим это.

— Сейчас. Я хочу обсудить сейчас.

Трудно поверить, что эта сломленная женщина — некогда уверенная в себе, утонченная Джессика Кларк.

— Нет, Джессика, не сейчас. Прежде я хочу поговорить с Яном. И отвезти тебя домой. Ян будет очень расстроен, если я этого не сделаю.

Господи. Она все хотела усложнить. Даже довести ее до машины было непростой задачей.

— Я хочу видеть Яна. — Она стояла наверху лестницы, надув губы и вызывая у него раздражение. — Мне... мне нужен Ян. — Снова слезы. Это помогло проводить ее до машины. До тех пор, пока она не вспомнила, что должна была отвезти «вольво» домой. Автомобиль принадлежал Яну.

— Завтра тебе ее привезут, Джессика. Оставь мне корешок гаражной квитанции.

Она передала ему корешок, и Мартин включил зажигание в новом шоколадно-коричневом «мерседесе». Всю дорогу он самым внимательнейшим образом следил за Джессикой. Она казалась пугающе отстраненной и растрепанной, и он задавался вопросом, не нужно ли вызвать ей врача. Он спросил ее об этом, Джессика стала яростно протестовать.

— А как насчет подруги? Есть кто-нибудь, кому можно позвонить?

Ему не хотелось оставлять ее одну, но она со странным выражением на лице только молча покачала головой. Она думала о присяжных, о Маргарет Бертон... об инспекторе Хоугтоне... она хотела убить их всех... они украли Яна.

— Джессика? Джессика?

Она повернулась и безучастно взглянула на него. Машина остановилась перед домом на Валейо. Она молча кивнула и осторожно открыла дверцу.

— Я... я увижу теперь Яна?

— Да. Ты хочешь, чтобы я ему что-то передал?

Она быстро кивнула и попыталась говорить нормально.

— Только то... то... — Слезы мешали ей говорить.

— Я передам ему, что ты его любишь.

Джессика благодарно кивнула и посмотрела ему в глаза, оставив у Мартина впечатление, что она полностью пришла в себя. Истерическая отстраненность исчезла, уступив место потрясению и печали.

— Джессика, я...

— Я знаю. — Она отвернулась, захлопнула дверцу и медленно пошла к своему дому. Она двигалась, как пожилая женщина. Длинный «мерседес» неспешно отъехал. Было неловко наблюдать за ней. Нужно оставить Джессику одну с ее горем. Но он никогда не забудет, как она выглядела, медленно идя по кирпичной дорожке со спутанными волосами, бережно зажав в руке вещи Яна. Невыносимое зрелище.

Она услышала, как отъехала машина, и отрешенно посмотрела на клумбы перед домом. Дом, куда она приезжала с Яном сегодня на ленч? Неужели они здесь жили? Ей казалось, что она никогда не видела его прежде. Джессика остановилась, не в силах сделать и шага. Она медленно подняла одну ногу и сделала маленький шажок. Но вторая была слишком тяжела, чтобы оторвать ее от земли. Она не могла. Не хотела. Не могла войти в этот дом без Яна. Не могла войти в него одна... нет... нет.

— О Господи, нет! — У нее подкосились ноги, она упала на колени на первой ступеньке и, стоя так с опущенной головой и с зажатыми в руках ключами и бумажником Яна, разразилась рыданиями. Ее кто-то окликнул по имени, но она не обернулась. Зачем отвечать... это был не Ян... он ушел. Все ушли. У нее было такое ощущение, словно она умерла в зале суда, а может быть, так и случилось. Она была не вполне уверена. Ее опять позвали, Джессика почувствовала, как проваливается куда-то. Содержимое ее сумочки рассыпалось по лестнице, юбка зацепилась за каменную ступеньку, а волосы вуалью спадали на лоб.

— Джесси! Джессика?

Она услышала быстрые шаги, но не могла повернуться. У нее не было сил. Все было кончено.

— Джесси... дорогая, что с тобой?

Это была Астрид. Джессика обернулась, чтобы взглянуть ей в лицо, и слезы заполнили ее глаза.

— Что случилось? Скажи! Все будет хорошо. — Она погладила Джессику по волосам и вытерла с ее лица слезы, пока они поднимались в дом. — Это из-за Яна? Скажи мне, дорогая, из-за Яна?

Джесси с отрешенным и печальным выражением кивнула, и у Астрид чуть не остановилось сердце... Нет, нет, не Ян... не так, как с Томом! Нет!

— Его признали виновным в изнасиловании. — Слова вылетали будто из чужого рта, Астрид была потрясена. — Он в тюрьме.

— Господи, Джессика, не может быть! — Но это было правдой. Она поверила, когда Джессика позволила подруге проводить ее в дом и уложить в постель. Таблетки, которые Астрид дала ей, практически сразу же подействовали. Джессика погрузилась в забытье. Астрид постоянно носила их с собой — с тех пор как Том...

Джессика проснулась в половине четвертого утра. В доме стояла тишина, нарушаемая только тиканьем часов. Она села в кровати, вся обратившись в слух, и ничего не услышала. У нее поплыло перед глазами. Потом Джессика вспомнила о таблетках. И об Астрид. И о том, как все это началось. Дрожащей рукой она потянулась за сигаретами. На ней по-прежнему были свитер, чулки и комбинация. Юбка и жакет аккуратно висели на спинке стула. Она не знала, как очутилась в постели. Единственное, что она могла вспомнить, был нежно воркующий, приободряющий голос Астрид. Но кто-то был... кто-то... а теперь — никого. Она была одна.

Джессика лежала и курила в темноте спальни, без слезинки в глазах, чувствуя легкую тошноту, все еще находясь под действием успокоительного. Вдруг она сняла трубку телефона. Набрала справочную и узнала номер.

— Городская тюрьма. Лэнгдорф слушает.

— Я бы хотела поговорить с Яном Кларком.

— Он здесь работает? — Дежурный сержант был удивлен.

— Нет. Вчера его взяли под стражу. После суда. — Она не раскрыла суть обвинений, подивившись только твердости собственного голоса. Джессика не была уверена, но предполагала, что, если она будет сохранять спокойствие, они, возможно, разрешат поговорить с ним.

— Он должен быть в окружной тюрьме, а не здесь. В любом случае вы не сможете с ним поговорить.

— Понимаю. У вас есть их номер? — Она хотела добавить, что он ей нужен срочно, но не решилась. Джессика боялась им лгать.

Дежурный сержант продиктовал номер телефона, и она быстро набрала его. Но не сработало. Ей сказали, что она сможет навестить своего мужа послезавтра и что ему не разрешают звонить по телефону. Трубку повесили.

Джессика пожала плечами и зажгла лампу. В комнате было холодно. Поверх свитера и комбинации она натянула домашний халат и пошлепала в гостиную. Остановившись в центре комнаты, Джесси посмотрела по сторонам. Кругом царил легкий беспорядок, напоминавший ей о муже. Вот здесь на подушке лежала его книга, которую он читал в прошлый уик-энд, его мокасины валялись под креслом... его... Она чувствовала, как к горлу подступают рыдания, и бросилась в кухню, чтобы выпить чего-нибудь... чай... кофе... колу... У нее пересохло в горле и плыло перед глазами, но мысли были ясные. Джессика увидела тарелки, оставленные после ленча в раковине, и газету на кухонном столе со статьей об изнасиловании. Казалось, она ненадолго вышла из комнаты, потом вернулась.

В кабинете было так же плохо. Даже хуже. Темно, пусто и одиноко. Ян был сердцем этой комнаты. И ее. Душой Джесси. Она нуждалась в нем больше, чем его кабинет. Джесси с удивлением обнаружила, что переступает с ноги на ногу, как взволнованный ребенок. Она провела рукой по книгам, его рубашкам, прижала к себе мокасины мужа и вздрагивала, когда на нее падала тень. Она была одна. Во всем доме, в ночи, на всем белом свете. И никого, чтобы помочь ей. Джессика открыла рот, чтобы закричать, но из него не вылетело ни звука. Она просто осела на пол, по-прежнему держа в руках мокасины и ожидая. Но никто не пришел. Она была одна.

Глава 20

Половина десятого. Джессика сидела в ванне, пытаясь побороть истерику, когда зазвонил дверной звонок. Все в порядке. Все будет хорошо. Она еще немного останется в ванной и выпьет чашку чая или позавтракает, оденется и пойдет в бутик. Или весь день проведет в постели. Или... но все в порядке. Сначала горячая ванна... но она не могла позвонить Яну. Ей нужно было поговорить с ним. Она перевела дух и прислушалась. Похоже на дверной звонок или, может быть, ее ввел в заблуждение звук льющейся воды? Но нет. Звонок продолжал тренькать. Ей не нужно отвечать. Продолжать дышать и находиться в неведении, пусть вода согреет ее. Ян показывал ей, как при этом оставаться спокойной и не впадать в истерику... когда ее мать... и Джейк... Но дверной звонок... Она неожиданно выскочила из ванны, схватила полотенце и помчалась к двери. А что, если это — Ян? У нее были его ключи. Что, если... С полуулыбкой она подбежала к входной двери, оставляя позади мокрые лужицы, сияющие глаза были широко открыты, а полотенце неровно прикрывало ее тело. Она распахнула дверь, не спросив, кто там, и отпрыгнула назад, пораженная. Слишком удивленная, чтобы закрыть дверь. Она просто стояла, страх молоточками стучал в ее сердце.

— Доброе утро. На вашем месте я бы избавился от привычки так распахивать двери.

Джессика быстро глянула вниз и поправила полотенце. Звонившим оказался инспектор Хоугтон.

— Я... Здравствуйте. Чем могу служить? — Она выпрямилась в полный рост и гордо замерла в дверях.

— Ничем. Решил заглянуть, чтобы проведать, как вы. — У него в глазах сквозила ирония победителя. Взгляд, кото-

рый она не заметила накануне. Ей захотелось выцарапать
ему глаза.

— Все замечательно. — Грязный ублюдок. — Еще что-
нибудь?

— Кофе уже сварили, миссис Кларк? — По его мнению,
формальности были сущим оскорблением.

— Нет, инспектор Хоугтон. Мне скоро на работу. Если
вы пришли по делу, купите себе чашку кофе на Юнион-стрит
и встретимся в моем офисе через час.

— Какая злюка, не правда ли? Вы, должно быть, пережили вчера шок.

Джессика закрыла глаза, борясь с подкатившей к горлу
тошнотой. Мужчина наслаждался ее страданиями. Но она не
могла сейчас потерять сознание. Не могла.

— Да, это было для меня потрясением. Вы получаете от
этого удовольствие, инспектор? Наблюдая несчастья других, я
хочу сказать.

— Я смотрю на это по-другому.

Он открыл пачку сигарет и предложил ей одну. Она отрицательно покачала головой. Все верно, он наслаждался этим.

— Полагаю, что нет. Мисс Бертон, должно быть, очень
довольна.

— Очень.

Он улыбнулся ей сквозь клубы сигаретного дыма, и
Джессике пришлось подавить в себе желание ударить его.

— А что теперь?

Так вот зачем он приехал.

— Что вы хотите сказать?

— Какие-нибудь планы?

— Да, работа. Увидеть завтра своего мужа. И пообедать с
друзьями на следующей неделе, а также...

Он опять улыбнулся, но теперь не казался радостным.

— Если он отправится в тюрьму, это расстроит ваш брак. — В его голосе слышались заботливые нотки.

— Возможно. Многое может расстроить брак, если позволить. Зависит от того, насколько он прочный и хочешь ли его сохранить.

— И какой же у вас брак?

— Превосходный. От всей души благодарна вам за заботу, инспектор Хоугтон. Я обязательно сообщу об этом мужу и своему адвокату. Уверена, мистер Кларк будет глубоко тронут. Инспектор, вы действительно заботливый человек или у вас лишь особая страсть к брачным советам?

Его глаза вспыхнули, но было уже поздно, он сам попался. Хоугтон пришел к ней, позвонил в дверь и пал жертвой собственных ошибок.

— Думаю, мне следует позвонить вашему начальству, чтобы сказать им о том, какой потрясающе заботливый вы человек. Вообразите, он беспокоится о моем браке.

Инспектор сунул пачку сигарет в карман, улыбка уже давно сползла с его лица.

— Ладно, все понял.

— Правда? Как быстро, инспектор.

— Сука, — произнес он сквозь сжатые зубы.

— Прошу прощения?

— Я сказал: «Сука». Это ты тоже можешь передать моему начальству. Но на твоем месте я бы не беспокоился о звонке. У тебя достаточно проблем, и ты еще долго не увидишь своего муженька. Пора тебе привыкать к этому, сестричка. С тобой и твоим никудышным писателем покончено. Так что, когда тебе надоест сидеть здесь в одиночестве, оглянись кругом. Кроме твоего мужа, есть люди и получше.

— На самом деле? Полагаю, вы — яркий пример тому? — Ее била дрожь, и она повысила голос, чтобы не дать ему перекричать себя.

— Можешь подцепить кого хочешь, но будь настороже.

— Убирайтесь вон. И если вы еще покажетесь в моем доме, с обыском или без него, я позвоню судье, мэру, пожарным. А быть может, не позвоню ни одной живой душе. Я лишь прицелюсь в вас из окна.

— У вас есть пистолет, да? — Хоугтон с интересом поднял бровь.

— Еще нет, но будет. По всей видимости, мне он необходим.

Инспектор открыл рот, чтобы что-то сказать, тем временем Джессика сделала маленький изящный шажок назад и захлопнула дверь перед его носом. С тактической точки зрения плохой ход, но ей сразу стало лучше. На мгновение. Когда она вошла в дом, ее вырвало на кухне. У нее ушло два часа на то, чтобы унять дрожь.

Астрид приехала в одиннадцать. Она привезла цветы, жареную курицу и полную сумку фруктов, которые купила для Джесси. А также маленький пузырек желтых таблеток. Прозвонив добрых двадцать минут, она так и не дождалась ответа. Астрид знала, что Джесси дома, потому что предварительно звонила в бутик, чтобы удостовериться. В конце концов она серьезно забеспокоилась и постучала в окно кухни. Джесси опасливо выглянула из-за штор и радостно подпрыгнула на полметра, увидев Астрид. Она думала, что это опять Хоугтон.

— Бог ты мой, я-то подумала — что-то случилось. Почему ты не открывала? Беспокоишься из-за газетчиков?

— Нет, с этим нет проблем. Это... я не знаю. — В ее глазах вновь появились слезы; она стояла, как вытянувшийся не по возрасту подросток, и рассказывала Астрид о визите Хоугтона. — Я не могу справиться с этим. Он такой... такой злой и так рад нашему несчастью. Он сказал, что наш... наш брак...

Она рыдала навзрыд, и Астрид заставила ее сесть.

— Почему бы тебе не пожить у меня, Джессика? Ты сможешь занять комнату для гостей и остаться на несколько дней.

— Нет!

Джессика вскочила на ноги и начала ходить по комнате, задевая стулья или хватая и опять кладя на место предметы. Неприметные жесты, но Астрид узнала их. Она реагировала точно так же, когда умер Том.

— Нет, спасибо, Астрид, но я хочу быть здесь. С... с... — Она споткнулась, не совсем уверенная в том, что хотела сказать.

— С вещами Яна. Я знаю. Но, возможно, это — не самый удачный выход. Стоит ли оставаться здесь, чтобы тебя забрасывали вопросами люди, вроде того полицейского? А что, если появятся и другие? Ты хочешь столкнуться с ними лицом к лицу?

— Я не открою дверь.

— Ты не можешь так жить, Джессика. Ян не хочет, чтобы ты так жила.

— Да, не хочет. Это правда... Я... Господи, Астрид, я схожу с ума... Я не могу... я не знаю, как быть без Яна.

— Но он у тебя есть. Ты его увидишь. Я до сих пор не понимаю, что произошло, но, может быть, еще удастся разобраться. Он не умер, Джессика. Он — жив. Прекрати вести себя так.

— Но его здесь нет, — жалобно проговорила она. — Он нужен мне. Я сойду с ума без него. Я... я...

— Нет, не сойдешь. До тех пор, пока не захочешь сойти с ума или не заставишь себя. Возьми себя в руки, Джессика, и сядь. Немедленно. Давай садись.

Последние пять минут Джессика падала и вскакивала из кресел, как выпрыгивающая из коробочки фигурка. Ее голос поднялся до визга.

— Ты завтракала?

Джессика попыталась сказать, что не хочет, но Астрид протестующе подняла руку и скрылась на кухне. Она появилась пять минут спустя с тостами, конфитюром, свежими фруктами, которые принесла с собой, и чашкой дымящегося чая.

— Или ты хочешь кофе?

Джесси покачала головой и на мгновение закрыла глаза.

— Я просто не верю тому, что происходит на самом деле, Астрид.

— Не думай об этом. Ты не можешь понять и не пытайся. Когда у тебя встреча с Яном?

Глаза Джесси открылись, и она выдохнула:

— Завтра.

— Отлично. Тогда тебе надо попытаться успокоиться до завтра. Сможешь?

Джессика кивнула, но она не была уверена. Впереди у нее день, ночь и утро. Ночью будет хуже всего. Полным-полно призраков, голосов, ужасов и эхо. Ей нужно было протянуть двадцать четыре часа до встречи с Яном.

Но кое-что она хотела сделать. Сейчас. Прежде чем увидит Яна. А именно — поговорить с Мартином об апелляции. Он был у себя в офисе, когда она позвонила, у него был подавленный голос.

— Ты в порядке, Джессика?

— Да. А как Ян? — спросила она взволнованно, и на другом конце провода Мартин нахмурился. Он помнил, как Джессика выглядела накануне, когда он привез ее домой.

— Держится. Он был страшно потрясен.

— Могу себе представить, — произнесла она мягко, с растерянной улыбкой. Потрясен. Они оба потрясены. — Мартин, я звоню, чтобы выяснить кое-что сейчас, до того как увижу Яна.

— Что?

— Можем ли мы подать апелляцию? Занимаешься ли ты этим? И как, черт возьми, нам заплатить за нее? Но это уже другой вопрос.

— Мы сможем обсудить все после вынесения приговора, Джессика. Если его приговорят условно, то нет смысла подавать апелляцию, кроме как для того, чтобы в документах не было записи о судимости. Это решать Яну. Но думаю, ты не должна принимать решение до вынесения приговора. Время подачи апелляции ограничено, но ты еще успеешь.

— Когда вынесение приговора?

— Через месяц, считая с завтрашнего дня.

— Но зачем ждать?

— Потому что ты не знаешь, Джесси, что произойдет. Если его выпустят, осудив условно, Ян, возможно, не захочет потратить его или твой последний цент на подачу апелляции. Он не в том положении, чтобы это отразилось на его карьере. Хотя нет, это может повредить ему, но не в такой степени. А если его освободят, о чем тебе беспокоиться?

— Что значит, *если* его освободят? — Джесси пришла в замешательство.

— Хорошо. Альтернативой условного освобождения является тюремное заключение. В таком случае ты тоже можешь пожелать подать апелляцию. Но она обернется для тебя новым судом. Тебе придется снова пройти через всю процедуру. Нет ни малейших улик, которые бы мы не представили на рассмотрение. Ничего не изменится. Так что ты еще раз пройдешь круги ада и, возможно, напрасно. Полагаю, сейчас самое время сосредоточить усилия на условном освобождении. Потом станем ломать голову над апелляцией. Идет?

Джессика неохотно согласилась. Что он имел в виду, сказав «если они выпустят Яна»? Что значит «если»?

Глава 21

— Все в порядке?

— Все в порядке. — Она улыбнулась, и инстинктивно ее рука потянулась к золотой фасолинке на шее. Она поиграла с ней пару секунд, смотря на мужа. Джессика пережила эти сутки, Хоугтон не вернулся. — Я люблю тебя, Ян.

— Дорогая, я тоже люблю тебя. С тобой правда все в порядке? — Он казался таким озабоченным ее состоянием.

— Не беспокойся. А как ты?

Его глаза были красноречивее слов.

Сейчас Ян находился в окружной тюрьме и был одет в грязный комбинезон, который ему выдали. Они запихнули его одежду в сумку и возвратили Мартину. Накануне тот переслал их Джессике вместе с «вольво». После чего она приняла две таблетки из числа тех, которыми снабдила ее Астрид.

— Мартин говорит, они могут дать тебе условно. — Но они оба помнили статью, прочитанную накануне суда. Речь в ней шла об отмене условного наказания за изнасилования. В данный момент общество не было настроено снисходительно.

— Посмотрим, Джесси, но особенно не надейся. Мы попытаемся.

Что произойдет, если его не выпустят условно? Она даже не задумывалась. Позже. Еще одно «позже», как суд и приговор.

— Ты хорошо вела себя? Без паники, без чудачеств? — Ян знал ее слишком хорошо.

— Я была паинькой. Астрид заботилась обо мне. — Джесси не упомянула о Хоугтоне и безумной ночи, с которой ей пришлось бороться с помощью таблеток, чтобы выжить. Она ползла через прошлую ночь, как сквозь минное поле.

— Она здесь?

— Да, ждет внизу. Астрид не хотела тебя смущать. Поняла, что нам нужно побыть вдвоем.

— Скажи ей, что я люблю ее. Я рад, что ты здесь не одна. Джесси, я так беспокоился за тебя. Обещай мне, что ты не сделаешь ничего дурного. Пожалуйста. Обещай.

Его глаза умоляли.

— Обещаю. Честно, дорогой. Я в порядке.

Но в это верилось с трудом. Они оба выглядели не лучшим образом. Опустошенные, потрясенные, истощенные, Ян с двухдневной щетиной. С полчаса они обменивались бессвязными банальностями все еще не вышедших из шока людей. Джесси изо всех сил старалась не заплакать, и ей это удавалось до тех пор, пока она не села в машину к Астрид. То были слезы гнева и боли.

— Они держат его в клетке, как животное! — А эта проклятая женщина работает, наверное, в своем офисе, живет как ни в чем не бывало. Она отомстила и теперь может радоваться. Пока Ян гнил в тюрьме, а Джесси сходила с ума по ночам.

Астрид отвезла ее домой, приготовила обед и подождала, пока та не задремала. Наступившей ночью ей было легче, отчасти из-за того, что она была слишком измотана, чтобы мучить себя размышлениями. Она просто спала. А рано утром Астрид вернулась с клубникой, свежим номером «Нью-Йорк таймс» и журналом мод, как будто для Джессики это представляло какой-то интерес.

— Мадам, что бы я без вас делала?

— Спала дольше, наверное. Но я поднялась и решила заглянуть.

Джесси помотала головой и обняла подругу, когда та налила две чашки чая. Астрид ей послало само провидение. Еще двадцать семь дней до вынесения приговора. И кто знает, что ждет потом.

Отвлечься от горестных мыслей Джесси помог бы бутик, который бы занимал большую часть ее времени, но пока она не была готова вернуться туда. Она изредка звонила в магазин и полностью положилась на Катсуко. Астрид взяла ее с собой к парикмахеру — скорее лишь для того, чтобы присматривать за ней. Джесси могла встречаться с Яном дважды в неделю, жизнь в перерывах между свиданиями пугала ее своей бесцельностью. Она начинала что-то говорить и теряла нить разговора, вынимала предметы из сумочки и забывала, зачем она их вынула. Слушала Астрид и смотрела сквозь нее. Джессика не придавала этому значения. Она ощущала себя потерянным ребенком, цепляющимся за новую мать. Астрид. Но без Яна все теряло смысл. И больше всего — жизнь. А без общения ей было трудно убедить себя в том, что она еще существует. Астрид пыталась удерживать Джессику на плаву до следующего свидания с мужем.

На последней странице газеты через день после суда появилась маленькая заметка. Но никто не позвонил, только те два друга, которые дали хвалебные отзывы о Яне. Они были потрясены случившимся. Астрид ответила на звонки, Джессика оставила каждому из них сообщение. Она не хотела ни с кем сейчас разговаривать.

В понедельник она вернулась на работу. Зина и Катсуко были подавлены. Кэт прочитала статью, но не упомянула о ней по телефону. Услышав ее голос, Джесси поняла, что ей не хочется обсуждать с ними свою трагедию. Когда Астрид и Джесси вошли в бутик, на мгновение возникло некоторое замешательство. По глазам девушек было видно, что они все знают. Джесси обняла их обеих.

Теперь они знали, почему Хоугтон приходил в магазин, почему Джесси была такой взвинченной и куда делся «морган».

— Джесси, что мы можем сделать?

— Только одно. Давайте обойдемся без обсуждений. Сейчас я ничего вам не могу сказать. Разговоры не помогут.

— Как Ян?

— Пытается пережить.

— Ты знаешь, что будет дальше?

Она отрицательно покачала головой и опустилась в свое кресло.

— Нет. Я ответила на все вопросы? — Она посмотрела на их лица, уже чувствуя себя усталой.

— Тебе нужна помощь по дому, Джесси? — Зина наконец раскрыла рот. — Тебе, наверное, одиноко. А я живу не очень далеко.

— Спасибо, я дам тебе знать.

Она обняла ее и направилась в кабинет с Астрид, шедшей по пятам. Меньше всего она хотела провести вечера, выслушивая утешения Зины. У дверей своего офиса она повернулась:

— Да, вот что. В последующие несколько недель вы меня будете видеть не так часто. Мне нужно сделать кое-что для Яна. Я буду появляться здесь, как только смогу, но вам придется попотеть. Так же, как и прежде. Договорились? — Катсуко отдала честь, и Джесси улыбнулась. — Приятно снова вернуться к вам.

— А что, если я встряну и помогу? — Астрид, устроившись за столом, с интересом смотрела на нее.

— Сказать по правде, помощь не нужна. Кэт держит здесь все под контролем. Единственная проблема — во мне. Утром, вечером, ночью... ты знаешь.

Астрид действительно знала. Она видела лицо Джессики в половине девятого утра и слышала ее голос в два. Это объясняло, какими были ночи. Ужас от того, что дневной свет никогда не озарит ее комнату. Что Ян никогда не вернется домой. Что Хоугтон сломает дверь и изнасилует ее. Страхи настоящие и вымышленные, призраки и люди, о которых не стоило упоминать, — все смешалось в голове Джессики.

— Когда ты предполагаешь закончить работу? Я заберу тебя. Мы можем сегодня пообедать у меня, если ты не против.

— Ты так добра.

Астрид понимала состояние подруги. Она испытывала громадное уважение к мужеству, с которым Джесси справлялась со своими трудностями.

Большую часть своих усилий Джессика направила на смягчение приговора Яна. Она дважды встречалась с должностным лицом, в чьем ведении находилось его дело, а также день и ночь преследовала Мартина. Что он делал? Что он задумал? Разговаривал ли он с этим должностным лицом? Каково было его впечатление? Должен ли Мартин поговорить с его начальством? Однажды во время ленча она даже осмелилась подойти к судье. Он выразил ей сочувствие, но не хотел, чтобы на него оказывалось давление. Она также получила весточки от нескольких друзей издалека, отмечавших положительные качества Яна. Пришло письмо и от его агента, в котором выражалась надежда, что Ян будет освобожден и сможет завершить свою книгу, тогда как тюремное заключение положит конец его карьере.

Пришел День Благодарения, прошедший как и любой другой день. По крайней мере Джессика старалась делать вид, что так и было. Она провела его как обычный выходной вместе с Астрид. В тот день не было посещений. Ян отметил его засохшим сандвичем с цыпленком, читая письмо от Джесси. Она съела бифштекс у Астрид, которая в этот раз не поехала на ранчо своей матери.

Джессика работала день и ночь, прикидывая, что еще сделать для смягчения приговора, и неожиданно перенося всю энергию опять на «Леди Джей», как никогда прежде. Дома она сделала все: убралась в подвале, вычистила гараж, перебрала одежду, вымыла кабинет — все, что угодно, лишь бы не думать. Может быть, в конце месяца он вернется домой. Может быть, они дадут ему условно... Ее постоянно преследовал страх. Некуда скрыться от него. Острый, пронизывающий, нескончаемый ужас. За рамками человеческого понимания. Но Джессика больше не была человеком. Она мало ела, мало спала. Она не позволит себе чувствовать. Она не отважится быть человеком. Люди ломались, и это пугало ее больше всего. Сломаться. Как Шалтай-Болтай. И вся королевская конница, вся королевская рать... вот чего она боялась. Ян все понимал, но не мог протянуть ей руку. Он не мог прикоснуться к ней, обнять ее, снова вернуть к жизни. Он ничего не мог сделать, разве что смотреть на нее через окно и разговаривать по телефону, когда она нервно играла со шнуром и рассеянно сдергивала наушники.

Ян продолжал таять на ее глазах — небритый, немытый, плохо кормленный, с темными кругами под глазами, которые казались с каждым разом темнее.

— Ты что, там не спишь? — В ее голосе звучала нескрываемая боль.

Он жалел Джессику, но не мог ей помочь. Они оба отдавали себе в этом отчет. Ян боялся, что она начнет ненавидеть его за все мучения. Он ужасался при одной мысли об этом.

— Сплю время от времени. — Он попытался улыбнуться. — А что с тобой? Похоже, у тебя под глазами многовато грима. Я прав?

— А ты бываешь когда-нибудь не прав? — Она улыбнулась в ответ и пожала плечами, опять сдернув наушники.

Джессика похудела на двенадцать фунтов, но спала лучше, хотя ее внешний вид оставлял желать лучшего. Помогли новые красные таблетки. Они оказались эффективнее желтых и даже более сильных синих. Красные — это уже что-то другое. Она не обсуждала лекарства с Яном. Он придерживался иного мнения на этот счет. Джессика была осторожна. Таблетки облегчали ей жизнь. Встречи с Яном были ее единственной отрадой, а в перерывах ей приходилось с трудом продираться сквозь застывшие дни. Таблетки делали это за нее. Астрид выдавала их по одной, никогда не оставляя пузырек.

Ян сошел бы с ума, если бы узнал. Она торжественно пообещала ему после смерти Джейка больше не употреблять никаких таблеток. Он простоял у ее кровати всю ночь, пока ей промывали желудок, после чего Джессика и поклялась. Она вспоминала об этом иногда, проглатывая очередную таблетку. Но ей приходилось их принимать. В противном случае она бы умерла. Так или иначе. Джессика боялась выпрыгнуть из окна против своей воли. Боялась маленьких демонов, хватающих ее и заставляющих делать то, чего она не хотела. Она избегала разговоров с покупателями в магазине, боясь сказать что-нибудь невпопад. Она больше не могла сдерживать себя. Ни в чем. Джессика более не держала в своих руках бразды правления.

Четыре недели между вынесением вердикта и приговором превратились в затянувшийся кошмар, но в итоге подошел к концу и он. Просьба о помиловании была выслушана судьей, на этот раз Джессика стояла рядом с Яном, пока они ждали. Процедура была менее пугающей. Она то и дело трогала его руки, лицо. Первый раз за целый месяц Джессика прикоснулась к мужу. От Яна ужасно пахло, и у него отросли длинные ногти. В тюрьме ему дали электробритву, которая поранила его лицо. Но это был Ян. Близкий человек в совершенно чужом мире. Она почти забыла о серьезности момента. Но формальности судебного заседания вернули ее к жизни. Помощник шерифа, судебный репортер, флаг. Тот же самый зал и тот же судья.

Ян не получил условного освобождения. Судья посчитал обвинения слишком серьезными. Мартин позднее объяснил, что, с царящими в обществе настроениями, судья едва ли мог поступить иначе. Яна приговорили к четырем годам лишения свободы с отбыванием наказания в тюрьме штата; он должен был провести за решеткой не менее четверти срока: один год.

Помощник шерифа увел его, на этот раз Джессика не плакала.

Глава 22

Три дня спустя Яна перевели из окружной тюрьмы в тюрьму штата. Как и всех заключенных мужского пола, для оценки пригодности его отправили в Северную Калифорнию в Калифорнийский медицинский комплекс в Вакавилле.

Джесси приехала туда через два дня с Астрид на ее черном «ягуаре» и с двумя желтыми таблетками в желудке. Астрид предупредила, что не даст больше никаких таблеток, но она всегда так говорила. Джессика знала, что подруга жалеет ее.

За исключением вышки с вооруженной охраной у главных ворот и металлоискателя, где их проверили на наличие оружия, тюрьма в Вакавилле выглядела безобидно. Внутри, в сувенирной лавке, продавались неказистые изделия, производимые в тюрьме, а если судить по столу регистрации, то они вполне могли оказаться в больнице. Все блестело хромом, сверкало стеклом и было покрыто линолеумом. Снаружи здание казалось современным гаражом. Для людей.

Они попросили разрешения увидеть Яна и заполнили разнообразные бланки. Им предложили пройти в комнату ожидания или прогуляться в вестибюле. Десять минут спустя появился охранник, чтобы отпереть дверь во внутренний дворик тюрьмы. Он проинструктировал их, как пройти через двор и войти в другую дверь, которая будет открыта.

Обитатели внутреннего дворика были одеты в синие джинсы, футболки и разностильную обувь — начиная от ботинок и заканчивая теннисными туфлями. Астрид удивленно посмотрела на Джессику. Прогуливаясь, заключенные разговаривали с подругами. Это было похоже на среднюю школу, если не считать мелькавших то тут, то там угрюмых лиц или матерей с заплаканными глазами.

Увиденное несколько обнадежило Джессику. Она могла встречаться с Яном во дворе, могла снова прикоснуться к нему, смеяться, держать его за руки. Сумасшествие опуститься до такого после семи лет брака, но это лучше, чем свидания через стекло в окружной тюрьме.

Как оказалось, им таких свиданий ждать не приходилось. От посещений во дворике Яна отделяли месяцы, если он вообще останется в этом исправительном учреждении. Всегда была вероятность попасть в Фолсом или Сан-Квентин. Все возможно. В настоящее время продолжались свидания через стекло, с разговорами по телефону. Джессика испытывала невыносимое желание разбить окно трубкой, когда пыталась улыбнуться, глядя на мужа. Она умирала от желания дотронуться до его лица, оказаться в его объятиях, почувствовать его запах. А вместо этого в ее руках находился лишь синий пластмассовый телефон. Рядом с ней стоял розовый, дальше — желтый. Кто-то, несомненно обладавший чувством юмора, расставил окрашенные в пастельные тона аппараты вдоль всего ряда. Как в детской, со стеклянной перегородкой. Можно было разговаривать с дорогими детками по телефону. Однако Джессике был нужен муж, а не приятель, с которым можно поговорить по телефону.

Ян выглядел лучше — худее, но наконец-то чистый. Он даже побрился, рассчитывая на свидание. Они стали повторять избитые шутки, время от времени Астрид подключалась к разговору. Было так странно сидеть здесь, разговаривая через стекло. В его глазах проглядывало напряжение, а в шутках, которыми они обменивались, звучали грустные нотки.

— Это настоящий гарем. Для насильника. — Он нервно ухмыльнулся своей неудачной шутке.

— Может быть, они подумают, что ты — сутенер.

Их смех звучал, как шуршание парчи. Ему предстояло провести здесь по крайней мере год. Джесси спрашивала себя, сколь долго она сможет выдерживать такое. Но, возможно, судьба сжалится над ними. Она хотела поговорить с Яном об апелляции.

— Ты разговаривал с Мартином по поводу апелляции?

— Да. Ее не будет, — произнес он мрачно, но с уверенностью в голосе.

— Что? — взвизгнула Джессика.

— Ты слышала. Я знаю, что делаю, Джесси. И в следующий раз ничего не изменится. Мартин тоже так думает. Потратив пять или десять тысяч долларов, мы еще больше увязнем в долгах, а когда придет время второго суда, нам нечего будет сказать. Предположения относительно ее мужа, хлипкие доказательства, которые не принимаются судом. У нас есть только старая фотография и масса идей. Никто не даст показания. Нет ничего, на что можно было опереться, только слабая надежда. Один раз мы так поступили, но у нас не было выбора. Новый суд пройдет точно так же и только разозлит этих людей. Мартин считает, что мне легче пережить приговор, хорошо себя вести, и, возможно, меня выпустят досрочно. В любом случае я принял решение, и я — прав.

— Кто сказал, что ты — прав, черт возьми, и почему никто не спросил моего мнения?

— Потому что мы говорим о моем заключении, а не о твоем. Я так решил.

— Но оно влияет и на мою жизнь. — Глаза Джессики наполнились слезами.

Она хотела подать апелляцию и не собиралась ждать, пока Яна выпустят досрочно за примерное поведение. Шли разговоры о том, чтобы изменить калифорнийские законы и ввести осуждение на определенный срок, но у кого есть время ждать? Мартин однажды обмолвился, что в этом случае Ян мог бы отсидеть пару лет. Господи! Как она выживет? Джесси едва могла говорить, сжимая трубку в руках.

— Джесси, доверься мне. Давай оставим все как есть.

— Мы могли бы продать что-нибудь. Дом. Что угодно.

— И могли бы опять проиграть. Что тогда? Лучше стиснуть зубы и пройти через это. Пожалуйста, Джессика, пожалуйста, попытайся. Я не могу ничего для тебя сделать сейчас, кроме того, что я люблю тебя. Тебе не придется долго терпеть. Вероятно, не больше года.

— А что, если больше?

— Тогда и будем ломать голову.

В ответ слезы закапали из ее глаз. Как они могли решить без нее? Ну почему они не хотели попробовать еще раз? Может быть, им по силам будет выиграть... может быть... она посмотрела, как Ян обменивается взглядом с Астрид, качая головой.

— Малышка, тебе нужно собраться.

— Для чего?

— Ради меня.

— Я в порядке.

Он покачал головой и посмотрел на жену.

— Мне бы так этого хотелось.

— Какое счастье, что рядом с ней Астрид.

Они еще немного поговорили — о других заключенных, о тестах, которые он выполнил, о его надежде на отбывание наказания здесь вместо перевода в другую тюрьму. Вакавилль казался цивилизованным местом, и Ян надеялся, что спустя какое-то время, успокоившись, он сможет здесь работать над книгой. Джесси порадовалась, узнав о том, что муж заинтересован в продолжении литературной деятельности. Интеллектуально, духовно он по-прежнему был жив. Но она с удивлением обнаружила, что на самом деле ей было все равно. А как же она? После вспышки по поводу апелляции Джессика чувствовала себя еще более одинокой. Она безуспешно попыталась изобразить жизнерадостную улыбку.

Ян долго наблюдал за лицом жены и хотел только одного — коснуться ее.

— Как бутик?

— Нормально. Бизнес на подъеме. — Но это была ложь. Дела шли плохо как никогда.

Но Джессика не могла поделиться с ним правдой. Слишком много всего накопилось, и она знала, что это его погубит.

Ян снова заговорил, ей пришлось поднять голову и сосредоточиться.

— Джесс, я хочу, чтобы ты кое-что сделала для меня, когда вернешься домой. Размножь книгу на ксероксе, отвези копию в банк и пришли мне оригинал. Скоро я получу разрешение работать над ней. К тому времени, когда прибудет рукопись, проверка документов закончится. Не забудь. Попытайся отправить сегодня же.

Его глаза потеплели, когда он говорил, но Астрид заинтересовало выражение на лице подруги. Джессика была потрясена. Яна только что приговорили к тюремному заключению, а он беспокоился из-за своей книги?

Свидание завершилось через час. На прощание последовал всплеск эмоций с пожеланиями и клятвами, свою лепту внесла и Астрид. Ян передал несколько словесных объятий, у Джессики запершило в горле. Она даже не могла поцеловать его. Разве они не понимают, что отняли у нее самого дорогого человека на свете? Что, если...

Пытаясь улыбнуться, она смотрела, как Ян медленно и неохотно уходит с широкой мальчишеской улыбкой на лице. Все впустую, в глубине души Джессика даже была рада, что свидание окончено. Свидания, которые стоили ей с каждым разом все больше. Тяжелее, чем в окружной тюрьме. Она

хотела ударить по стеклу кулаком, закричать... совершить какую-нибудь глупость, но вместо этого подарила мужу про-
щальную улыбку и безмолвно последовала за Астрид к машине.

— Волшебница, у тебя есть еще эти маленькие чудодей-
ственные таблетки?

— Нет. Я оставила дома. — Астрид ничего не добавила,
только ласково взяла ее за руку и обняла, прежде чем открыть
машину. Она сделала вид, что не замечает слез подруги, пока
они возвращались в Сан-Франциско под мягкое журчание радио.

— Хочешь, высажу тебя у дома, чтобы ты немного рас-
слабилась?

Астрид улыбнулась, когда они подъехали к остановке на
Бродвее, где скоростная магистраль вливалась в сутолоку городского транспорта. В двух кварталах от ресторана Энрико.

— Нет. Так вот где все началось.

— Что? — Астрид не заметила и повернулась, чтобы
взглянуть на Джесси, разглядывающую расставленные на тротуаре под обогревателями столики. Было уже холодно, но па-
рочка морозоустойчивых посетителей сидела снаружи.

— Заведение Энрико. Здесь он ее встретил. Интересно,
что она сейчас делает?

У Джессики было затравленное выражение лица, но говорила она едва ли не мечтательно.

— Джесси, не думай об этом.

— Почему?

— Теперь не имеет смысла. Все позади. Тебе нужно смотреть вперед. Нужно выйти из туннеля на солнечный свет и
прежде, чем поймешь...

— Брехня! Перестань, ты словно сказку рассказываешь.
Каково, ты думаешь, смотреть на мужа через стеклянную пере-
городку, не имея возможности прикоснуться к нему или... О

Господи! Извини. Я просто не могу с этим справиться, Астрид, не могу смириться. Я не хочу, чтобы это происходило в моей жизни, я не хочу быть одинокой. Он нужен мне. — Джессика закончила на спокойной ноте, но ее душили слезы.

— Как ни крути, у тебя по-прежнему есть муж. Пусть он — за стеклом, но это не продлится вечно. Представь, что чувствовала я, когда смотрела на Тома в этом проклятом ящике? Он никогда не заговорит со мной, никогда не обнимет меня... Никогда, Джесси. У вас с Яном лишь короткий перерыв между действиями. Его просто нет в доме по ночам. Все остальное у тебя есть.

Но это было как раз то, в чем Джессика нуждалась больше всего. В его присутствии. А что такое «остальное»? Она не могла вспомнить. Существовало ли оно?

— Тебе пора прекратить принимать таблетки, Джесс. — Голос Астрид вернул ее к жизни. Они находились уже в нескольких кварталах от дома.

— Почему? Они не приносят вреда. Просто... просто помогают, вот и все.

— Очень скоро перестанут. Они будут еще больше угнетать тебя, если уже не оказывают такого действия. А если за этим не следить, ты попадешь в зависимость от них, и тогда у тебя появятся настоящие проблемы. Как у меня; мне стоило немалых трудов избавиться от них. Пришлось провести несколько недель на ранчо у матери, чтобы отвыкнуть от наркотиков. Сделай одолжение: брось сейчас.

Джесси в грубой форме отказалась от предложения и вытащила из сумки расческу, чтобы привести в порядок волосы.

— Да. Наверное, я прямо сейчас отправлюсь в бутик.

— Почему бы сначала не заскочить на пять минут домой, чтобы перевести дух?

— Ладно. Если ты зайдешь выпить кофе. — Джессика не хотела оставаться одна. — Мне нужно взять книгу Яна и размножить ее.

Астрид заметила напряженные нотки в голосе подруги. Могла ли она ревновать? Это казалось почти невероятным. Но сейчас с Джессикой могло происходить все, что угодно.

— По крайней мере ему разрешат писать.

— Возможно. — Джесси пожала плечами, Астрид подъезжала к дому.

— Ему пойдет на пользу.

В прихожей царил легкий беспорядок из-за жакетов, примерявшихся и отвергнутых до визита к Яну. Астрид заметила пиджаки Яна, сдвинутые в одну сторону, и разбросанные повсюду женские мелочи. Его не было только пять недель, а дом уже представлял собой жилище женщины. Ей было интересно, заметила ли Джесси эту перемену.

— Кофе или чай?

— Спасибо, кофе. — Астрид улыбнулась и уселась в кресло, чтобы полюбоваться видом из окна. — Помочь?

Джессика отрицательно покачала головой, и Астрид попыталась расслабиться. Теперь с ней трудно. Так много боли, и мало чем можно было помочь. Только быть рядом с ней.

— Как ты собираешься провести Рождество?

Джессика появилась с двумя чашечками в цветочек и глухо засмеялась:

— Кто знает? Может, я в этом году повешусь.

— Джессика, это не смешно!

— А осталось что-либо смешное в моей жизни?

Астрид тяжело вздохнула и поставила поданную ей чашку.

— Джессика, ты должна прекратить жалеть себя. Найди какое-нибудь занятие. Ради себя, а не ради него. Магазин, общение с людьми, я, церковь, что тебе по нраву, но ты должна за что-то ухватиться. Ты не можешь так жить, ибо развалится не только твой брак, хуже того: не выдержишь ты.

Это было как раз то, что пугало Яна: Астрид знала это. Раз или два он мельком посмотрел на нее, и она поняла.

— Знаешь, так будет не всегда. Ты вернешь то, что у тебя было раньше. Еще не конец.

— Нет? Откуда ты знаешь? Даже я не знаю. Я даже не знаю, что у нас было и что стоит возвращать.

Джессика была потрясена собственными словами, но не могла остановиться. Она сцепила свои трясущиеся руки.

— А что у нас есть? Я, содержащая Яна, он, ненавидящий меня за это так сильно, что уходил и спал с другими женщинами, чтобы почувствовать себя мужчиной. Прекрасный брак, не так ли, Астрид? Как раз то, о чем мечтает каждая девушка.

— Значит, вот что ты об этом думаешь?

Астрид следила, как боль отражалась на лице Джессики, и сердцем была с ней.

— Судя по тому, что я видела, в вашем браке гораздо больше хорошего. — Они выглядели такими молодыми и счастливыми, когда она познакомилась с ними. Однако Астрид понимала, что многого не знала о них. Должно быть, не знала. Она встретилась с Джессикой глазами, и ей стало жаль ее. Подругу ожидало впереди нелегкое время.

— Я не знаю, Астрид. Мне кажется, будто прежде я жила неправильно, и вот теперь я хочу все исправить. Но уже слишком поздно. Он ушел. И что бы ты ни говорила, я сердцем чувствую, что Ян не вернется назад. Я обманываю себя, жду, когда раздастся звук его шагов, брожу по его кабинету — а мы едем в тюрьму, чтобы увидеть его, как обезьяну в клетке. Астрид, он — мой муж, а они заперли его, как животное!

Слезы выступили у нее на глазах.

— Это сводит тебя с ума, Джессика?

Вопрос рассердил ее.

— А ты что думала?

— Я думала, что тебя волнуют и другие вещи. Полагаю, ты боишься перемен в жизни. Боишься, что изменится Ян. Сейчас он хочет дописать книгу, что тоже пугает тебя.

— Не пугает, а раздражает. — По крайней мере она была честна. Она призналась.

— Почему раздражает?

— Потому что я сижу здесь одна, схожу с ума, пытаясь справиться с действительностью, а что собирается делать он? Выводить каракули на бумаге, словно ничего не произошло. И... я не знаю, Астрид, все так сложно. Я больше ничего не понимаю. Я теряю рассудок. Я не могу с этим смириться. Я просто не могу.

— Можешь, и Ян может. Ты уже прошла через худшее. Суд, должно быть, был сущим адом.

Джесси горько кивнула:

— Да, но это хуже. И продолжится вечность.

— Конечно, нет. Джесси, ты можешь вынести гораздо больше, чем думаешь. Так же, как и Ян.

Когда Астрид произносила эти слова, она надеялась, что была права.

— Как ты можешь быть так уверена? Вспомни, как он выглядел сегодня, Астрид. Как долго, ты думаешь, он сможет это выносить? Он испорчен, напрочь испорчен, он привык к комфортной жизни с цивилизованными людьми. А теперь он — там. Мы не понимаем, что это значит на самом деле, но что будет, когда кто-нибудь приставит ему нож к горлу или какой-нибудь подонок захочет его изнасиловать? Что тогда? Ты уверена, что сможешь справиться с этим, Астрид?

В ее голосе появились истерические нотки.

— А ты знаешь, что самое смешное во всей этой кутерь-ме? То, что он там из-за меня. Не из-за Маргарет Бертон. Из-за меня. Потому что я полностью оскопила его, поэтому Яну пришлось что-то доказывать. Я сделала это. С тем же успехом я могла бы сама надеть ему наручники.

Самое трагичное заключалось в том, что Джессика верила тому, что говорила. Астрид подошла к ней и попыталась положить руки на плечи рыдающей Джессике.

— Джессика, ну, ну... нет. Знаешь...

— Я знаю. Это — правда! Знаю. И он знает. И даже она, всеми проклятая женщина, знала это. Видела бы ты, как она смотрела на меня в суде. Бог знает, что Ян сказал ей. Но я смотрела на нее с ненавистью, а она на меня... с жалостью. Черт побери, Астрид, пожалуйста, дай мне таблеток.

Она повернула к Астрид опустошенное лицо, но подруга покачала головой:

— Не могу.

— Почему? Мне нужно.

— Сейчас тебе нужно подумать. На чистую голову. Не в тумане. То, что ты сейчас сказала мне, — абсолютная чушь. Таблетки не помогут тебе разобраться в твоих переживаниях.

— Они дадут мне возможность вынести все это. — Теперь она умоляла.

— Нет. Ты представляешь ситуацию, в которой оказалась, в неверном свете, таблетки только ухудшат твое положение. Одно могу сказать тебе наверняка. Если ты не прояснишь свои мысли сейчас, будет только хуже, и к тому моменту, когда Ян выйдет на свободу, от твоего брака ничего не останется. Ты закончишь тем, что станешь ненавидеть его, может быть, даже так же сильно, как ты сейчас ненавидишь себя. Тебе необходим вечер размышлений, Джессика.

— А ты, значит, собираешься проследить, чтобы я его не пропустила, да? — В голосе Джессики звучала горечь.

— Нет, я не могу так поступать. Я не могу заставить тебя думать. Но больше ты от меня не получишь ничего, что затуманило бы твое сознание. Я не допущу этого, Джессика, просто не могу.

Джессика испытывала почти непреодолимое желание встать и ударить ее, но потом до нее дошло, что она не в себе. Желание ударить Астрид было ненормальным. Но и очень реальным. Она хотела получить эти чертовы таблетки.

— В любом случае рано или поздно ты должна будешь столкнуться с этим.

Неожиданно в глазах Джессики снова появились слезы.

— А если я сойду с ума? Я хочу сказать, на самом деле лишусь рассудка?

— Почему ты должна сойти с ума?

— Потому что я не могу справиться с несчастьем. Я просто не могу с этим справиться.

Для Астрид это было выше ее понимания, но она вспомнила, как поступила ее мать, когда Астрид после смерти Тома находилась в схожем состоянии. Это натолкнуло ее на мысль.

— Джесси, почему бы тебе не поехать со мной на ранчо на Рождество? Мама будет в восторге, и тебе принесет пользу.

Джессика отрицательно покачала головой прежде, чем Астрид закончила предложение.

— Не могу.

— Почему?

— Я должна провести Рождество с Яном. — Она выглядела печальной.

— Ты не должна.

— Но я хочу... Рождество без Яна... Никогда.

— Даже с вдовой промеж вас?

Джессика кивнула.

— Но почему? В качестве наказания за вину, которую ты несешь? Джессика, не будь смешной. Скорее всего Ян одобрит твою поездку на ранчо.

Джессика не ответила, а после паузы Астрид сказала то, о чем она думала последнее время:

— Или ты хочешь помучить его, дав возможность увидеть, как сильно ты можешь страдать на Рождество?

Джессика от удивления вытаращила глаза:

— Боже, ты говоришь так, словно я пытаюсь поддеть его побольнее.

— Возможно. Думаю, в данный момент ты не в состоянии решить, кого ты ненавидишь больше — его или себя? Полагаю, вы оба достаточно наказаны: Ян — именем закона, а ты — сама себя наказала. Нельзя ли теперь начать относиться к себе лучше, Джессика? Вероятно, тогда ты сможешь быть добра и к нему.

Джесси не была готова услышать горькую правду.

— Ты можешь позаботиться о себе, Джесси. А Ян позаботится о тебе, даже находясь вдали от дома. Твои друзья помогут. Ты даже не догадываешься о своих возможностях. Тебе важно понять, что ты способна на многое.

— Откуда ты знаешь?

— Знаю. Ты испугана, и у тебя есть на это право. Но если ты просто успокоишься и станешь относиться к себе с любовью, страх пройдет. Но ты должна прекратить загонять себя.

— И прекратить принимать таблетки? — Астрид кивнула. Джесси замолчала. Она еще не была готова к этому. Знала, даже не делая пробных попыток.

Но она попыталась. Астрид ушла, не дав ей ни одной, и Джессика отправилась в банк с рукописью мужа — с дрожащими руками и трясущимися коленками. Оттуда она прямиком махнула на почту, потом — в магазин. Она пробыла в «Леди Джей» менее часа, затем вернулась домой, чтобы успокоиться. Джессика провела ночь, не смыкая глаз, свернувшись калачиком в кресле в гостиной. Она дрожала, и ее мучила тошнота. На ней был свитер Яна, который все еще сохранял запах его одеколона, и Джесси казалось, что он рядом. Она чувствовала, как муж наблюдает за ней. Она видела лица в огне камина — Яна, матери, Джейка, отца. Они приходили к ней поздно ночью. А потом ей послышались странные звуки в гараже. Джесси хотела закричать, но у нее не было сил. В ту ночь она так и не заснула, а в семь утра вызвала врача. Он предоставил ей то, без чего она уже не могла жить.

Глава 23

На Рождество Астрид провела три недели на ранчо со своей матерью. У Джесси было по горло дел в магазине. Она втянулась в будничную работу, чередуя ее с посещениями Яна. Приезжала к нему два раза по утрам в будни и по воскресеньям. В неделю она проделывала четыреста миль на машине, и «вольво» начинал поскрипывать. Ей было интересно, не разобьется ли она вместе с машиной, просто-напросто вылетев с дороги и перевернувшись вверх тормашками. В случае с «вольво» это будет от старости, что касается Джесси — от напряжения и истощения. И большого количества таблеток. Но с их помощью она была в форме. Большинству людей так и казалось. А Ян еще не расспрашивал ее. Она пришла к выводу, что он не хотел замечать того, что происходит. С ней все было прекрасно.

В этом году Джессика не могла послать ему новогодний подарок. Яну разрешали получать только деньги, поэтому она отправила мужу чек. И забыла купить подарки на Рождество для девушек из магазина. Она думала только о том, чтобы заправить машину бензином, пережить свидания с Яном по другую сторону стекла и продлить рецепт. Все остальное не имело значения. Оставшаяся энергия уходила на счета. Джессика немного разобралась с ними и просыпалась утром, подсчитывая, как покрыть здесь, если займет там, а тут не заплатит до... Она надеялась, что рождественские доходы позволят ей вести дело с прибылью. Но «Леди Джей» переживала собственные проблемы. Джесси не могла себя заставить думать об этом так же, как прежде. «Леди Джей» оставалась лишь средством к существованию, а не источником радости, как в былые времена. Средством платить по счетам и местом, куда можно было пойти днем. Она могла спрятаться в своем крошечном офисе и жонглировать мечтами.

Джесси редко выходила к покупателям. После нескольких минут теперь уже знакомая волна паники подкатывала к горлу, и она должна была просить разрешения удалиться... Желтая таблетка... синяя... быстрый глоток виски... что угодно, лишь бы побороть панику. Легче было сидеть в кабинете, предоставив девушкам заниматься покупателями. Так или иначе, она была слишком занята. Счетами. А также пытаясь отогнать непрошеные мысли. На это уходило немало сил, особенно поздно ночью или рано утром. Неожиданно впервые за много лет она отчетливо вспомнила мамин голос, смех отца. Она забыла их, и вот они вернулись. Они говорили... друг о друге... о ней... о Яне... и были правы. Они хотели, чтобы она думала. Джейк даже сказал что-то однажды. Время еще не пришло. Она не должна была... не хотела... не могла... они не могли заставить ее... они...

Рождество выпало не на день посещений, так что в любом случае Джессика не могла навестить Яна. Она провела праздник одна, с тремя красными таблетками и двумя желтыми. Проспала до четырех часов следующего дня, а потом вернулась в магазин. Джессика хотела снизить цены на некоторые товары. Они потерпели убытки на Рождество, и ей нужно было пополнить запас наличных. Хорошая распродажа могла бы поправить дела. Она пошлет приглашения лучшим покупателям. Их набежит целая ватага, так надеялась Джессика.

Она просидела над бухгалтерскими книгами весь Новый год. Вспомнив о том, что она не сделала девушкам подарки, Джессика решила вручить им чеки. Джесси получила три подарка и стихотворение от Яна. Астрид преподнесла ей симпатичный золотой браслет, а Зина и Кэт — интересные безделушки. Самодельные сухие духи в красивом французском кувшине от Зины и маленький рисунок пером от Катсуко. А она снова и снова перечитывала стихотворение Яна.

Джесси взяла его с собой на работу и теперь носила в сумочке, чтобы вынуть и прочитать днем. Она знала его наизусть уже на следующий день после того, как получила.

Катсуко и Зина недоумевали, что делала Джесси в своем офисе весь день. Она показывалась, чтобы выпить с ними кофе или найти что-нибудь на складе, была молчалива и никогда не шутила. Безвозвратно ушли дни беззаботного щебетания и пересудов. Казалось, с уходом Яна от Джесси осталась лишь тень. В конце дня она появлялась на пороге своей комнатушки, иногда с карандашом за ухом, с затуманенным взором, маленькой пачкой счетов в одной руке, порой с опухшими или красными глазами. Джессика нередко бывала раздраженной, быстрее выходила из себя по пустякам. Ее выдавал застывший взгляд. Взгляд, который говорил о бессонных ночах и постоянном страхе. И пелена от таблеток, которую ни с чем невозможно было спутать.

Она оживала в те дни, когда навещала Яна. Что-то сияло за стеной, которую она воздвигла между собой и остальным миром. Что-то появлялось в ее глазах — этим она ни с кем не делилась. Даже с Астрид, которая проводила все больше времени в магазине, лучше узнавая Зину и Катсуко. В каком-то смысле Астрид заменила Джесси. Она была такой же покладистой, как Джесси до своей трагедии. Астрид получала удовольствие от магазина, от людей, от одежды и девушек. У нее было время поговорить и посмеяться. Из нее сыпались свежие идеи. Ей нравился бутик, что было заметно. Девушки влюбились в нее. Она приходила даже в те дни, когда Джесси встречалась с Яном.

— Знаете, иногда я думаю, что сижу здесь просто потому, чтобы дождаться ее. Я беспокоюсь за Джессику, когда она садится за руль.

— И мы. — Катсуко покачала головой.

— На днях она призналась мне, что делает это на «автопилоте». — Слова Зины были слабым утешением. — Джессика говорит, что иногда не помнит, где она или что делает, пока не увидит дорожный знак.

— Ужасно. — Астрид отхлебнула кофе и покачала головой.

— Печально, правда? Интересно, сколько она продержится. Она не может так много работать. Ей надо куда-нибудь съездить, развеяться, изредка улыбаться, спать.

И прийти в себя. Катсуко не сказала этого, но все именно об этом подумали.

— Джессика сильно изменилась. Интересно, как Ян?

— Немного лучше, чем она. Но я давно не видела его. Полагаю, его не в такой степени терзает страх.

— Так вот что с ней? — Зина выглядела ошеломленной. — Я думала, она всего-навсего истощена.

— И это тоже. Но главное — страх. — Астрид, похоже, не хотела это обсуждать.

— И напряжение. «Леди Джей» переживает не лучшие времена.

— Да? Похоже, тут все вертится.

Катсуко отрицательно покачала головой, не желая распространяться на эту тему. Недавно она говорила по телефону с людьми, которым Джесси была должна. Впервые бутик оказался под угрозой, и не было средств, чтобы покрыть расходы. Джесси потратила последнее на Яна. На карту была поставлена и «Леди Джей».

Тут в магазин вошла Джесси, разговор оборвался. Она казалась изможденной и похудевшей, но что-то сияло в глазах, то непонятное, что Ян вливал в ее душу. Жизнь.

— Ну, что с вами приключилось сегодня? Ты опять тратишь здесь свои деньги, Астрид?

Джесси уселась в кресло и отпила холодного кофе из чьей-то чашки. Маленькая желтая таблетка, которую она положила под язык, исчезла почти незаметно. Однако Астрид нельзя было обмануть.

— Ничуть. Ни цента сегодня. Просто заскочила выпить кофе в приятной компании. Как Ян?

— Полагаю, отлично. Занят книгой. Как шли дела? — Она, похоже, не хотела говорить о муже. Джесси весьма редко говорила о чем-то для нее важном с другими людьми. Даже с Астрид.

— Сегодня было довольно спокойно. — Катсуко сообщила ей последние новости, пока Зина наблюдала за ее слегка дрожащими руками.

— Ужасно. Мертвый бизнес, мертвая машина. «Вольво» только что испустил дух.

Она говорила спокойно, словно у нее в гараже было еще двенадцать машин.

— По пути домой?

— Естественно. Я проголосовала и поехала с двумя парнями в Беркли. В розово-зеленом «студебеккере» пятьдесят второго года. Они называли его «Арбуз». И ехал он соответственно.

Джессика пыталась пролить свет на событие, пока все три женщины не сводили с нее глаз.

— Так где машина?

— На станции техобслуживания в Беркли. Владелец предложил мне за нее семьдесят пять долларов и согласился сбросить цену за буксировку.

— Ты продала ее? — Даже Катсуко была ошеломлена.

— Вот уж нет. Это машина Яна. Но думаю, что продам. Она отслужила свое. — Как и я. Джессика не добавила, но все услышали это в ее голосе. — Легко пришло, легко ушло. Выберу что-нибудь дешевое для посещений Яна. — Но как? Откуда возьмутся деньги?

— Я подвезу тебя. — Голос Астрид звучал тихо и на удивление спокойно. Джессика посмотрела на нее и кивнула. Не было смысла протестовать. Ей была нужна помощь, и она знала это — помощь не только с машиной.

С тех пор Астрид возила Джессику на свидания с Яном три раза в неделю. Это избавило Джесси от необходимости принимать две желтые таблетки, когда она прибывала на место, и сокращало дневную норму. Иногда она проглатывала еще и зелено-черную.

Астрид потеряла всякую надежду повлиять на Джессику. Бесполезно и пытаться. Она могла только подстраховать подругу, когда обрушится крыша. Если такое случится. Джессика мчалась к своей гибели. Ее нельзя было остановить полумерами. Астрид ясно это видела. Ян не мог принять то, что происходило с Джесси, потому что не мог помочь. Поэтому старался этого не замечать. И каждый раз Джесси появлялась еще более издерганная, более изнуренная, более нервная, более напуганная, прикрываясь показной храбростью. Ян сильнее винил себя, высказывал большую признательность, сам испытывал боль. Они избегали смотреть друг другу в глаза. Они просто разговаривали. Он — о книге, она — о магазине. Никогда — о прошлом или будущем или реалиях настоящего. Они никогда не касались своих чувств, лишь через равные промежутки времени обменивались «я люблю тебя». За этим было неприятно наблюдать, и Астрид ненавидела свидания. Она хотела встряхнуть их обоих, заставить говорить в полный голос, остановить то, свидетелем чему стала. Но Джессика и Ян лишь продолжали тихо умирать с противоположных сторон стеклянной стены, не отдавая себе отчета в том, что происходит с каждым из них и ими обоими. Пока лишившаяся дара речи Астрид следила за супругами.

Если бы только они могли коснуться друг друга, тогда жизнь снова возродилась бы в них. Астрид видела это в глазах Джессики, в которых поселились боль и страх. У нее был взгляд ребенка, который не понимает происходящего. Ее муж ушел, но куда ушел? Таблетки позволяли ей укрыться в море тумана, и она теперь редко поднималась на поверхность. Джессика могла в любой момент утонуть, Астрид же не была до конца уверена в том, что подобное уже не постигло Яна. Астрид могла бы обойтись и без визитов. Но у них все роли были распределены. Муж, жена, друг.

Январь кое-как перешел в февраль, с трудом передав эстафету марту. В магазине прошла двухнедельная распродажа, которая едва ли оживила дело. Почти все были заняты, в отъездах или неважно себя чувствовали. Последняя партия из зимнего ассортимента расходилась плохо. Доходы упали. «Леди Джей» не относилась к разряду тех магазинов, которые удовлетворяют повседневные нужды. Бутик был нацелен на избранных покупателей международного масштаба. А мужья их клиенток советовали своим женам повременить. На рынке дела обстояли не лучшим образом. Они больше не восторгались «крошечным» свитером и юбчонкой, которые стоили им почти двести долларов.

— Боже, что мы будем делать со всем этим мусором?

Джесси нервно ходила по торговому залу, открывая очередную пачку сигарет. Утром она навестила Яна. Опять через стекло. По-прежнему через стекло. Всегда через стекло. Ей приснилось, что она прикоснется к мужу, когда им обоим будет по девяносто семь лет. Джессика даже не мечтала больше о том, что Ян вернется домой. Лишь о возможности дотронуться до него.

— Нас ждут трудности, Джесс, когда прибудут весенние товары. — Катсуко задумчиво посмотрела по сторонам.

— Да. Сволочи. Должны были прийти на прошлой неделе и запаздывают. — Она скрылась на складе, чтобы посмотреть, что там есть. Большую часть времени Джессика была раздраженной. Боль отчетливо давала о себе знать. Теперь недостаточно было прятаться: у нее уходило все больше сил на то, чтобы заглушить внутренние голоса.

— Знаешь, я тут подумала... — Катсуко проследовала за ней на склад. — Было очень больно?

Джесси взглянула на нее, улыбнулась и пожала плечами.

— Извини. Так о чем ты думала, Катсуко? — Это было похоже на прежнюю Джесси. Но случалось так редко в последнее время.

— Об ассортименте товаров на следующую осень. Ты собираешься в Нью-Йорк?

— На чем? На помеле? Не знаю пока.

— Ты не знаешь, что выбрать на следующую осень? — Катсуко казалась обеспокоенной. На новые товары почти не осталось денег, а по всему столу Джесси по-прежнему были разбросаны неоплаченные счета.

— Не знаю, Кэт. Подумаю.

Она зашла в свой кабинет и захлопнула дверь, поджав губы. Зина и Кэт обменялись взглядом. Зина ответила на телефонный звонок. Спрашивали Джесси. Из какого-то магазина пластинок. Она соединила с офисом Джесси и подождала, чтобы та сняла трубку. Линию разъединили буквально через пару минут.

А в это время Джесси боролась с дрожью в руках, играя с карандашом. Еще один звонок. Они были уверены, что причина в недосмотре, несомненно, она забыла послать им чек... По крайней мере вежливы. От врача звонили вчера и угрожали иском. За пятьдесят долларов? Врач собирался судиться с ней из-за полусотни?.. А дантист за девяносто восемь... а еще счет из винного магазина на сто сорок пять за вино Яна... и химчистке она задолжала двадцать шесть, в аптеку тридцать три и сорок один за телефонные переговоры... и теннисному клубу Яна... новые растения для магазина плюс счет от электрика, когда на Рождество вырубился свет... и за ремонт водопровода в доме... и так далее и тому подобное, а у нее уже не было «вольво», «Леди Джей» медленно шел ко дну, а Ян отбывал срок, и положение ухудшалось. В нагнетании событий было какое-то извращенное наслаждение. А тем временем Астрид покупала у нее свитера по себестоимости и восхищалась золотыми браслетами у Шрива и каждые три дня посещала парикмахера по двадцать пять долларов за укладку. А теперь еще нужно было думать об ассортименте на осень. Триста долларов на самолет, гостиница, не говоря уже об оплате товаров. Она еще больше завязнет в долгах, но у нее не было выбора. Без товаров на осень Джессика могла, не раздумывая, закрыть «Леди Джей» на День труда. Дело дошло до того, что она уже боялась зайти в банк, чтобы получить наличные по чеку. Джессика не сомневалась, что по пути ее остановят и проводят к управляющему. На сколько хватит их терпения? А ее?

Она попыталась прикинуть, сколько может стоить полет в Нью-Йорк, когда вновь зазвонил телефон. Она рассеянно подняла трубку, не спросив у Зины, кто ее спрашивает.

— Привет, красотка, как насчет тенниса? — Голос был жизнерадостным и уже отдавал потом.

— Кто это? — Джесси подумала, что ошиблись номером, и хотела уже повесить трубку, но тут мужчина на другом конце принял изрядный глоток чего-то, вероятно пива.

— Барри. Как дела?

— Какой Барри? — Джесси отпрянула от телефона как от змеи. Она не знала такого.

— Барри Йорк. «Йорктаун бондинг».

— Что?

— Я сказал...

— Я слышала. И ты звонишь мне, чтобы пригласить поиграть в теннис?

— Да-а. Ты не играешь? — Его голос звучал удивленно, как у маленького мальчика, пережившего самое большое разочарование в своей жизни.

— Мистер Йорк, я вас правильно поняла? Вы хотите поиграть со мной в теннис?

— Да. Итак? — Он негромко рыгнул в трубку.

— Пьян?

— Конечно, нет. А ты?

— Нет. И не понимаю, почему вы позвонили мне, — сказала она ледяным голосом.

— Ну, ты — симпатичная женщина, я собирался поиграть в теннис и прикинул, что, возможно, ты тоже захочешь. Если ты ни черта не смыслишь в теннисе, мы могли бы где-нибудь пообедать.

— Ты в своем уме? Почему ты думаешь, что у меня есть желание играть с тобой в теннис, играть в «классы», обедать или заниматься еще чем-нибудь?

— Послушай, пышка. Чему так возмущаться?

— Ты, случаем, не забыл, что я замужем? — Она уже кричала, Зина и Катсуко могли слышать ее из-за двери. Они терялись в догадках, кто это мог быть. Кэт не знала, что и предположить, а Зина отправилась помочь покупательнице. В кабинете разговор продолжался.

— Да. Замужем. А твой старик сидит. Что очень плохо, но дает тебе возможность общения с другими людьми, которые любят играть в теннис, играть в «классы», обедать и обожают, когда их укладывают.

Джесси почувствовала приступ тошноты. Она вспомнила его густые черные волосы, его запах и уродливое кольцо с розовым камнем. Невероятно. Этот мужлан, свинья, совершенно незнакомый человек звонил ей и говорил о сексе. Она сидела бледная и дрожала, борясь со слезами, готовыми выступить на глазах. Смешно. Джесси знала, что к его предложению надо отнестись с юмором. Но ситуация не смешила ее, а вызывала слезы, желание пойти домой... Вот с кем оставил ее Ян. С Барри Йорком и ему подобными людьми, звонящими по поводу чеков, которые она «забыла» оплатить и которые будет продолжать забывать оплачивать по крайней мере еще шесть или семь недель, а может быть, и больше. Джессика боялась заходить к цветочнику за букетиком маргариток, потому что, по всей видимости, и ему она задолжала. Она кругом была должна. А теперь это животное в телефонной трубке хотело поразвлечься с ней.

— Я... Мистер... Я... — Джесси поборола слезы и проглотила застрявший в горле ком.

— Что такое, любимая, замужние женщины с Пэсифик-Хайтс не испытывают возбуждения или у тебя уже появился дружок?

Джесси сидела, уставившись на телефон, ее подбородок дрожал, руки тряслись, слезы ручьями бежали из глаз, а нижняя губа была так оттопырена, словно она была маленькой девочкой, чью любимую куклу только что разнесли в клочья. Вот что произошло с ее жизнью. Она медленно покачала головой и осторожно повесила трубку.

Глава 24

— Девочки, увидимся позже. — Она взяла сумочку и направилась к выходу. Начало апреля, прекрасное, теплое утро пятницы. Весна, казалось, была повсюду.

— Куда ты, Джесси? — Зина и Катсуко выглядели удивленными.

— Повидаться с Яном. На завтра у меня другие дела, так что приеду к нему сегодня.

— Передавай привет.

Она улыбнулась девушкам и вышла из магазина. С некоторых пор Джесси успокоилась. Странно. Раздражение, казалось, проходило — с того самого звонка Барри Йорка. Три недели назад. Она и словом не обмолвилась Яну. Но на ее лице проступили признаки ухудшения.

Йорк, Хоугтон, люди, звонившие из-за счетов, — это на самом деле не имело значения. Ее ошибка. Она для себя все решила. Великая Джессика Кларк. Всемогущая, всезнающая, за все расплачивающаяся миссис Джессика Кларк и ее замечательный муж, мистер Кларк. Теперь она поняла. Бессонные ночи начинали приносить плоды. Джессика начала думать, вспоминать, понимать. Она слышала все теперь, будто старые пленки, прокрученные назад в темноте. Ей не оставалось ничего иного, кроме как вспоминать... случаи, мгновения, пустяки, голоса. Сейчас в ее ушах не звучал голос матери. И Джейка. Лишь ее собственный. И Яна.

— Рассказы, дорогой? А они разойдутся? — Он выложил тысячу причин, объяснений — словно задолжал ей какую-то сумму, — а ведь они получились великолепными. Но не важно, она убила их рождение. Одной фразой.

— А они разойдутся? — Кому какое дело до того, разойдутся ли они? Вот почему, наверное, Ян купил ей «морган» на полученные деньги. Самый убедительный ответ на ее вопрос. И другие случаи.

— Опера, дорогой? Ну почему опера? Это так дорого.

— Но мы получаем от нее удовольствие. Не так ли, Джесси? Я думал, да.

— Да-а, но... что за черт. Я возьму из денег на домашние расходы.

— Так вот в чем дело? — Долгая пауза. — Я уже купил билеты, Джесс. На «мои» деньги. — Но в итоге он не пошел. В последнюю минуту решил поработать. Он не ходил в оперу весь сезон. Крошечные мгновения, фразы, которые рассекали сердца ударом мачете, оставляя шрамы на жизни, на браке, на мужчине. Почему?

Она не могла позволить Астрид возить себя три раза в неделю, поэтому взяла напрокат малолитражку. Еще одна статья расходов, которую Джесси с трудом могла себе позволить. Пока ехала — размышляла. К чему эти колкости? Маленькие тычки друг другу все эти годы? Подрезать ему крылья, чтобы он не улетел? Но самое смешное заключалось в том, что Ян все-таки улетел. Однажды днем, а может быть, и тысячу дней до того, но они заплатили за это сполна. Яну была нужна женщина, которая не затыкала бы ему рот, не ставила на место, не любила бы его и не обижала и которой он был не нужен.

Сумасшествие, не иначе. Все свои поступки она совершала с оглядкой, из страха потерять Яна. И к чему это привело? Джесси была так поглощена мыслями, что чуть не пропустила поворот, и оставалась задумчива, пока ждала появления мужа.

Даже после того как Ян пришел, она, похоже, все еще пребывала в прошлом. А он казался углубленным в свои мысли. Джесси взглянула на него и попыталась улыбнуться. У нее раскалывалась от боли голова, и она устала. Джесси видела свое отражение на стекле, которое их разделяло, и ей казалось, будто она разговаривает сама с собой.

— Вы не очень общительны сегодня, мистер Кларк. Что-нибудь не так?

— Нет, просто думаю о книге. Я целиком поглощен ею.

Ян заметил странное выражение, промелькнувшее в ее глазах, и начал рассказывать о книге. Джессика несколько минут рассеянно слушала мужа, потом перебила его:

— Знаешь что? Ты — великолепен. Я приехала сюда, чтобы узнать, как ты живешь, рассказать о себе. А у тебя один разговор — о книге.

— Что здесь плохого? — Он выглядел озадаченным. — Ты ведь рассказываешь мне о «Леди Джей».

— Магазин — другое дело, Ян. Это — настоящее. — Голос Джессики звучал визгливо и раздражал его.

— Книга тоже реальна.

— Настолько реальна, что ты не можешь уделить час своего драгоценного времени для меня? Сидишь тут, как зомби, и распространяешься о проклятой книге. А как только я заговариваю о себе, ты теряешь интерес.

— Это неправда, Джесс. — Ян казался расстроенным и потянулся за сигаретой. — Книга хорошо пишется, и я хочу поделиться с тобой. Думаю, у меня больше не будет такого времени, когда она сама выходит из-под пера, вот и все. — Едва произнеся эти слова, он понял, что сказал не то. Ее взгляд был невыносимым. — Джесс, что, черт возьми, с тобой происходит? Ты похожа на человека, которому приложили к заднице раскаленную кочергу.

— Или который получил пощечину. Господи, ты тут сидишь и рассказываешь мне, как удачно идет твоя работа, как тебе легко пишется, будто ты здесь на отдыхе. А знаешь, что происходит в моей жизни?

Джессика глубоко вздохнула, и он почувствовал, будто ему по телефонной трубке вливается яд. Она потеряла над собой контроль, и ее понесло.

— Ты действительно хочешь знать, что со мной происходит, пока у тебя все само выходит из-под пера? Ну хорошо, я скажу тебе. «Леди Джей» скоро обанкротится, у меня накопилась гора неоплаченных счетов. Твоя машина развалилась, мои нервы ни к черту, каждую ночь меня преследуют кошмары, а залогодержатель три недели назад позвонил мне, чтобы назначить свидание. Он посчитал, что меня можно уложить в постель. И может быть, этот сукин сын был прав, но не с ним. Я не могу даже прикоснуться к твоей руке и схожу с ума. Вся моя жизнь разбита вдребезги, а у тебя один роман на уме. Знаешь, что еще ужаснее, дорогой...

Джессика так и кипела злобой, другие посетители начали обращать на нее внимание. Она ни от кого не держала секретов.

— Всю дорогу я ругала себя в который раз за то давление, которое я на тебя оказывала, за те гадости, которые говорила. Ты понимаешь, что к настоящему моменту я переиграла каждую самую незначительную сцену нашей прошлой жизни, все, что я когда-либо делала, все, что заставило тебя улечься в постель с таким дерьмом, как Маргарет Бертон? Я кляну себя с тех самых пор, как это произошло. Я даже не могу простить себя за поддержку твоей писательской карьеры, потому что считаю, что это нанесло вред твоему мужскому самолюбию. И пока я распинаю себя, знаешь, что ты делаешь? У тебя самый плодотворный период в творческой жизни. Ну как? Меня от тебя тошнит. Пока ты сидишь в этой колонии прославленных писателей, которую они называют тюрьмой, мое существование превратилось в сущий ад, а тебе, черт возьми, наплевать.

Даже пальцем не пошевелишь. И вот еще что, мне до смерти надоело это вонючее стекло — выделывать вокруг него крендели, чтобы увидеть тебя, а не свое собственное отражение. Меня тошнит от потных рук, потных ушей и заплывших мозгов, когда я разговариваю с тобой здесь по телефону... Мне до смерти надоела вся эта чертова кутерьма!

Джессика кричала так громко, что теперь за ними наблюдала вся комната, но ни Ян, ни она ничего не замечали. Раздражение копилось месяцами.

— А ты полагаешь, что я здесь ради удовольствия?

— Да, думаю, так. Колония для писателей-альфонсов.

— Совершенно верно, дорогая. Так оно и есть. И все, что я здесь делаю, — это пишу. Никогда не думаю о своей жене, о том, как я попал сюда, за что, об этой чертовой женщине и о суде. Послушай, если ты думаешь, что таково мое представление о жизни, можешь отправляться ко всем чертям. И еще тебе скажу. Если ты считаешь, что наш брак соответствует моему идеалу, то ты глубоко ошибаешься. Я полагал, что у нас семья. Думал, нас что-то объединяет. А оказывается, миссис Кларк, у нас ничего нет. Ничего. Ни детей, ни искренности, лишь две вшивых карьеры. Двое полусумасшедших. Последние шесть лет ты всеми силами пыталась не взрослеть, играя в калеку после смерти родителей. И не только это, но еще заставляла меня чувствовать вину бог знает за что, чтобы я был рядом по первому зову и держал тебя за руку. А я был настолько глуп, что, любя тебя, все терпел и хотел сделать карьеру писателя. Паршивый получился ансамбль, благодетельница ты моя. Вот. Мне нужна жена, а не банкирша или неуравновешенный ребенок. Может быть, поэтому я сейчас счастлив. Я пишу, а ты не содержишь меня. Каков холодный душ, а? Не ты платишь за угощение, и я ничего тебе не должен, за исключением того, что ты держала мою руку сколько душе угодно во время суда и была сногсшибательна. Но со временем я заплачу тебе и по этому счету. А если таким манером ты хочешь заставить меня страдать и чувствовать себя виноватым за то, что тебе плохо, что приходят счета, что развалилась моя машина, тогда иди ты к черту. Я ничем не могу помочь. Все, что в моих силах, — это наплевать на тебя, поблагодарить за твой визит и закончить мою растреклятую книгу. А если ты не получаешь удовольствия от созерцания моей физиономии, сделай одолжение, не приходи больше. Проживу и так.

Следя за его лицом, Джессика почувствовала слишком знакомую волну паники, сжавшую сердце. Они никогда не говорили друг другу таких вещей. А сейчас она не могла остановиться. Она по-прежнему ощущала, как в ней закипает желчь.

— Почему ты не хочешь, чтобы я приезжала, дорогой? Ты нашел себе здесь другую милашку? Да?

Ян остановился и посмотрел на нее, словно собираясь ударить прямо сквозь стекло, к большому восторгу примолкшей толпы по обе стороны барьера.

— Да? Или ты стал голубым?

— Меня от тебя тошнит.

— Ах да, я и забыла. Тебе не нравятся «преступные противоестественные преступления». Или я ошибаюсь?

Она казалась такой невыносимо милой с приподнятыми бровями, а сердце ее тяжело бухало в груди.

— Может быть, ты на самом деле изнасиловал ту женщину?

— Если бы нас не разделяла эта стеклянная стена, ты схлопотала бы по физиономии.

Он глыбой громоздился над ней по другую сторону стены, все еще держа в руках телефонную трубку, Джессика медленно встала, чтобы встретиться с ним взглядом. Она знала, что момент настал, и все же не могла поверить. Не могла остановиться.

— Схлопотала бы по физиономии?

Их голоса звучали тихо. Ян разговаривал с ней взвешенным тоном человека, у которого нет ничего впереди, а она вела себя, как гадюка, готовящаяся к финальному броску.

— Схлопотала бы по физиономии? — Джессика повторила эти слова с улыбкой. — Но почему сейчас, дорогой? У тебя не хватало раньше смелости? Не так ли?

Ян ответил ей шепотом, и ее сердце почти остановилось, когда их глаза встретились.

— Нет, Джесс. Нет. Но теперь мне нечего терять. Я уже потерял. Это все упрощает.

Ян улыбнулся странной улыбкой, от которой у нее застыла в жилах кровь, посмотрел на нее задумчиво, положил трубку и вышел. Он ни разу не оглянулся, и Джесси почувствовала, как от изумления у нее открылся рот. Что Ян сейчас сказал? Ей хотелось, чтобы он вернулся и она снова могла спросить его... что он имел в виду под... «это все упрощает»? Что... сукин сын... он бросил ее в беде, у него не было права, он не мог, он... а что сделала она? Что она сказала? Джесси в шоке опустилась на свое место, и ее сразу окутал гул голосов. Ян уже давно ушел через дальнюю дверь. Она была не права. У него хватило смелости. Он только что сделал то, чего она боялась больше всего на свете. Он бросил ее в трудную минуту.

Когда Джессика подъезжала к гаражу, передний бампер взятой напрокат машины поцарапал ограду перед домом. Она опустила голову на руль и почувствовала, что задыхается. Где-то в горле застрял комок, который никак не хотел освободить путь воздуху. Голова всей тяжестью надавила на клаксон, ощущение было такое, будто оторвало полголовы. Ей полегчало.

Она не уберет голову с руля. Джессика оставалась в таком положении, пока двое прохожих не подбежали к машине. Они постучали по стеклу, и она медленно повернула голову в одну сторону, посмотрела на них и истерически захохотала. Те вопросительно посмотрели друг на друга, открыли дверь машины и осторожно выпрямили ее на сиденье. Она переводила взгляд с одного на другого, не переставая смеяться, потом зашлась в рыданиях, которые перешли в длинный протяжный вой. Джессика медленно раскачивала головой, снова и снова повторяя одно слово: «Ян».

— Вы пьяны? — Прохожий чувствовал себя неловко. Увидев Джессику в таком положении, он было подумал, что ей плохо или она ранена. Но женщина либо пьяна, либо не в себе, либо наглоталась наркотиков. Это ему не пришло в голову. Его спутник пожал плечами и ухмыльнулся.

— Сестричка, да ты прибалдела? — Джессика не ответила. — Должно быть, вкатила приличную дозу.

— Ян.

— Кто это Ян? Твой дружок?

Еще одно слепое покачивание головой. Мужчины посмотрели друг на друга и закрыли дверь машины. По крайней мере она больше не сигналила на всю улицу, а женщина могла рыдать еще пару часов. Они ушли, младший — пораженный, старший — настроенный более скептически.

— Ты уверен, что она под воздействием наркотиков? Выглядит как сумасшедшая или вроде того.

— Да накололась до одури.

Младший засмеялся, хлопнул себя по животу и положил руку на плечо приятелю. В это время мимо проезжала Астрид и заметила, как они, довольные, шли от дома Джессики, смеясь и балагуря. Она остановилась, нахмурившись, в душу закралось нехорошее предчувствие. Мужчины не были похожи на полицейских, но... они заметили, что Астрид их разглядывает, и младший помахал рукой, тогда как другой улыбнулся. Она не могла понять, что происходит, а они тем временем уселись в красный седан и, похоже, никуда не торопились. В их движениях не было ничего вороватого или резкого, и тут Астрид заметила Джесси в ее взятой напрокат машине. Все было в порядке. Астрид посигналила. Но Джесси не повернула головы. Она посигналила еще раз, и двое мужчин в машине хрипло рассмеялись.

— И ты туда же. Женщина в той машине так набралась, что нам пришлось отдирать ее от руля, чтобы прекратить вой клаксона.

Они неопределенно махнули в сторону Джесси, завели машину и уехали. Астрид бросилась к подруге.

Плачущая Джесси по-прежнему сидела в автомобиле, повторяя лишь одно слово: «Ян». Астрид сомневалась, что она наглоталась какой-нибудь дряни. Может быть, приняла чуть-чуть. Наверное, произошло что-то ужасное.

— Джесси? — Она обняла ее. Джесси затихла на сиденье. — Привет, Джесси. Это я, Астрид.

Джессика посмотрела на нее и кивнула. Двое мужчин уже ушли.

Все ушли. Даже Ян.

— Ян, — произнесла она более отчетливо.

— Что Ян?

— Ян.

Астрид заботливо вытерла ей лицо носовым платком.

— Расскажи мне, что с ним.

У Астрид заколотилось сердце, она пыталась держать себя в руках и не спускать с Джессики глаз. Она считала, что причина не в передозировке таблеток. Скорее передозировка невзгод. Джесси дошла до предела.

— Что с Яном? Скажи мне. Он болен?

Джессика покачала головой. Слава Богу. Астрид в первую очередь подумала об этом, вспомнив статьи об ужасных тюремных нравах. Но Джессика движением показала, что все нормально.

— Что-то не так?

Джессика вздохнула и кивнула. Она опять перевела дух и прислонилась к спинке сиденья.

— У нас... у нас... произошла ссора.

Слова можно было разобрать с большим трудом, однако Астрид согласно кивнула.

— Из-за чего?

Джессика, смутившись, пожала плечами.

— Ян.

— Из-за чего вы поругались?

— Я... я не... знаю.

— Ты помнишь?

Джессика снова пожала плечами и закрыла глаза.

— Думаю... из-за всего... Мы оба... говорили... ужасные вещи. Кончено.

— Кончено что? — Но Астрид подумала, что знает.

— Все. Все кончено.

— Что все кончено, Джесси?

Голос Астрид был таким ласковым, что у Джесси с новой силой полились из глаз слезы.

— Наш брак... все кончено. — Она молча покачала головой и снова закрыла глаза. — Ян...

— Нет, Джесси. Отнесись к этому спокойно. Вам обоим нужно было выговориться. Вам выпало трудное время. Много потрясений. Это должно прорваться наружу.

Но Джессика покачала головой:

— Нет, все кончено. Я... я... была так безжалостна с ним. Я всегда... относилась безжалостно к нему. Я... — Но больше она не могла произнести ни слова.

— Давай войдем в дом, и ты приляжешь.

Джессика отрицательно покачала головой и не сдвинулась с места. Астрид старалась привлечь ее внимание.

— Джесси, послушай минутку. Я хочу взять тебя с собой. — Глаза Джесси в ужасе раскрылись. — В уютное местечко, там тебе понравится. Мы поедем вместе.

— В больницу?

Астрид не сдержала улыбку:

— Нет, глупышка. Думаю, тебе пойдет на пользу и...

Джессика упрямо замотала головой:

— Нет... Я...

— Что? Почему нет?

— Ян.

— Чепуха. Поедешь со мной и неплохо отдохнешь. Ты уже достаточно пережила. Хороший отдых тебе просто необходим. Разве не так?

Джессика молча кивнула с закрытыми глазами.

— Джесси, ты принимала сегодня таблетки?

Она начала было отрицательно качать головой, потом замерла и пожала плечами.

— Сколько? Скажи мне?

— Не знаю... я не уверена.

— Ну примерно. Две? Четыре? Шесть? Десять?

— Восемь... не знаю... может... девять.

Господи!

— Они у тебя в сумочке?

Джессика кивнула.

Астрид осторожно взяла ее сумочку с сиденья.

— Я забираю их, Джесси. Ты не возражаешь?

Джессика впервые улыбнулась и тяжело вздохнула:

— Разве у меня... есть выбор?

Женщины засмеялись, одна — одурманенная таблетками, другая — нервно. Джессика позволила подруге привести ее в дом. Очутившись в гостиной, она, обессиленная, опустилась в кресло и замерла, прислушиваясь к звукам, производимым Астрид в спальне и в ванной. Все будет хорошо, надо уехать подальше от всего этого, от Яна за стеклянной перегородкой. Джессика знала, что никогда не увидит его там опять. С остальным она разберется позже, но в этом она была уверена наверняка. Она тяжело вздохнула и задремала в кресле, пока Астрид не разбудила ее и не проводила к «ягуару».

Чемоданы ее были упакованы, дом заперт, и Джесси вновь ощутила себя маленьким ребенком, о котором заботятся и которого любят без памяти.

— А что с машиной?

— Взятой напрокат?

Автомобиль косо приткнулся в подъездной аллее. Джессика кивнула.

— Я распоряжусь о том, чтобы ее позже забрали. Не беспокойся.

Джессика и не беспокоилась. Это было одним из удобств, которое можно купить за деньги. Неизвестные люди заберут ее позже.

— Я также позвонила девочкам в магазин и сказала, что ты уезжаешь со мной. Завтра ты сама сможешь с ними поговорить.

— Кто будет... кто будет... ну, знаешь... управлять бутиком? — Мысли путались у нее в голове.

Астрид улыбнулась и ласково потрепала ее по щеке:

— Я. С нетерпением жду этого. Какой поворот судьбы: отпуск для тебя и работа для меня.

Джессика улыбнулась и стала больше похожа на саму себя.

— А товары на осень?

Астрид в изумлении изогнула бровь, заводя машину.

— Ты должна прийти в себя. Я пошлю Катсуко с твоей доверенностью. О финансовой стороне позабочусь сама, а ты сможешь расплатиться со мной позже.

Джессика покачала головой и посмотрела на подругу. Короткий сон привел ее в чувство.

— Я не смогу расплатиться с тобой позже, Астрид. «Леди Джей» едва держится на плаву. Вот почему никто еще не улетел в Нью-Йорк.

— А примет ли «Леди Джей» от меня заем?

Джессика улыбнулась:

— Не знаю, но ее мама могла бы. Ты позволишь мне обдумать твое предложение?

— Конечно. После того, как Катсуко вернется назад. И вот еще что. Тебе не позволено принимать никаких решений следующие две недели. Никаких. Даже касающихся завтрака. Это часть основных правил поведения в твоем коротком отпуске. Я ссужу деньги на осенний ассортимент товаров, детали обсудим позднее. В любом случае мне надо списать кое-что со счетов на налоги.

— Я... но...

— Замолчи.

— Знаешь что? — Джессика смотрела на нее усталыми опухшими глазами, улыбаясь уголками рта. — Возможно, я и пойду на это. Мне нужны товары на осень, либо магазин прекратит свое существование. Катсуко обрадовалась?

— А как ты думаешь?

Обе женщины опять улыбнулись, и Астрид затормозила у своего дома.

— Заглянешь ко мне? — Джессика кивнула и медленно пошла в дом за Астрид. — Мне нужно захватить пару вещей. Меня не будет только сегодня вечером. С завтрашнего дня я хочу приступить к работе. — При этих словах она просияла.

Пятнадцать минут спустя они уже ехали к скоростной автомагистрали. Джесси по-прежнему не могла избавиться от ощущения, что ее жизнь напоролась на мину, а сейчас все менялось слишком быстро.

Она закрыла глаза, Астрид подумала, что подруга заснула. Но Джесси была начеку. Даже слишком. Сна ни в одном глазу, не то что прежде. Организм требовал таблетку, Астрид же спустила их в унитаз. Все. Красные, синие, желтые, черные с зеленым. Ничего не осталось. В голове Джесси, как удары кувалды, раздавались слова Яна... Почему они были так жестоки друг к другу? Зачем этот яд, ненависть и гнев? Этого Джессика не могла понять. Может быть, они всегда так ненавидели друг друга. Возможно, и лучшее время вдвоем тоже ложь. Так трудно во всем разобраться. Да и поздно. Поиск ответов напоминал розыски любимого бабушкиного наперстка на пепелище после того, как дом сгорел дотла. Ян и она развели огонь под их семейными отношениями и с противоположных сторон стеклянной стены наблюдали за тем, как они сгорают, раздувая пламя и отказываясь уйти с того места, пока не рухнет последняя балка.

Глава 25

Астрид дотронулась до плеча, и Джессика проснулась, напуганная, не понимая, где она очутилась. Действие таблеток прошло, и в голове стоял легкий звон.

— Успокойся, Джесси. Ты на ранчо. Почти полночь, все отлично.

Джессика потянулась и посмотрела по сторонам. Темно, над головой светили звезды. В воздухе приятный аромат, слышалось ржание лошадей где-то неподалеку. А справа от нее находился большой каменный дом с ярко-желтыми ставнями. Дом был ярко освещен, входная дверь — открыта.

Астрид на минутку проскользнула внутрь, чтобы перекинуться парой слов с матерью, прежде чем будить Джесси. Пожилая дама не удивилась позднему приезду дочери. Такое и прежде случалось.

— Пошли, соня, мама приготовила горячий шоколад и сандвичи. Не знаю, как ты, а я умираю с голоду.

Астрид стояла рядом с открытой машиной, а Джессика с унылой улыбкой расчесывала волосы.

— Как она насчет таблеток?

— Никак. — Астрид изучающе посмотрела на Джесси. — Это плохо?

Джессика кивнула, потом пожала плечами:

— Переживу. Горячий шоколад, да? Как он в сравнении с секоналом?

Астрид состроила гримасу и вынула из багажника свой плоский чемодан.

— Я прошла через это после смерти Тома. Когда я приехала на ранчо, мама выбросила всю химию. Все таблетки. А ведь я была менее добродушно настроена, чем ты сегодня.

— Я слишком накачалась, чтобы как-то реагировать. Тебе повезло. Дай понесу. — Джесси взялась за ручку чемодана, Астрид отпустила. — Ян всегда говорит, что такая амазонка, как я... — Она замолкла.

Астрид наблюдала за подругой, медленно идущей к дому со склоненной головой. Она была рада, что привезла ее, и сожалела, что не сделала этого раньше. Астрид интересовало, насколько серьезной была размолвка с Яном. По всему было видно, что ссора произошла нешуточная.

Обувь шуршала на гравийной дорожке, ведущей к дому, повсюду пахло свежей травой и цветами. Джесси заметила, что это место выглядело приветливо даже ночью. Повсюду росло множество самых разнообразных цветов, особенно у дверей. Она улыбнулась, проходя мимо них и поднимаясь по ступенькам.

— Осторожно голову! — Астрид выкрикнула предостережение, когда Джессика чуть не стукнулась макушкой о притолоку, обе женщины вошли почти одновременно.

В глаза бросилось ярко-красное пианино, высокое зеркало, несколько бронзовых пепельниц и целая стена, завешанная экзотическими головными уборами. Далее на сосновом полу с цветными домоткаными коврами расположились удобные кушетки и кресло-качалка у камина. Странное сочетание модерна и восхитительного викторианского стиля вызывало восторг. Домашние растения, первые издания некоторых книг и красивый современный диван, покрытый тканью бледно-зеленого цвета, старинные занавески с кружевами и большая изразцовая печь. Комната оставляла впечатление тепла и счастья.

— Добрый вечер.

Джесси обернулась на звук голоса и увидела миниатюрную женщину в дверях кухни. Такие же пепельные волосы, как и у дочери, те же васильковые глаза, в которых сверкали искорки смеха. Простые слова приветствия прозвучали так, будто они доставляли ей удовольствие. Она не спеша подошла к Джессике и протянула руку:

— Очень рада видеть вас здесь. Надеюсь, Астрид предупредила вас, что я — ворчливая старуха, а жить здесь — скука смертная. Но я в восторге от вашего приезда.

Свет в ее глазах плясал, как огоньки пламени.

— Ни о чем таком я ее не предупреждала. Я на все лады расхваливала наше ранчо. Так что, мама, веди себя подобающе.

— Какой ужас. Теперь мне придется убрать все мои порнографические книжки и отменить вечер танцев с мальчиками, да? Как печально.

Она хлопнула в ладоши, словно глубоко опечаленная этим фактом, и засмеялась. Потом пригласила устроиться на диване у камина. Обещанный горячий шоколад ждал в расписанных цветами чашках из лиможского фарфора.

— Потрясающе. Новые? — поинтересовалась Астрид.

— Нет, дорогая. Очень старые: полагаю, 1880 года.

Мать и дочь обменялись взглядами. Легко можно было догадаться, что они большие друзья. Наблюдая за ними, Джессика почувствовала легкий укол зависти.

— Я спрашиваю, у тебя они недавно? — Астрид отхлебнула какао.

— Ах вот оно что! Да, по правде сказать, недавно.

— Негодная, ты знала, что я их замечу, и решила выставить напоказ, чтобы произвести впечатление.

Комплимент пришелся матери Астрид по душе, и она засмеялась.

— Совершенно верно! Красивые, не правда ли?

— Очень. — Глаза двух женщин светились счастьем.

Джессика улыбнулась, приняв участие в обмене любезностями. Она была поражена моложавостью матери Астрид и ее элегантностью. На ней были свободные габардиновые брюки и прелестная синяя шелковая блузка, которая прекрасно гармонировала с ее голубыми глазами. К ним она добавила нитку жемчуга и изящные кольца, одно с довольно большим бриллиантом. Она напоминала больше состоятельную жительницу Нью-Йорка или Коннектикута, чем владелицу удаленного ранчо.

— Ты вовремя приехала, Джессика. Все цветет, и кругом такая красота. Зелень — мягкая и пушистая. Я купила ранчо весной, вероятно, поэтому и поддалась уговорам. Земля так соблазнительна в это время.

Джессика засмеялась.

— Я и не предполагала, что окажусь у вас, миссис Уильямс. Вы очень добры, что позволили мне погостить здесь, совершенно меня не зная.

— Никаких проблем.

Миссис Уильямс улыбнулась, но ее глаза разобрались во всем. Она заметила, что Джессика ничего не ест, а только потягивает горячий шоколад и курит уже вторую сигарету. Похоже, что у Джессики те же проблемы, что были и у Астрид после смерти Тома. Таблетки.

— Будь как дома, моя дорогая, и живи у меня, пока не надоест.

— Я ведь могу остаться навсегда.

— Конечно, нет. Через неделю ты здесь заскучаешь.

Глаза пожилой женщины снова вспыхнули, и Астрид засмеялась.

— Тебе-то не надоело, мама.

— Но я езжу в Париж, Нью-Йорк или Лос-Анджелес или навещаю тебя в твоем мрачном мавзолее...

— Мама!

— Так оно и есть, и ты знаешь это. Очень симпатичный мавзолей, и тем не менее... ты знаешь мое мнение. Еще в прошлом году я посоветовала тебе его продать и купить новый дом — поменьше, не такой помпезный и более жизнерадостный. Я недостаточно стара, чтобы жить там. Я объясняла это в свое время Тому. Не могу понять, почему нельзя сказать этого и тебе сейчас.

— У Джессики такой дом, от которого ты будешь в восторге.

— О? Хижина на Таити, не иначе.

Все трое засмеялись, и Джесси сделала попытку съесть сандвич. Ее желудок выделывал сальто, но она надеялась, что если ей удастся проглотить что-нибудь, то у нее перестанут дрожать руки.

— Она живет в том замечательном черно-белом домике через квартал от нас. С цветами у входа.

— Я помню. Хороший, но не маловат ли?

— Вы правы. — Джессика произнесла это, пробуя сандвич с сыром, ветчиной, свежим кресс-салатом и ломтиками помидора не толще бумаги.

— Не выношу город. Если не считать визитов. Хорошо вернуться домой после недолгого отсутствия. Симфонии мне скучны, люди одеваются безвкусно, рестораны так себе, транспорт удручает. Здесь я по утрам езжу верхом, гуляю в лесу, и каждый день жизни кажется приключением. Я слишком стара для города. Ты ездишь верхом?

У миссис Уильямс был такой темперамент, что ей нельзя было дать больше пятидесяти пяти. Джессика знала, что в действительности ей исполнилось семьдесят два.

— Я не ездила верхом много лет, но хотела бы.

— Тогда можешь попробовать. Делай что хочешь. В семь я приготовлю завтрак, тебе не обязательно вставать. Обед в любое время, а ужин в восемь. Я не люблю деревенский распорядок и не признаю ранних ужинов. Раньше мне и не захочется. И кстати, моя дочь представила меня как миссис Уильямс, но меня зовут Бетани. Мне больше нравится, когда обращаются по имени.

Она была язвительна, но голубые глаза смотрели так ласково, и губы всегда были готовы к улыбке.

— Отличное имя.

— Да. А теперь, леди, спокойной ночи. Утром я хочу поездить верхом. — Она ласково улыбнулась своей гостье, поцеловала дочь в лоб и скоро удалилась по лестнице наверх, в свою спальню, заверив Джессику, что Астрид позволит ей самой выбрать себе комнату.

К приему гостей были готовы три комнаты. Астрид объяснила, что Бетани часто навещали. Редко когда на ранчо не было гостей. Друзья из Европы включали его в список достопримечательностей, другие прилетали из Нью-Йорка и брали напрокат машины, чтобы навестить Бетани, кроме того, у нее были друзья в Лос-Анджелесе. Ну и, конечно, Астрид.

— Астрид, какое сказочное место. — Джесси находилась под впечатлением от всего увиденного. — Твоя мама — замечательная женщина.

Астрид улыбнулась, польщенная.

— Полагаю, Том женился на мне, чтобы хоть изредка общаться с ней. Он обожал ее, а она — его. — Астрид опять улыбнулась, обрадованная выражением лица Джессики.

— Я понимаю, почему он ее любил. Ян тоже не остался бы равнодушен к ней. — Голос у Джессики дрогнул, и она, похоже, погрузилась в свои мечты. Это продолжалось лишь мгновение, потом ее внимание вновь переключилось на Астрид.

— Джесси, думаю, тебе пойдет на пользу жизнь на ранчо.

Джессика медленно кивнула.

— Мне уже лучше. Правда, я немного не в себе...

Она протянула руку, чтобы продемонстрировать дрожащие пальцы, и застенчиво улыбнулась.

— Но все равно лучше. Какое счастье вырваться из своего дома. Я — взрослая женщина. Не знаю, почему на меня он так давит, просто ужасно. Сгорел бы он, пока меня нет.

— Не говори так.

— Однако я так думаю. Я ненавижу свой дом так же сильно, как когда-то любила его. И рабочий кабинет — напоминание о моих худших ошибках.

— Ты правда считаешь, что ошибалась, Джесси?

Джессика уверенно кивнула.

— Без посторонней помощи?

— Почти.

— Думаю, ты поймешь, как все это абсурдно.

— Знаешь, что больнее всего? То, что я считала наш брак удачным. Самым лучшим. А теперь... все по-другому. Ян проглотил обиду, я делала все по-своему. Он обманул меня и не признался. А я подозревала, но гнала от себя эти мысли. Все так запутано. Мне нужно время, чтобы разобраться в себе и в нашей жизни.

— Можешь оставаться здесь, сколько захочешь. Маме ты никогда не надоешь.

— Возможно, но я не могу злоупотреблять ее гостеприимством. Думаю, если пробуду на ранчо неделю, то можно считать, что мне крупно повезло.

Астрид только улыбнулась. Все, кто приезжал сюда, говорили то же самое, а гостили значительно дольше. Бетани не возражала, пока они не лезли в ее дела. У нее был свой распорядок дня, свои друзья, ее сад, книги, ее проекты. Ей нравилось все делать по-своему, и она не навязывала своего образа жизни другим, что составляло неотъемлемую часть ее обаяния и было ключом к ее успеху в качестве хозяйки дома. Она отличалась независимостью и относилась с уважением к уединению других, включая и свое собственное.

Астрид показала Джесси комнаты, и она выбрала маленькую, уютную розовую комнатку со старомодным стеганым одеялом и медными горшками, висящими над камином. Потолок был высоким и скошенным — достаточно высоким, чтобы не стукаться головой, когда она будет выбираться из кровати. Здесь же эркер и кресло-качалка у камина. Джессика перевела дух и села на кровать.

— Знаешь, Астрид, может, я никогда не вернусь домой, — произнесла она зевая.

— Спокойной ночи, киска. Поспи. Увидимся за завтраком.

Джесси помахала, когда Астрид закрывала дверь, и сказала последнее сонное «спасибо».

Утром ей нужно будет написать Яну, рассказать, куда она попала. Рассказать ему что-то. Но об этом она подумает завтра. На мгновение Джессика оказалась за миллион миль от своих проблем. Бутик, Ян, счета, невыносимая стеклянная стена в Вакавилле. Реальность потускнела. Она — дома. Джессика улыбнулась при этой мысли. Она зажгла ночник и подложила дров в камин, потом надела ночную рубашку. Десять минут спустя она крепко спала. В первый раз за четыре месяца без всяких таблеток.

Вскоре после того как Джесси закрыла глаза, раздался стук в дверь. Но когда она открыла их, в просветы между шторами пробивались яркие лучи, а толстый кот сонно зевал в столбе солнечного света на ее кровати. Часы показывали десять пятнадцать.

— Джесси? Ты встала? — Астрид просунула голову в дверь. В руках у нее был большой белый плетеный поднос, заваленный разными вкусностями.

— О нет! Завтрак в постели! Астрид, ты навсегда меня испортишь! — Женщины засмеялись. Джесси села в кровати, ее светлые волосы водопадом рассыпались по плечам. Она была похожа на молоденькую девушку, сон удивительно хорошо освежил ее.

— Мадам, сегодня утром у вас цветущий вид.

— И зверский аппетит. Я спала мертвым сном. Здорово.

Перед ней оказались вафли, бекон, яичница из двух яиц и пышущий паром кофейник, все сервированное в изящном фарфоре. В углу подноса стояла ваза с одной чайной розой.

— Я чувствую себя именинницей.

— И я! Не могу дождаться, когда попаду в магазин!

Астрид захихикала и упала в кресло-качалку, пока Джесси управлялась с завтраком.

— Надо было дать тебе поспать подольше, но я хотела вернуться в город. А мама решила, что в первый день тебе нужно подать завтрак в постель.

— Я смущена. Но не настолько, чтобы все это съесть. — Джессика весело фыркнула и принялась за вафли. — Я умираю с голоду.

— Ничего удивительного. Ты, наверное, не обедала.

— Какие у твоей мамы планы?

— Бог знает. В восемь она отправилась кататься на лошади, вернулась, чтобы перевести дух, и уехала опять несколько минут назад. У нее своя жизнь, неловко задавать вопросы.

Джессика улыбнулась и выпрямилась в кровати.

— Знаешь, мне следовало бы чувствовать себя виноватой, сидя здесь и зная, что Ян в тюрьме, но впервые за пять месяцев я не испытываю никакой вины. Мне просто хорошо. По правде говоря, замечательно.

И легко на душе. Какое облегчение ничего не делать. Не нужно идти в магазин, не нужно ехать на свидание с Яном, думать о счетах, отвечать на телефонные звонки. Она была в ином мире. Свободна.

— Я на седьмом небе. — Джессика улыбнулась, потянулась и зевнула, отведав роскошного завтрака, а солнечные лучи играли на ее кровати.

— Тогда просто наслаждайся жизнью. Тебе полезно. Я хотела привезти тебя сюда на Рождество. Помнишь?

Джессика с сожалением кивнула, вспомнив, что она сделала вместо того. Она провела Рождество с горстью таблеток.

— Если бы я только знала. — Она погладила кота, и он полизал ее пальцы.

Астрид сидела в кресле-качалке, медленно раскачиваясь и наблюдая за подругой. После одной ночи хорошего сна она уже выглядела лучше. Но ей еще многое предстояло решить. Астрид понимала, что у Джесси впереди тяжелые времена.

— Почему бы тебе не остаться на пару дней, Астрид?

— И пропустить возможность поработать в твоем магазине? Ты спятила. Тебе не удержать меня здесь, даже привязав к воротам. Это будет самое большое развлечение в моей жизни за последние годы!

— Астрид, ты — сумасшедшая, но я люблю тебя. Если бы не ты, не сидеть бы мне здесь в роскоши. Так что отправляйся-ка в «Леди Джей». Бутик в твоем полном распоряжении!

— Ты хочешь мне его продать?

Что-то в голосе Астрид заставило Джесси поднять голову.

— Ты серьезно?

— Абсолютно. Можем быть компаньонами, если ты не хочешь с ним расстаться совсем. Но я уже все хорошо обдумала. Просто не знала, как тебе это преподнести.

— Наверное, так, как ты только что сделала. Но я никогда не задумывалась об этом. А ведь неплохая идея. Дай мне время поразмыслить. Посмотрим, как понравится тебе бутик, когда меня там не будет. Может быть, ты его возненавидишь к следующему уик-энду.

Но по ее голосу Астрид с уверенностью могла сказать, что Джессика не мыслила себя без «Леди Джей». В нем слышалась гордость полноправной владелицы «Леди Джей». Магазин принадлежал ей, не важно, в каком настроении она была в данный момент.

— Кстати, ты говорила серьезно о том, чтобы послать Катсуко в Нью-Йорк? — Джесси все еще была ошеломлена тем, что произошло за последние двадцать четыре часа.

— Да. Я распорядилась, чтобы она была готова к завтрашнему дню. Так ты сможешь дать ей необходимые инструкции. С финансами разберемся позднее. Так что не добавляй это к вороху своих проблем. А как насчет осеннего ассортимента? Какие-нибудь идеи, приказы, пожелания, что угодно?

— Я полностью полагаюсь на ее компетентность. Она лучше меня может подобрать коллекцию, к тому же Катсуко достаточно долго занималась розничной торговлей и знает что к чему. После прошедшего сезона я не уверена, что мне по силам хоть что-то купить.

— У каждого должен быть отпуск.

— Да. Хоть на время. — Джесси улыбнулась, и Астрид ласково посмотрела на нее.

— Ну, мне пора. Впереди длинная поездка. Какие-нибудь послания?

— Да. Одно. — Джессика ухмыльнулась, потом откинула голову назад и рассмеялась. — До свидания.

— Пока. Отдыхай тут. Это местечко однажды уже привело меня в норму.

— Ты так добра ко мне. — Джесси лениво выбралась из постели, опять потянулась и обняла Астрид на прощание. — Следи за дорогой и передай девочкам привет.

Она наблюдала за отъездом Астрид и помахала ей из окна спальни. Если не считать расхаживающего по подоконнику кота, Джесси осталась в доме одна. Снаружи раздавались обычные для сельской местности звуки, а вокруг нее поселилась вызы-

вающая восторг тишина в просторном, залитом солнцем доме.
Она спустилась босиком вниз по лестнице, заглядывая в комнаты, открывая книги, делая пируэты то там, то тут, рассматривая картины и гоняясь за котом. Она была свободна!
Свободна! В первый раз за долгие годы свободна. От забот,
от ответственности и страхов. Накануне она едва не оказалась
на самом дне. Последняя опора рассыпающегося в прах предприятия рухнула, и вот оно, ревя, летит в пропасть... а она
уцелела. Астрид помогла ей и увела от края пропасти.

Но самое замечательное заключалось в том, что она не
сломалась. Всю свою жизнь Джессика будет помнить те минуты, когда два незнакомца убрали ее голову с рулевого колеса,
в то время как она давила на сигнал. Тогда она решила позволить себе сойти с ума, соскользнуть в забытье, чтобы никогда
не возвращаться к гадкой, злой земле живых. Но Джессика не
лишилась рассудка. Она сделала себе больно. Больнее, чем
когда-либо в своей жизни. И вот она здесь, в сельской глуши,
босая, бродит по восхитительному дому в ночной рубашке и
улыбается.

И ей не нужен Ян. Без него крыша не обрушилась. Для
Джесси это была новая мысль, и она пока не знала, что с ней
делать. Но она все изменила.

Глава 26

В конце первого дня своего пребывания на ранчо Джессика решила сесть и написать Яну письмо. Ей хотелось, чтобы он знал, где она. Трудно объяснить ему, почему она так неожиданно оказалась здесь. Накануне у нее сдали нервы, но теперь надо спокойно изложить все на бумаге.

Слова не шли на ум. Что можно написать? Я люблю и ненавижу тебя одновременно... я всегда боялась потерять тебя, однако теперь я не уверена... потерять... Джессика ухмыльнулась при этой мысли, но потом снова стала серьезной. С чего начать? Слишком много вопросов. Неожиданно ей стало любопытно, сколько женщин у него было. И почему. Потому, что она не отвечала его запросам, или Ян хотел ей что-то доказать, или же... почему? Любила ли она мужа? Или только нуждалась в нем? Был ли ей нужен именно он или кто-то вообще? Как уместить семь лет вопросов в полстраницы письма... Ты уважаешь меня? Почему? Правда? Джессика не была уверена, любила ли она Яна или уважала, да и кого — его или себя.

Ей хотелось просто рассказать мужу о ранчо и миссис Уильямс, но в итоге у нее ушло два часа, чтобы сочинить ему письмо. Длиной в одну страницу. Она написала, что вчерашний день показал, как ей необходим отдых. Астрид привезла ее на ранчо своей матери.

«Это именно то место, где я наконец-то могу расслабиться, прийти в себя, снова задышать и стать собой. Ян, я устала постоянно чего-то бояться. Мои нескончаемые страхи, должно быть, тяготят тебя. Но я взрослею. Ты прав: продолжай работать над книгой, извини за вчерашнее. Всю жизнь я буду сожалеть о том, что мы вынесли свалившееся на нас несчастье с таким достоинством и самообладанием. Наверное, если бы мы вместо этого кричали, вопили, скандалили и рвали на себе волосы в зале суда, то сейчас были бы в лучшей форме. Рано или поздно это должно было прорваться наружу. Именно этим я сейчас и занимаюсь. Правильно? Пока, дорогой. Я люблю тебя. Джесси».

Она долго колебалась, держа письмо в руках, затем аккуратно сложила его и засунула в конверт. О многом Джессика умолчала. Пока обратного адреса она умышленно не указала, предоставив Яну догадываться о причинах его отсутствия.

Джессика и миссис Уильямс сидели после обеда в гостиной.

— Моя дорогая, ты и понятия не имеешь, сколько радости принес твой бутик Астрид. Дочери нужно чем-то занять себя. В последнее время она развлекалась тем, что тратила деньги на бессмысленные побрякушки, не получая от этого никакого удовольствия, а лишь заполняя пустоту. Работа в бутике наполнила ее жизнь смыслом.

— Собственно говоря, я и познакомилась с ней благодаря магазину. Однажды она зашла в «Леди Джей», и мы понравились друг другу. Астрид была так добра ко мне. Надеюсь, управление бутиком внесет разнообразие в ее жизнь, а я отдохну от него.

— Астрид вскользь упомянула о том, что ты пережила трудное время. — Джесси кивнула, подавленная. — В конце концов все уладится. Но какой неприятной может быть жизнь, пока взрослеешь! — Она засмеялась, пригубив кампари, и Джесси улыбнулась. — У меня всегда была особая нелюбовь к ситуациям, формирующим характер. Но впоследствии оказалось, что они стоили того.

— Сомневаюсь, что положение, в котором я оказалась, стоящее. Полагаю, оно приведет к концу моего брака.

В глазах Джессики появилась печаль, но она считала, что сделала свой выбор. Она просто не желала себе раньше в этом признаться.

— Что ты хочешь сейчас, детка? Развестись? — Миссис Уильямс тихо сидела у камина, внимательно наблюдая за Джессикой.

— Мне нравится быть замужем. Но, думаю, мы с Яном только вредим друг другу, и дальше было бы хуже. Но теперь все по-другому. Жаль, что мы не сделали это раньше.

— Полагаю, в таком случае ты должна взять все дело в свои руки. Что думает твой муж?

Джесси на минуту замолчала.

— Я не знаю. Он... сейчас он в тюрьме.

Джессика не могла представить себе никого другого, кому бы она могла признаться в этом. Она не подозревала, что Астрид уже рассказала о ней своей матери. Бетани спокойно восприняла слова Джессики.

— Нам приходилось встречаться в таких невыносимых условиях, трудно было даже разговаривать. Я все время старалась показать себя храброй и благородной, скрывала свои переживания.

— Ты много пережила? — Миссис Уильямс ласково улыбнулась, но Джесси, кивнув, осталась серьезной. — Тебе, должно быть, очень тяжело, Джессика. Ты, вероятно, винишь себя за то, что оставила мужа в трудной ситуации.

— Наверное, вот почему я не позволяла себе думать. До определенного момента. Потому что я не смела предать его, даже мысленно. К тому же мне нравилось считать себя благородной и многострадальной. Мне казалось, что если я уйду, то никогда не найду пути назад.

— Однако все находят. Мы крепче, чем о себе думаем.

— Наверное, сейчас я начинаю разбираться в своих чувствах. Правда, на это ушло до противного много времени. А вчера между мной и Яном на глазах у всех произошла ссора, потом я махнула на себя рукой. Похоже, мне хотелось сломаться. И...

Она подняла руки ладонями вверх и философски пожала плечами.

— Вот я здесь. По-прежнему целехонькая.

— Это удивляет тебя?

— И не выразить словами.

— А раньше у тебя случались кризисы?

— Да. Когда умерли мои родители. А брата убили во Вьетнаме. Но... у меня был Ян. Он принимал все на себя, успевая и тут и там — везде.

— Тяжелая ноша для кого угодно.

— Слишком. Вот почему он и сидит в тюрьме.

— Понимаю. А ты винишь себя?

— В чем-то.

— Джессика, а почему бы не дать Яну право на собственные ошибки? Что бы ни привело его в тюрьму — не важно, как сильно это связано с тобой, — разве он не имеет права ошибаться?

Джессика нервно засмеялась.

— Я сделала его несчастным. Оказывала на него громадное давление, платила по счетам, унижала его мужское самолюбие...

— И все делала ради него? — Миссис Уильямс улыбнулась, и Джессика не смогла удержаться от улыбки. — Ты не предполагала, что он мог отказаться?

— Наверное, не мог. Возможно, и боялся.

— Тогда это не твоя вина. Почему ты столько взваливаешь на себя? Тебе это доставляет удовольствие?

Джессика покачала головой и посмотрела в сторону.

— Нет. Дело в том, что Ян не совершал преступления. Я знаю. Почему он изменил мне? Я не могу освободить себя от ответственности.

— А ты можешь простить ту женщину?

— Конечно, я... — И тут Джессика подняла глаза как громом пораженная. Она простила Маргарет Бертон. Где-то в своем сердце она ее простила. Война с Маргарет Бертон закончилась. С ее души упал еще один камень. — Я никогда не думала об этом, особенно в последнее время.

— Понимаю. Кстати, мне интересно узнать, как ты унизила его мужское самолюбие.

— Я содержала его.

— Твой муж не работал? — В голосе Бетани не было осуждения, только вопрос.

— Он много работал. Ян — писатель.

— Публиковался?

— Да. Роман, сборник рассказов, несколько статей, стихотворения.

— Они имеют какую-нибудь ценность?

— Да. Правда, он не добился коммерческого успеха. Пока. Но добьется.

Гордость, прозвучавшая в ее голосе, удивила саму Джессику, но не Бетани.

— Тогда с твоей стороны нехорошо поддерживать его. — Бетани улыбнулась, отхлебнув кампари.

— Нет, я... дело в том, я думаю, он ненавидит меня за то, что я содержала его.

— Возможно. Но возможно также то, что он любит тебя за это. Джессика, как ты знаешь, существуют две стороны медали. Уверена, он тоже это знает. Но я пока никак не пойму, почему ты хочешь поставить точку в вашем браке.

— Этого я не говорила. Я просто сказала, что наш брак трещит по швам.

— Сам по себе? Без чьей-либо помощи? Дорогая моя, как необычно! — Женщины рассмеялись, Бетани замолчала. Она обладала талантом задавать вопросы. Астрид знала, что так и будет, поэтому умышленно не предупредила Джессику. Бетани заставляла людей думать.

После долгой паузы Джессика подняла голову и посмотрела прямо в глаза Бетани.

— Думаю, брак уже рассыпался. Сам по себе. Мы лишь позволили ему умереть. Ни у одного из нас не оказалось достаточно смелости, чтобы уничтожить наш супружеский союз. Мы использовали его для своих собственных нужд, а потом позволили ему отдать Богу душу. Словно читательский билет библиотеки города, в котором больше не живешь.

— Это была хорошая библиотека?

— Отличная. В свое время.

— Тогда не выбрасывай билет. У тебя может появиться желание вернуться назад, и тебе его продлят.

— Скорее всего не появится.

— Он делает тебя несчастной, да?

— Хуже. Я разрушаю его.

— Перестань, детка, ради Бога. Скучно, когда все время играешь в благородство. Прекрати думать о нем, лучше подумай о себе. Уверена, именно так он и поступает. По крайней мере надеюсь на это.

— А что, если я гнусно вела себя по отношению к нему, что, если я ненавижу свою нынешнюю жизнь вдали от него?

Теперь они добрались до самой сути проблемы.

— А вдруг я только использовала Яна? Я даже не уверена, люблю ли его? Может, мне просто был нужен кто-то, не обязательно он.

— В таком случае тебе есть о чем подумать. Ты встречалась с другими мужчинами за время его отсутствия?

— Нет, конечно.

— А почему бы не попробовать? — Джессика, казалось, была потрясена, Бетани засмеялась. — Не смотри так на меня, моя дорогая. Я хоть и старуха, но пока еще в здравом рассудке. Я посоветовала Астрид то же самое. Не знаю, но что-то не в порядке с вашим поколением. Кругом только и говорят об эмансипации, а все вы так чертовски правильны и порядочны. Может быть, тебе нужно лишь одно — чтобы тебя любили. И не обязательно выходить на угол в поисках хорошего друга.

— Думаю, я останусь с Яном.

— Тогда, быть может, лучше не видеться с ним некоторое время и подумать о том, чего же ты хочешь. Вероятно, он — часть твоего прошлого. Главное — не тратить попусту свое настоящее. Я никогда так не поступала, вот почему у меня счастливая старость.

— Вы совсем не похожи на старуху.

В ответ на комплимент Бетани состроила гримасу.

— Лесть не поможет! Каждый раз, когда я смотрюсь в зеркало, я вижу в нем старую женщину. Однако должна заметить, что я получала удовольствие на пути к старости. Я говорю не о вседозволенности. Этим я не грешила. Просто я не запирала себя в чулане, чтобы потом с удивлением обнаружить, что я ненавидела кого-то за то, что хотела бы сделать сама. Именно этим ты сейчас и занимаешься. Ты наказываешь своего мужа за что-то, что он не в силах изменить, а по мне, так он достаточно наказан, да еще несправедливо. Можешь ты принять случившееся или нет — вот о чем тебе нужно подумать. Если да, тогда все уляжется. Но если ты собираешься до конца своей жизни получать от него возмещение убытков, тогда тебе лучше отказаться сейчас. Ты только заставишь его страдать. Любой мужчина воспротивится этому, и ответная реакция будет довольно неприятной.

— Уже была. — Задумчиво смотря в огонь, Джессика мысленно вернулась к ссоре в Вакавилле.

— Ни один мужчина долго не вынесет такого. Как и ни одна женщина. Кому хочется вечно чувствовать себя виноватым? Делаешь ошибки, извиняешься, платишь за них, вот и все. Ты не можешь требовать от него платы постоянно. Закончится тем, что он возненавидит тебя за это, Джессика. Очевидно, ты не просто заставляешь его страдать за настоящее. Возможно, ты используешь это как возможность получить старый должок. Я могу и ошибаться, но все мы время от времени ошибаемся.

Джессика горестно кивнула. Именно так она и делала. Заставляла его расплачиваться за прошлое — и за его слабости, и за свои собственные. За ее страхи и неуверенность. Она обдумывала это, когда голос Бетани ласково вторгся в ее мысли.

— Может быть, ты посоветуешь мне не совать нос в чужие дела.

Джессика улыбнулась и выпрямилась в кресле.

— Нет, наверное, вы правы. Я не смотрела на это под таким углом. В ваших словах есть много разумного. Даже больше, чем я хочу в том признаться, но все же...

— Ты хороший собеседник, детка.

Женщины улыбнулись друг другу, и Бетани встала, изящно потянувшись, ее кольцо с бриллиантом вспыхнуло множеством разноцветных искр. На ней были черные свободные брюки и синий кашемировый свитер под цвет ее глаз. Наблюдая за ней, Джессика подумала о том, какой, должно быть, красивой была Бетани в молодости. Она была по-прежнему привлекательна — с мягким покровом женственности, смягчающим любой поступок или любую фразу. Ее можно было назвать более обаятельной, чем Астрид. Мягче, теплее, красивее, возможно, в ней было больше жизни.

— Знаешь, ты уж прости меня, Джессика, но думаю, мне пора спать. Я хочу покататься верхом утром. Тебя я не прошу присоединиться: я встаю в такое неприлично раннее время.

Когда она нагнулась, чтобы поцеловать Джессику в лоб, в ее глазах плясали веселые смешинки. Джесси протянула руки, чтобы обнять ее на прощание.

— Миссис Уильямс, я вас люблю. И вы — первый человек, который за долгое время вернул меня на землю.

— В таком случае, моя дорогая, окажи мне услугу, не называй меня миссис Уильямс. Не терплю. Нельзя ли остановиться на Бетани или тетушке Бет, если тебе так больше нравится? Дети моих друзей все еще зовут меня так, равно как и некоторые из друзей Астрид.

— Тетушка Бет. Звучит мило. — Неожиданно на Джессику обрушилось такое чувство, словно у нее появилась новая мать. Семья. Прошло столько времени с тех пор, когда у нее была семья, другая семья, кроме Яна. Тетушка Бет. Она улыбнулась, ощутив в душе прилив тепла.

— Спокойной ночи, дорогая. Выспись хорошенько. Утром увидимся.

Они еще раз обняли друг друга, и полчаса спустя Джессика уже поднималась наверх, размышляя о словах Бетани. О наказании Яна... что подогрело ее любопытство. Насколько она была сердита на Яна? И почему? Из-за того, что он обманул ее? Или потому, что сейчас сидел в тюрьме и больше не мог защищать ее? Потому, что выплыла на свет его встреча с Маргарет Бертон? Имела бы измена мужа значение, если бы Джессику не заставили столкнуться с этим лицом к лицу в суде? Или дело в другом? В книгах, которые не расходились, в деньгах, которые зарабатывала только она, в его увлеченности работой? Она не была уверена.

Когда на следующее утро Джессика спустилась вниз, завтрак уже ждал ее на столе. В приложенной записке «тетя Бет» сообщала, что в духовке есть булочки. Кроме нарезанного ломтиками свежего бекона, стояло еще блюдо клубники. В записке предлагалось днем прокатиться по холмам на джипе.

Так они и сделали и великолепно провели время. Тетушка Бет рассказывала ей истории об отвратительных людях, которые жили на ранчо прежде и оставили дом в варварском состоянии.

— Смею утверждать, что тот человек был кузеном Атиллы, предводителя гуннов, а его дети наводили на меня страх!

Джессика в жизни так не смеялась, и пока они пробирались через холмы на своем джипе, ее вдруг осенило — как ей было хорошо без таблеток. Она выжила в обществе тетушки Бет, под щедрыми лучами солнечного света и в добродетельной обстановке. Они вместе приготовили обед — передержали на огне голландский соус для спаржи, недожарили мясо, и вместе смеялись над каждым своим промахом. Джессика совершенно не чувствовала разницы в возрасте.

— Знаешь, мой первый муж всегда говорил, что однажды я его отравлю, если не буду внимательной. Тогда я была ужасной поварихой, да и сейчас не лучше. Я вовсе не уверена, что спаржа готова.

Она похрустела стеблем и, казалось, была довольна тем, что получилось.

— Вы были замужем дважды?

— Нет. Трижды. Мой первый муж умер, когда мне было чуть больше двадцати. Он был милым. Погиб на охоте два года спустя после того, как мы поженились. Потом я чудесно проводила время и в тридцать лет вышла замуж за отца Астрид. Она родилась, когда мне исполнилось тридцать два, а ее отец умер, когда девочке было четырнадцать. Третий муж тоже был приятным человеком, но ужасным занудой. Я развелась с ним пять лет назад, и с тех пор жизнь стала гораздо интереснее.

Она попробовала еще один стебель и съела его, пока Джессика весело смеялась.

— Тетушка Бет, вы такая необузданная. А что собой представлял последний муж?

— Вялое создание, правда, никто ему об этом не говорил. Старики могут быть такими занудливыми. Так неловко было с ним разводиться. Беднягу чуть не хватил удар. Но он справился. Я навещаю его, когда приезжаю в Нью-Йорк. Он все такой же.

Бетани ангельски улыбнулась, и Джессику охватил еще один приступ смеха. Миссис Уильямс и близко не была такой же взбалмошной, какой себя выставляла, но, несомненно, вела нескучную жизнь.

— А сейчас? Больше никаких мужей? — Теперь они были друзьями, и Джессика могла об этом спросить.

— В моем-то возрасте? Не смеши меня. Кому нужна старуха? Я вполне довольна своей жизнью, потому что все взяла от нее в молодости. Нет ничего хуже старой женщины, которая молодится. Или молодой, прикидывающейся старухой. Вы с Астрид в этом преуспели.

— У меня не было склонности к этому.

— Да и у нее тоже не было, пока Том был жив. Пора ей найти кого-то и сжечь этот особняк-усыпальницу. Он — ужасен.

— Но там так красиво, тетушка Бет.

— Кладбища тоже красивы, но я бы не хотела там жить — пока у меня не будет другого выбора. Пока есть выбор, нужно этим пользоваться. Но дочь на пути к выздоровлению. Полагаю, твой магазин мог бы пойти ей на пользу. Почему ты не продашь его ей?

— А что я тогда буду делать?

— Что-нибудь еще. Как давно он у тебя?

— Летом будет шесть лет.

— Достаточно долго для чего угодно. Почему бы не попробовать себя в чем-то еще?

— Ян хотел, чтобы я сидела дома и завела ребенка. По крайней мере так он недавно говорил. Несколько лет назад он был доволен существовавшим положением вещей.

— Возможно, ты только что ответила на один из своих вопросов.

— То есть? — Джессика не поняла.

— Что несколько лет назад твой муж был доволен жизнью. Сколько всего изменилось за эти годы? Быть может, ты забыла о том, что тебе тоже нужны перемены, Джессика. Расти в ногу со временем.

— Мы росли... — Но как? Джессика совершенно не была уверена в том, что они повзрослели.

— Я исхожу из того, что у тебя нет детей.

— Дело не в том, что я не хочу, еще не время. Слишком рано, нам было хорошо одним.

— Нет ничего плохого в том, чтобы иметь детей. — Бетани смотрела на нее в упор. Слишком пристально. — Астрид тоже не хотела. Говорила, что дети не для нее, и, полагаю, была совершенно права. Не думаю, что она когда-нибудь сожалела об этом. Кроме того, Том был уже в годах, когда они поженились. Твой муж молод, не так ли, Джессика?

Она кивнула.

— И он хочет детей. Ну, моя дорогая, ты всегда можешь принимать таблетки и говорить ему, что ты пытаешься забеременеть?

— Я не стала бы так поступать.

Миссис Уильямс бросила на нее проникновенный взгляд. Джесси опустила глаза.

— Не стала бы, да? Прекрасно.

Джесси вновь посмотрела на Бетани.

— Но я подумывала об этом.

— Конечно. Уверена, что так думали многие женщины. И возможно, не только думают, но и поступают. Знаешь, я никогда не была уверена до конца, что хочу иметь детей. Астрид застала меня врасплох.

Глаза Бетани мерцали, смягчившись, она ушла в воспоминания и, похоже, на мгновение забыла о существовании Джессики.

— Но мне понравилось. Она была такой милой малюткой. Я получала удовольствие от общения с ней.

Бетани говорила об Астрид больше как о приключении, чем о человеке, и Джесси улыбнулась, следя за ее лицом.

— Она была очень добра ко мне, когда умер ее отец. Я думала, если бы не Астрид, то для меня настал бы конец света.

Слушая, Джесси почти завидовала ей.

— А я всегда боялась иметь детей, считая, что они отдалят от меня Яна. Думала, что ребенок сделает меня одинокой.

Бетани улыбнулась и покачала головой.

— Такое, Джессика, невозможно, если муж любит тебя. С рождением малыша он только сильнее привяжется к тебе. Дети — это дополнительная связь между мужем и тобой.

Люди по разным причинам не хотят иметь детей, но страх не должен быть одной из них. Неужели у тебя не найдется любви еще на одного человека?

Хороший вопрос, и Джессика решила быть честной.

— Думаю, что нет, тетушка Бет. Больше нет. Я долгое время не любила никого, кроме Яна. И не могу представить себе, что и он сможет любить кого-то, кроме меня, — даже ребенка. Знаю, это звучит эгоистично, но я так считаю.

— Нет. За твоими словами скрывается страх, а не эгоизм.

— Быть может, когда-нибудь я передумаю.

— Почему? Решив, что это твой долг? Или потому, что у тебя появилась потребность обзавестись ребенком? Или так ты сильнее сможешь наказать своего мужа?

Тетушка Бет не стеснялась в выражениях.

— Послушайся моего совета, Джессика. До тех пор, пока ты не захочешь иметь детей, не терзай себя. Они — страшная помеха и портят мебель хуже, чем домашние животные.

Она сказала это с серьезным лицом, глядя сидящего у нее на коленях кота. Джессика удивленно засмеялась в ответ.

— Что касается домашних животных, я предпочитаю лошадей. Их можно оставить снаружи, не испытывая чувства вины.

Она улыбнулась еще одной из своих грустных улыбок.

— Не принимай близко к сердцу. Иметь детей или не иметь — дело твое. Старайся не попадать в зависимость от чужого мнения — кроме мнения мужа. Ну, моя дорогая, разве тебе не повезло, что я зашла туда, куда не ступала нога человека?

Женщины рассмеялись и переключились на другие темы. Однако Джессика приятно удивилась, осознав глубину проблем, которые они обсуждали. Она заметила за собой, что раскрывает секреты и делится своими переживаниями с тетушкой Бет — прежде обо всем этом она могла сказать только Яну. Джессика, казалось, постоянно обнажала перед ней свою душу, вытаскивая забытое на белый свет, задавая вопросы и вновь начиная ощущать себя человеком.

Она проводила на ранчо восхитительные дни, по утрам совершая верховые прогулки по окрестностям и наслаждаясь весенним ароматным воздухом. Даже вечера с тетушкой Бет пролетали незаметно, им было над чем посмеяться. Джессика спала днем, впервые после окончания школы стала читать Джейн Остин и делала зарисовки в своем блокноте. Она даже сделала тайком несколько эскизов, которые могли бы лечь в основу портрета тетушки Бет. Джесси стеснялась попросить свою новую подругу попозировать ей. Ей вновь хотелось рисовать. Лицо тетушки Бет само просилось на холст. Это будет приятный подарок для Астрид, которая, к немалому удивлению Джессики, появилась две недели спустя.

— Хочешь сказать, что я должна вернуться домой?

Астрид выглядела усталой, но счастливой, и у Джессики появилось неприятное ощущение, словно ее мать слишком рано хочет забрать ее с дня рождения подруги.

— И думать об этом не смей, Джессика Кларк! Я приехала, чтобы повидать маму.

— Мы чудесно проводим время.

— Отлично. Продолжай в том же духе. Я буду в отчаянии, если ты вернешься в город и отберешь у меня любимую игрушку.

Она сообщила о поездке Катсуко в Нью-Йорк. Весенний ассортимент товаров расходился лучше, чем Джесси смела надеяться. Похоже, прошли годы с тех пор, как она купила те вещи в пастельных тонах, когда она была дома, когда арестовали Яна, целая вечность со времени суда. Потрясение от событий проходило. Шрамы едва виднелись. Джессика набрала пять фунтов и выглядела отдохнувшей. Астрид привезла ей письмо от Яна, которое она не открывала до последней минуты.

«...не могу поверить этому, Джесс. Не могу поверить тому, что я тебе наговорил. Может быть, та катастрофа пожинает свои плоды. Как ты себя чувствуешь? Твое молчание непонятно, а твое отсутствие вызывает у меня массу сомнений. Я так и не знаю, чего хочу: чтобы ты вновь появилась или чтобы исчезло проклятое стекло между нами? Дорогая, уверен, что мы оба его терпеть не можем. Но мы справимся с этим. Как проходит отпуск? Уверен, творишь чудеса. Ты это заслужила. Полагаю, поэтому я и не получаю от тебя известий. Как обычно, я полностью занят книгой. Работа продвигается хорошо, надеюсь, что...»

Все остальное было о книге. Джессика порвала письмо и бросила его в огонь. Тетушка Бет позднее как-то спросила ее о письме, после того как Астрид отправилась спать. Между ними образовался своего рода тайный заговор, в ряды которого не допускалась Астрид.

— Пишет, что любит меня, что книга идет хорошо и так далее. — Она пыталась говорить беспечно, но ей удалось лишь смягчить горестные нотки в голосе.

— Ага. Так ты ревнуешь мужа к его работе! — Глаза тетушки Бет сверкали. Теперь она видела что-то, пропущенное ранее. Все становилось на свои места.

— Я не ревную. Смешно!

— Согласна. Но почему ты завидуешь его работе? Джессика, что произойдет, если ты перестанешь содержать мужа? Тогда ты не сможешь его притягивать к себе, правильно? А что, если он добьется успеха? Что ты тогда будешь делать?

— Радоваться за него. — Но это прозвучало неубедительно даже для нее самой.

— Будешь ли? Ты считаешь, что сможешь справиться? Или ты слишком ревнива даже для того, чтобы попытаться?

— Абсурд. — Ей пришлась не по нраву теория Бет.

— Да, это абсурдно. Но я не думаю, что ты уже знаешь это. Дело в том, что Ян либо любит тебя, либо нет. Если нет — тебе не под силу удержать его. А если да — ты, вероятно, не можешь потерять его. Станешь настаивать на том, чтобы поддерживать его вечно, тогда он найдет женщину, которую сможет содержать сам, с которой будет ощущать себя мужчиной, которая, может быть, даже подарит ему детей. Помяни мои слова.

Джессика замолчала, и они разошлись по своим спальням. Но слова тетушки Бет запали в ее душу. Ян говорил ей то же самое. Он утверждал, что все должно измениться. Но не так, как это представлялось Яну.

Глава 27

— Доброе утро, тетушка Бет... Астрид. — Когда Джессика садилась завтракать, на ее лице застыла решимость. Выражение, новое для Бетани и Астрид.

— Господи, детка, что ты делаешь в столь ранний час? — Она редко вставала раньше десяти с тех пор, как поселилась на ранчо, и Бетани была удивлена.

Джессика сосредоточенно посмотрела на Астрид, зная, каково ей будет услышать эту новость.

— Я хочу насладиться последним днем отдыха. Астрид, я решила вечером вернуться с тобой.

Лицо ее подруги побледнело.

— Нет, Джесси. Почему?

— Потому что у меня дела в городе и я достаточно долго бездельничала. Кроме того, если я не вернусь сейчас, то скорей всего уже не вернусь никогда.

Она старалась говорить беззаботно, между фразами пробуя поджаристые тосты, однако Джессика понимала, что ее слова стали ударом для Астрид. У нее самой было неважное настроение, когда она решила расстаться с ранчо. Только тетушку Бет, казалось, совсем не тронули ее слова.

— А ты сказала маме, прежде чем сообщить мне? — Астрид заметила выражение лица своей матери.

— Не сказала. — Тетушка Бет была скора на ответ. — Но вчера вечером я почувствовала, что так и будет. Джессика, думаю, ты права, что возвращаешься сейчас. Не смотри так, Астрид, у тебя будут морщины. А что ты думала? Что она никогда не вернется в магазин? Не глупи. Кто-нибудь собирается покататься со мной верхом?

Миссис Уильямс с деловитым видом намазала маслом тост, с лица Астрид сбежала тень — так же, как ребенок расправляет узоры на песке. Ее мать, конечно же, была права относительно возвращения Джессики. Но ей так понравился бутик — больше, чем она себе представляла.

Джессика не спускала глаз с лица подруги и теперь пережила чуть ли не раскаяние.

— Извини. Ненавижу, что приходится так поступать.

Обе женщины молчали, а тетушка Бет покачала головой.

— Как вы обе утомительны. Я отправляюсь кататься верхом. Можете тут хандрить. Одна, чувствуя себя виновной, другая — по-детски обделенной, обе — поставив себя в глупое положение. Странно, что у вас есть время на такие пустяки.

Джессика и Астрид засмеялись, после чего решили составить ей компанию. Они замечательно проехались верхом, Джессика с сожалением покидала тетушку Бет. Она обещала вернуться и не находила подходящих слов, чтобы выразить свою благодарность за эти две недели, которые так много значили для нее.

— Я снова в прежней форме благодаря вам.

— Ты сама себя возродила. А теперь постарайся, вернувшись в город, не наделать глупостей.

Так она знала... Сногсшибательно. Ничего от нее нельзя скрыть.

— Если ты сделаешь что-то неразумное, детка, я этого не одобрю. И я отнюдь не уверена, что мне по душе выражение на твоем лице.

— Пора, мама.

Астрид увидела замешательство Джесси, после ее замечания Бетани не стала продолжать мучительный разговор. Она всего-навсего вручила им полную сумку яблок, коробку домашних сладостей и несколько сандвичей.

— Это поддержит тебя, пока не доберешься до дома. — Выражение ее лица вновь смягчилось, она обняла Джессику за талию. — Возвращайся поскорей. Ты знаешь, я буду по тебе скучать.

Джессика нагнулась и поцеловала ее в щеку.

— Я скоро вернусь.

— Вот и отлично. Астрид, дорогая, веди машину осторожно. — Она помахала им, стоя в дверях, пока шикарный черный «ягуар» не скрылся за поворотом.

— Знаешь, печально уезжать отсюда. Последние две недели были лучшими в моей жизни за несколько лет.

— У меня всегда такое чувство.

— Как получилось, что ты не переехала сюда, Астрид? Если бы она была моей матерью, я бы так и поступила, такое чудное место.

Джессика сползла на своем сиденье, размышляя о двух драгоценных неделях и последнем разговоре с тетушкой Бет.

— Бог ты мой, Джессика, я бы умерла здесь от скуки. А ты разве нет?

Джессика медленно покачала головой, на ее лбу собрались морщины.

— Нет, думаю, мне бы не надоело. Никогда об этом не задумывалась.

— А я — да. Несмотря на присутствие матери. Там нечего делать, кроме как ездить верхом, читать, прогуливаться. Мне все еще нужно безумие города.

— А мне нет.

— Что же ты не осталась? — На мгновение в голосе Астрид прорезался испорченный ребенок.

— Не могла. Я должна вернуться. Но я чувствую себя несносной, забирая назад магазин. Ты подарила мне незабываемый отпуск.

Астрид улыбнулась в ответ на слова Джессики.

— Не вини себя. Две недели — замечательный подарок. — Астрид легонько вздохнула, ведя машину по безмятежной деревенской местности. Солнце только что зашло за холмы, в воздухе ощущался аромат цветов. Вдалеке в сумерках паслись лошади.

Джесси обвела взглядом знакомую панораму и вытянулась на сиденье с маленькой хитрой улыбочкой. Она вернется. Обязана вернуться. Она оставляла здесь часть своей души, а также нового друга.

— Знаете что, миссис Боннер?

— И что же, миссис Кларк?

— Я обожаю вашу мать.

— И я. Она хорошо с тобой обращалась? Или не очень? Бетани может быть весьма строгой, я боялась, что она не откажет себе в таком удовольствии. Было такое?

— Не совсем. Честная, но не строгая. И совсем не злая. Целеустремленная. Иногда даже слишком. Но в целом она права. И твоя мать заставила меня хорошенько подумать обо всем. Она спасла мне жизнь. Я ведь уже не наркоманка!

Джессика засмеялась и откусила яблоко.

— Хочешь?

— Нет, спасибо. Я рада, что все так получилось. Как Ян, если судить по письму, которое я тебе привезла? Я хотела спросить, да забыла.

У Джессики вытянулось лицо, но Астрид смотрела на дорогу и ничего не заметила.

— Вот почему я возвращаюсь.

— Что-то не так? — Астрид бросила на нее быстрый взгляд.

— Нет. Он в порядке. — Ее голос был странно холоден.

— Ты возвращаешься, чтобы увидеть его? — Астрид пришла в замешательство.

— Нет. Увидеть Мартина.

— Мартина? Адвоката Яна? Тогда что-то действительно наперекосяк!

— Нет... не так. — Джесси отвернулась и залюбовалась проплывающими мимо холмами. — Я возвращаюсь, чтобы получить развод.

— Что? — Астрид притормозила и повернулась к Джессике, ошеломленная. — Джессика, нет! Ты не хочешь этого! Ведь правда?

Джессика кивнула, держа остаток яблока в дрожащей руке.

— Хочу.

Они не разговаривали следующую сотню миль. У Астрид не находилось нужных слов.

Мартин был свободен и мог встретиться, когда Джесси позвонила ему на следующее утро. Она отправилась прямиком в его офис и была проведена до боли знакомым коридором.

Как обычно, Мартин сидел за столом с поднятыми на лоб очками и привычно нахмуренным лицом. Она не была здесь с декабря.

— Ну, Джессика, как поживаешь? — Он оглядел ее с головы до ног и протянул руку.

У нее сильнее забилось сердце от встречи с ним. Мартин был для Джессики таким же болезненным напоминанием, как и инспектор Хоугтон. Он был частью эпохи. Но та эпоха подошла к концу.

— Спасибо, неплохо.

— Ты отлично выглядишь. Присаживайся и расскажи, что привело тебя ко мне. На прошлой неделе я получил письмо от Яна. Похоже, он приживается там.

По лицу Мартина промелькнула тень. Сожаление? Печаль? Вина? Или Джесси лишь хотела, чтобы так было. Почему он не спас Яна? Почему не уговорил на подачу апелляции и не выиграл повторный процесс? Если бы он сделал это, то сейчас она бы не сидела в его офисе. А может быть, и сидела бы.

— Да, по его словам, он пообвык в тюрьме.

— Ян упомянул о том, что книга может стать бестселлером. Пишет, что ждет дальнейших известий от своего агента.

— О-о. — Вот это новость. — Надеюсь, ему повезет. — Успех многое для него изменит. Особенно сейчас. Именно этого Ян и хотел.

— Итак? Ты все еще не сказала, что привело тебя сюда.

Обмен любезностями закончился. Джессика набрала воздуха и посмотрела Мартину прямо в глаза.

— Развод.

Его лицо осталось бесстрастным.

— Развод?

— Да. Я хочу развестись с Яном. — Что-то у нее внутри задрожало при этих словах, Джессика, задыхаясь, судорожно уцепилась за старую фамильную брошь. Она должна была это сделать, несмотря ни на что. Теперь она знала, что переживет падение в любую пропасть. Ей уже довелось побывать в одной из них.

— Джессика, ты устала его ждать? Или дело в другом?

Вопросы казались бестактными, но, вероятно, Мартин должен был знать.

— Нет. Ни то ни другое. Наверное, я немного устала от ожидания. Полагаю, когда Ян выйдет, от нашего брака ничего не останется. Какой смысл ждать?

— А прежде у вас был брак? — Мартин взвешивал ее ответы, он все подвергал сомнению. Прежде казалось, что между ними существует прочная связь и твердые обязательства, однако со стороны трудно судить.

Джессика кивнула в ответ и отвела взгляд в сторону, сцепив руки на коленях.

— Я считала, что у нас — брак. Но... тогда я обманывала себя.

— Каким образом, позволь узнать?

— Например, я полагала, что мы — счастливы. Это — ложь, одна из многих. Ян никогда в действительности не был счастлив со мной. Слишком многое вставало на пути. Мой магазин, его работа... Его пути никогда бы не пересеклись с той женщиной, если бы он был счастлив.

— Уверена?

— Не знаю. Сначала не верила. А теперь начинаю понимать, чего я его лишала. Для начала — самоуважения. И веры в то, что он добьется успеха.

— Ты не уважала его?

— Мне он был нужен, но не знаю, уважала ли я его. Мне не хотелось, чтобы Ян знал, насколько я нуждаюсь в нем. Я предпочитала, чтобы муж думал, будто он не может обойтись без меня. Веселенькое дело, не так ли?

— Нет. Но и не заурядное. Так почему развод? Почему бы не привести в порядок дела и держаться за то, что у вас есть? Все же это лучше, чем у большинства людей. Тебе повезло: ты видишь свои ошибки, а другие лишены такой возможности. Ян так же хорошо все понимает?

— Представления не имею.

— Так ты с ним о разводе еще не говорила? — Мартин, казалось, был потрясен. Джессика покачал головой. — Он не знает, что ты требуешь развода?

Она снова покачала головой и посмотрела прямо на него.

— Нет, не знает. И... Мартин, я этого хочу. Слишком поздно приводить в порядок дела. Я много обо всем размышляла и знаю, что поступаю правильно. У нас нет детей... Сегодня такой же подходящий момент, как и любой другой.

Адвокат кивнул, покусывая оправу очков.

— Я понимаю ход твоих рассуждений, Джессика, и ты — молода. Быть замужем за человеком, который отправлен в тюрьму за изнасилование, может оказаться тяжелой ношей. Возможно, тебе нужно быть свободной, чтобы начать новую жизнь.

— Думаю, да. — Но почему ей не удавалось избавиться от ощущения, что она предавала Яна? Какая низость... однако она должна была решиться на это. Обязана. Она хотела свободы. Но в ушах раздавались слова тетушки Бет, сказанные накануне отъезда: «Если ты сделаешь какую-нибудь глупость, я этого не одобрю». Но это не глупость. А правильный шаг. Что скажет Ян?.. Почему ее должно волновать его мнение? Но ее волновало, черт возьми.

— Повлияет ли как-то на твое решение коммерческий успех его новой книги?

Джессика взвесила вопрос и отрицательно покачала головой:

— Нет, не повлияет. Потому что это ничего не изменит. Ян вернется домой, ожесточенно настроенный против меня, поскольку мне опять придется содержать его. Гонораров за книгу хватает ненадолго, если она не бестселлер.

— А ты считаешь, Яну не по силам написать бестселлер?

Тон, которым Мартин произнес вопрос, вызвал у нее стыд, и она опустила глаза.

— Я не это имела в виду. Все по-прежнему останется на своих местах. У меня также будет магазин, счет в банке... нет, Мартин. Я хочу развестись. Я абсолютно уверена в этом.

— Ты достаточно взрослая, чтобы самой принимать решения. Когда ты собираешься сказать Яну?

— Напишу ему вечером. — Джессика заколебалась, но ей необходимо было спросить. — И надеюсь, вы встретитесь с ним?

— Чтобы оглушить его новостью? — Мартин выглядел очень усталым. Она медленно кивнула. — Если честно, Джессика, я не занимаюсь семейными делами. Военное право, как ты знаешь, не моя специальность. А будет еще та заварушка.

Но Ян оставался его клиентом. А жена его клиента сидела напротив него и смотрела так, словно именно он был виноват в крахе их семейной жизни. Ну почему, черт возьми, он всегда испытывал чувство вины, если дела у его клиентов шли не так, как надо?

— Хорошо, думаю, смогу уладить это для вас. Дело будет запутанным?

— Нет. Простым до крайности. Магазин — мой. Дом принадлежит нам обоим, я продам его, если он будет настаивать, и положу его часть в банк. Вот и все. Я беру на попечение домашние растения, он — картотеку в своем рабочем кабинете. Черта подведена.

Единственное, о чем она забыла упомянуть, — мебель, что была безразлична им обоим, если не считать нескольких предметов обстановки, принадлежавших ее родителям, которые, по всей видимости, должны были остаться за ней. Так вот просто. Так буднично просто после семи лет семейной жизни.

— Звучит скоро да споро. — Тем не менее Мартина одолевали сомнения.

— Может, и скоро, да не очень споро. Когда ты с ним встречаешься?

— В конце недели. А ты сама приедешь его навестить?

Она осторожно покачала головой. В последний раз Джессика навещала Яна... в тот невыносимый день, когда он встал и ушел, а она наблюдала за ним через стекло, держа в руках безжизненный телефон. При этих воспоминаниях ее глаза наполнились слезами, и Мартин Шварц отвел взгляд. Он ненавидел подобные повороты в жизни. Они несли с собой только опустошение.

Джессика посмотрела на Мартина, сдерживая слезы. Ее голос опустился почти до шепота.

— Нет, Мартин, я не стану больше с ним встречаться.

Он пояснил ей, что она получит развод через шесть месяцев. В сентябре. Год спустя после того, как его арестовали, год спустя после того, как был положен конец их семейной жизни.

Остановившись у дома по пути в бутик, Джессика заглянула в почтовый ящик и обнаружила, что ее дожидается письмо от Яна. Короткая записка. И стихотворение. Она прочитала его с широко раскрытыми, полными грусти глазами, потом аккуратно порвала пополам и выбросила. Но оно почему-то запало ей в душу, бередя ее, словно розовый шип. Последнее письмо от Яна, которое она вскрыла. Стихотворение подвело ее к этому.

Рассвет его жизни остался в прошлом. Однако Джессика не могла избавиться от ощущения, что она в одиночку, без посторонней помощи помешала восходу солнца. Погубила что-то святое. Яна, и себя, и то, что было частью их обоих. Но она понимала, что должна была довести до конца задуманное.

Глава 28

Бутик находился в превосходной форме. Повсюду в торговом зале разместились новые экспонаты, а витрина казалась самим воплощением весны. Астрид сама произвела перестановку. Вещи, купленные Джесси в Нью-Йорке полгода назад, прекрасно смотрелись и в этом сезоне. В ее офисе появились два новых цветка с распустившимися ярко-желтыми бутонами; она вдыхала особый неповторимый аромат магазина, который уже успела забыть. Джесси отсутствовала две недели, однако за это время «Леди Джей» возродилась, так же как и она сама. Бутик переживал свое второе рождение. Свежий взгляд и неистощимый энтузиазм Астрид чувствовались во всем. Она не осуществила никаких радикальных изменений, лишь привела все к одному знаменателю. Даже Зина и Катсуко выглядели счастливее.

— Как прошел отпуск? — Катсуко был рада видеть ее, но вопросы были излишними. Джесси снова стала собой, прежней Джесси.

— Посмотрите-ка! Именно то, что мне было нужно! Похоже, покрашено или подремонтировано. Так бодро и красиво.

— Всего лишь новый ассортимент. Выглядит чертовски здорово.

— А как расходится?

— Молниеносно. Подожди, вот увидишь, что я подобрала на осень. Все — либо оранжевое, либо красное. Много черного и несколько роскошных вязаных изделий серебристого цвета для выхода в свет.

Оттенки коричневого, модные прошлой зимой, ушли в небытие. Им на смену пришел красный. Яркий, деловой, живой, может быть, это хороший знак для ее новой жизни. Джессика не хотела пока думать об этом. А скольким людям придется сообщить... объяснить...

Джессика обосновалась в своем офисе, с восторгом оглядываясь по сторонам и радуясь возвращению домой. Это приятное ощущение облегчило груз утренних забот и встречу с Мартином. Она попыталась избавиться от подобных мыслей. Сегодня вечером она напишет Яну письмо. Последнее. Они могли все уладить через адвоката. Чем меньше они скажут друг другу, пусть даже на бумаге, тем лучше. Джессика приняла решение. Теперь ей нужно подумать о будущем, не оглядываясь на годы, прожитые с Яном. Они в прошлом. Часть ее прошлого, как вышедшие из моды вещи. Джессика и Ян устарели.

— Джесси? Есть свободная минутка?

Кудрявая голова Зины показалась в дверях, Джесси подняла глаза и улыбнулась. Она чувствовала себя возмужавшей, спокойной, отдохнувшей. И сильной. Впервые за последние месяцы одинокие ночи не пугали ее. Дом освободился от призраков. Тени прошлого больше не омрачали ее жизнь. Первая ночь в доме прошла мирно. Наконец-то.

Она посмотрела на Зину, по-прежнему стоявшую в дверном проеме.

— Конечно, Зина. У меня полным-полно времени.

Она все еще жила в неспешном ритме ранчо, и ей это нравилось.

— Выглядишь превосходно. — Зина села в кресло рядом со столом Джесси и, казалось, испытывала некоторое смущение. Она задала несколько вопросов об отдыхе Джесси и, похоже, колебалась, как перейти к главному.

Наконец Джесси не вытерпела:

— Ну, выкладывай, что у тебя на уме?

— Не знаю, как сказать, Джесси... — Она подняла глаза, и неожиданно Джесси почувствовала это. Трудные месяцы не прошли бесследно ни для кого, не только для нее. И была удивлена, что ни одна из девушек не сделала этого прежде. Вероятно, они оставались, потому что были верны ей.

Джессика глубоко вздохнула и посмотрела Зине в глаза.

— Ты уходишь?

Зина кивнула.

— Я выхожу замуж. — Она произнесла это чуть ли не извиняющимся тоном.

— Правда? — Джесси не знала, что у Зины был возлюбленный. Последний раз, когда они разговаривали, у нее никого не было... Когда же это случилось? В прошлом месяце? Два месяца назад? Скорее шесть. С тех пор она была слишком занята своими проблемами.

— Свадьба через три недели.

— Зина, отличные новости! Чем ты так огорчена? — Джесси широко улыбнулась, и Зина почувствовала необыкновенное облегчение.

— Мне так неловко. Мы переезжаем в Мемфис.

Джессика засмеялась.

Увидя это, Зина прямо засветилась от радости.

— Я познакомилась с ним на новогодней вечеринке и... О Джесси! Он — самый лучший мужчина, во всем! И у нас будет много детей!

Она улыбнулась, а Джессика, вскочив, крепко обняла ее.

— Посмотри на кольцо! — Сверкнув крошечным бриллиантом, Зина вживалась в роль самой изысканной южной красавицы.

— А ты носила его до моего отпуска?

Джессике стало любопытно, как много она пропустила.

— Нет. Он подарил мне его на прошлой неделе. Но я не хотела писать и сообщать тебе, решила дождаться твоего возвращения. Астрид запретила тревожить тебя. Красивое, правда?

— Роскошное. Ты — ненормальная, и все же я люблю тебя. Я так за тебя рада!

У Джессики резануло по сердцу. Зина выходила замуж, а она разводилась. Как пришло, так и ушло, как началось, так и закончилось, попытка — не пытка, может быть, еще попытка, и на этот раз — выигрыш. Может быть. Джессика надеялась, что Зина выиграет с первого раза.

— Мне так неловко сообщать тебе об этом, Джесси. Но мы только что решили. Честно.

Она склонила голову, но счастливую улыбку нельзя было спрятать.

— Ради Бога, прекрати извиняться. Я рада, что вернулась домой. Где состоится свадьба?

— В Новом Орлеане, иначе моя мама меня убьет. Через две недели лечу домой, она уже сходит с ума из-за свадьбы. Мы не очень-то много ей сообщали. Вчера она звонила мне четыре раза, а ты бы слышала, что сказал папа!

Они обе засмеялись, и Джессика стала трезво размышлять.

— Тебе нужно свадебное платье?

— Я собираюсь надеть платье своей прабабушки.

— Но тебе необходимо приданое. Правильно? И праздничное платье, и...

— О, Джесси, да... но... я не могу позволить тебе...

— Не суй нос в чужие дела, или я тебя уволю! — Она погрозила Зине пальцем, и они обе опять рассмеялись.

Джесси распахнула дверь кабинета и торжественно проводила Зину в зал, остановившись перед пораженной Катсуко.

— Кэт, у нас новый покупатель. Очень важная персона. Это — мисс Нельсон, ей нужно приданое.

Катсуко в изумлении перевела на нее глаза, потом все поняла и присоединилась к их смешкам и хихиканью. Она испытывала облегчение от того, что все закончилось хорошо. Кэт беспокоилась за Зину. В последние месяц-два с Джессикой было невозможно разговаривать. Это бросалось в глаза. А теперь она радостно говорила о приданом Зины.

— В весенних тонах она будет бесподобна. Кэт, предоставь ей все, что она хочет, с десятипроцентной скидкой, а праздничное платье будет моим свадебным подарком. Собственно говоря... у меня уже есть на примете!

Лицо Джессики озарила улыбка, и она, пройдя на склад, вышла с бежевым шелковым костюмом, привезенным из Парижа. Потом выбрала блестящую зеленую шелковую блузку для ансамбля, и Зина едва не захлопала в ладоши.

— С модными бежевыми босоножками и шляпкой... Зина, ты будешь выглядеть потрясающе!

Даже у Катсуко загорелись глаза при виде наряда, который Джесси держала в руках.

— Джесси, нет! Ты не можешь! Только не это! — Зина говорила шепотом. Костюм стоил более четырехсот долларов.

— Да, именно он. — Ее голос был ласковым. — Пока не найдешь лучше.

Зина восхищенно покачала головой, Джессика обняла ее на радостях и, с улыбкой подмигнув, вернулась к себе. Поразительное утро... И тут ее осенило.

Она застала Астрид у парикмахера.

— Что-то случилось? — Может быть, Джесси не понравилась витрина или изменения на складе.

— Нет, глупышка, ничего не случилось. Хочешь получить работу?

— Ты шутишь?

— Вовсе нет. Зина увольняется. Она выходит замуж. Возможно, я ненормальная, но в твоем лице магазин приобретет опытного работника, способного управлять этим заведением, и если тебя не пугает второстепенная роль у тотемного столба, выбор — за тобой!

— Джесси! Я берусь! — Астрид радостно улыбнулась и забыла о том, что закапала свои новые туфли средством для укладки волос.

— Тогда ты в штате. Хочешь пойти на ленч?

— Нет, не могу, вот черт, у меня волосы мокрые... о, черт! — Они обе засмеялись. — Буду через час. И, Джесси... спасибо. Я люблю тебя.

Джессика была рада, что обратилась к Астрид. Все четверо закрыли «Леди Джей» в пять, а не в половине шестого, и Джессика вынула бутылку шампанского, заказанного ею днем. Сейчас, когда у нее появилась Астрид, Зина решила уйти на неделю раньше, чем планировала. Они прикончили бутылку за полчаса, и Астрид отвезла Джессику домой.

— Хочешь заглянуть ко мне? Я еще не отмечала это событие.

Джесси улыбнулась и отрицательно покачала головой. На ней сказывались последствия бурного дня... который начался посещением Мартина по поводу развода. Странно, как она забыла. Утро казалось далеким-далеким. Джессика жалела, что развод не стал еще частью прошлого.

— Нет, спасибо. Не сегодня.

— Боишься обращаться запанибрата с наемной рабочей силой?

— Нет, глупышка, меня захлестнул поток впечатлений, мне плохо от шампанского... А еще мне нужно написать письмо.

Лицо Астрид стало серьезным.

— Яну?

Джессика строго кивнула, в ее глазах не осталось и намека на недавний смех.

— Да. Яну.

Астрид похлопала ее по плечу, и Джессика оставила подругу, помахав на прощание. Она отперла дверь и на минуту остановилась в залитом светом холле. Так тихо. Так невыносимо тихо. Тишина больше не пугала. Было лишь пусто. Кто теперь о ней позаботится? Как странно, никто не узнает, когда она пришла, или когда ушла, или где была. Никто не знал, и никого это не волновало. Была Астрид, но никого, перед кем нужно отчитаться, кому можно объяснить, к кому бежать домой, чьи поручения выполнять, для кого просыпаться, заводить будильник, покупать еду... Обрушившееся на Джессику ощущение пустоты поглотило ее. Слезы сбегали по щекам, когда она скользила взглядом по стенам того, что когда-то было их домом. А теперь — ее раковиной. Залом воспоминаний. Местом, куда можно вернуться вечером после работы. Как и все остальное, дом перешел в разряд вещей из прошлого. Все менялось слишком быстро. Люди приходили, менялись и уходили, новые занимали их места... Зина выходит замуж... Астрид в магазине... Ян ушел... и через шесть месяцев она будет свободна. Как была — в пальто и с сумочкой через плечо, Джессика опустилась в кресло в холле, попробовав это слово на вкус, вслух. Разведена.

Была уже почти полночь, когда она приклеила марку на конверт. Джессика ощущала себя постаревшей на добрую сотню лет. Она вычеркнула Яна из своей жизни и будет верна своему решению. Но теперь она осталась одна.

Глава 29

— Что делаешь сегодня вечером?

Астрид казалась смущенной, застегивая норковое пальто. Стоял май, но по-прежнему было холодно по вечерам, а меховое пальто ей очень шло. Джесси только что заперла двери магазина. Соглашение выдерживалось. Она, Катсуко и Астрид прекрасно ладили. Из них получилась сильная команда, и дела в бутике шли гораздо лучше. Звонки от кредиторов стали редкостью. На лице Джессики было написано облегчение.

— Ладно, любопытная. У меня свидание. — Астрид произнесла это, залившись краской, как шестнадцатилетняя.

Джессика разразилась смехом.

— А выглядишь виноватой. Кто он?

— Какой-то ненормальный, с которым я познакомилась через друзей. — У нее было страдальческое выражение лица.

— Сколько ему? — Джесси догадывалась о страсти Астрид к пожилым мужчинам. Она все еще искала Тома.

— Сорок пять. — С невинным выражением на лице Астрид застегнула последнюю пуговицу.

— Приличный возраст. Для разнообразия.

— Спасибо, тетушка Джесси.

— По правде говоря, и у меня — свидание. — Она подняла глаза со скромной улыбкой.

— Да? С кем?

Отплатив подруге той же монетой, Астрид выглядела так, словно получала от этого удовольствие. Но Джесси часто бывала не одна в последние недели. С молодыми мужчинами, со старыми, с фотографом, с банкиром, даже со студентом юридического колледжа. И она больше никогда не вспоминала о Яне. Тема попала под запрет, и упоминание о нем наталкивалось на неловкое молчание или пустой взгляд.

— Я встречаюсь с приятелем одного моего знакомого по Нью-Йорку. Он только на неделю приехал в Сан-Франциско. Но, черт возьми, почему бы и нет? Судя по телефонному разговору, человек приличный. Надеюсь, он умеет себя вести.

Джессика легонько вздохнула и убрала расческу в сумочку. Ее волосы каскадом светлого атласа рассыпались по плечам.

— Разве тебя должны заботить его манеры? Ты такая большая, что всегда сможешь его поколотить.

— Я отказалась от этого еще в девятилетнем возрасте.

— Почему же?

— Встретила ребенка, который был крупнее меня, было больно.

— Джесси, тебя подвезти?

— Нет, спасибо. Он за мной сюда заедет. Думаю, мы выберемся к Джерри.

Астрид кивнула, но это был не ее стиль. Местный бар, где полным-полно секретарш и озабоченных мужчин, что заставляло ее ощущать свое одиночество. Она обедала в «Этой», который больше соответствовал ее стилю, что могло бы быть стилем и Джесси, если бы она захотела. Но она все еще искала свой уровень. Новый уровень. Любой уровень. Джесси знала, что бар Джерри — не для нее, но там было любопытно.

— До завтра.

Джесси помахала на прощание, и Астрид разминулась с молодым человеком, поднимавшимся по ступенькам. Он был немного выше Джесси, с темными густыми волосами. На нем был серый свитер и джинсы. Приятный. Астрид составила свое мнение, когда, улыбнувшись, прошла мимо него. Ей стало любопытно, как Джесси их терпела. Они все казались на одно лицо, не имело значения, какого цвета у них волосы, как они одевались. У всех был голодный, возбужденный вид, и всех одолевала скука. Неожиданно Астрид обрадовалась, что ей уже не тридцать. У тридцатилетних мужчин была своя жизнь. Со вздохом она села в «ягуар» и включила зажигание. Ей стало интересно, как обстояли дела у Яна. Где-то с месяц назад она хотела написать ему, но не набралась смелости. Джессика могла бы посчитать это изменой. Астрид замечала нераскрытые, разорванные пополам письма, когда выбрасывала мусор из корзины для бумаг в их общем офисе в магазине. Однажды решившись, Джесси могла быть неприступной. А она твердо решила. Дверь магазина открылась, и Астрид увидела, как молодой человек вошел внутрь.

— Привет, Марио. Я — Джесси. — Она решила, что перед ней тот самый человек, которого ждала, и протянула ему руку. Он проигнорировал ее с небрежной улыбкой.

— Как я понимаю, ты здесь работаешь. — Никакого приветствия, никакого представления, рукопожатия. Он всего лишь оглядывал помещение. И ее вместе с ним. Пусть будет так.

— Да. Я здесь работаю. — Джессика решила не говорить ему, что магазин принадлежал ей.

— Да-а. Похоже, я только что разминулся с твоим боссом на лестнице. Немолодая цыпочка в меховом пальто. Ты готова?

Джесси уже завелась. Астрид — не «какая-то цыпочка», она ее друг.

Ему, похоже, было скучно у Джерри, он выпил четыре порции красного вина. Марио объяснил, что он драматург. Или пытается таковым быть. Он давал частные уроки английского, математики и итальянского. Вырос в Нью-Йорке, в квартале с сомнительной репутацией в Вест-Сайде. Так, во всяком случае, он сказал. Но Джесси усомнилась в правдивости его слов. Марио выглядел скорее как представитель среднего класса из Вест-Сайда. Или, может быть, даже из пригорода. Однако его недружелюбие и грубость навели Джессику на размышления о друзьях, которые предложили познакомить ее с Марио. Она знала их по бизнесу, но все же как они могли удружить ей такого?

— Ну, как в Нью-Йорке? Я там давно не была.

— Да? Как давно?

— Почти восемь месяцев.

— Стоит себе. На прошлой неделе я был на кокаиновой вечеринке на площади Святого Марка. А как здесь обстоят дела?

— С кокаином? Откуда мне знать. — Она пригубила глоток вина.

— Не твоя стезя?

На его лице была написана скука, но при этом он изо всех сил старался казаться циничным. Парень из большого города в провинции. Джесси хотелось, чтобы он сквозь землю провалился. Или хотя бы исчез с глаз долой.

— Тебе не нравится кокаин? — Марио продолжал развивать эту тему.

— Нет. Но город — приятный, и в нем приятно жить.

— Чертовски скучное место.

Она подняла глаза и весело улыбнулась в надежде разочаровать его. Марио-драматург оказался настоящим пренеприятнейшим типом.

— Ну, Марио, здесь не так лихо, как в нью-йоркском Вест-Сайде, но и у нас есть свои коронные места.

— Я слышал, что тут интеллектуальный застой.

«Как и с тобой, дорогой», — подумала Джесси, а вслух сказала:

— Зависит от того, с кем общаться. Есть несколько писателей. Хорошие. И очень хорошие. — Она думала о Яне и искала способ заткнуть глотку этому выскочке. Ее Ян был очаровательным, умным, красивым. Что она делала здесь с этим ничтожеством? Этим занудой? Этим...

— Да-а? Например?

— Что? — Ее мысли переключились с Марио на Яна.

— Ты сказала, что здесь есть несколько неплохих писателей. Ты имеешь в виду фантастов? — произнес он с каким-то наивысшим отвращением и такой циничной улыбкой, что Джессике захотелось разбить стакан о его зубы.

— Нет, не фантастов. Я говорю о беллетристике.

Она стала перечислять имена, вдруг поняв, что называет ему друзей Яна. Марио слушал, но никак не комментировал. Джессика закипала от злости.

— Знаешь, что выбивает меня из колеи?

— Нет. Ну давай же, я попробую понять.

— Что такая умная женщина, как ты, продает платья в каком-то магазине. Не знаю, я представлял, что ты занимаешься творческой деятельностью.

— Литературой?

— Литературой, живописью, скульптурой, чем-то значащим. А что за существование — продавать платья старухам в мехах?

— Ну знаешь, как бывает. Делаешь то, что можешь. — Джесси попыталась сдержать презрительную гримасу, когда улыбалась. — Какие пьесы ты пишешь?

— Новый театр. Труппа — все женщины, обнаженные. Во втором действии отличная получается сцена. Сцена гомосексуальной любви после родов.

— Забавно. — Ее тон прошел мимо его ушей.

— Голодна?

Ей предстояло еще поужинать с ним. При сложившихся обстоятельствах Джессика мечтала поскорее избавиться от него. Но ей придется пройти через все. Она проходила через это и прежде. Чаще, чем хотела бы себе в этом признаться.

— Да. Не откажусь от хорошего обеда. — Она наугад назвала несколько мест, и Марио остановился на мексиканском ресторане, потому что хорошая мексиканская кухня была

редкостью в Нью-Йорке. Хоть в этом-то он разбирался. Она
привела его в маленький ресторанчик на Ломбард-стрит. Общество не блистало, но кухня была на высоте.

После обеда она несколько раз широко зевнула, надеясь,
что он поймет намек, но куда там. Марио пожелал ознако-
миться с ночной жизнью большого города, если таковая здесь
вообще имелась. Она существовала, но Джессика не собиралась ее изучать. Не сегодня и не с ним. Джесси предложила
кофейню на Юнион-стрит, рядом с домом. Она проглотит кофе
«капуччино» и избавится от него. В любом случае кофе ей
необходим. За обедом она выпила три или четыре стакана
вина. Марио обошел ее по крайней мере вдвое, с учетом ран-
него возлияния у Джерри. Он начинал глотать слова.

Они устроились в кофейне, Марио заказал кофе по-ирланд-
ски, а она — пенистый «капуччино». Он бесцеремонно разглядывал ее, кося поверх своего стакана.

— Ты неплохая цыпочка. — У него это прозвучало как
результат химического анализа.

— Спасибо.

— Где ты живешь?

— За одним или двумя холмами отсюда. — Она проглотила сладкую пену с кофе и старалась отвечать уклончиво. Чем
она ни в коем случае не собиралась с ним делиться, так это
своим адресом. С нее достаточно его общества.

— И большие холмы?

— Средние. А что?

— А то — мне не охота тащиться ни на какие чертовы
холмы, сестричка, вот что. Я измочален. И самую малость пьян.

Марио показал пальцами, насколько он пьян, и хитро
улыбнулся. Джесси чуть не выворачивало наизнанку от одного его вида.

— Нет проблем, Марио. Можем взять такси, и я с радостью подвезу тебя, куда скажешь.

— Что это значит? — В его глазах промелькнула вспышка гнева.

— Ты — сообразительный парень.

— Пожалуй, я останусь с тобой.

Джессике захотелось сказать ему, что она замужем, но она воздержалась от подобных замечаний. Кроме того, как бы тогда она смогла объяснить свое согласие пообедать с ним?

— Марио, ты сделал неправильный вывод. Мы не поступаем так здесь, в провинции. Во всяком случае, я так не поступаю.

— Что бы это значило? — Тяжело опустившись на стул, он всем своим видом выражал несогласие.

— Это означает: спасибо за прекрасный вечер. — Джессика начала застегивать жакет и поднялась с задумчивым взглядом.

Он перегнулся через стол и схватил ее за руку, причинив боль.

— Послушай, мы пообедали, не так ли? Я хочу сказать, какого черта ты думаешь...

На его лице застыло выражение, которое она не хотела бы увидеть никогда в жизни, неожиданно в голове всплыла фраза из предыдущего разговора с Астрид: «Если он будет дурно себя вести, можешь применить силу...» Она выдернула руку, что-то в ее лице подсказало ему, что лучше не настаивать на своем.

— Не знаю, о чем ты подумал. Полагаю, ты сильно пожалеешь, если еще раз прикоснешься ко мне. Спокойной ночи.

Джессика ушла прежде, чем он смог что-то сказать. Гнев Марио обрушился на официантов. Разъяренный, он смел все со стола. Двое официантов с трудом убедили его в том, что ему необходимо подышать свежим воздухом.

К тому времени Джессика почти добралась до дома. Пока она неторопливо поднималась на последний холм, ее лицо приятно освежал ночной ветерок. Непонятно почему, в душе Джессики царила полная гармония. Отвратительный вечер, однако она избавилась от него. От подобных мужчин у нее бегали по телу мурашки, но она знала, как обращаться с ними. И с собой. Сначала такие вечера пугали ее до смерти. Но к настоящему моменту у нее были свидания со всеми типами — один другого краше. Приличные, как правило, были либо женаты, либо не попадались на глаза. А остальные походили друг на друга как две капли воды. Они много пили, неуемно смеялись или были угрюмы, вели себя напыщенно или нервно. Среди них встречались бисексуалы, наркоманы и любители группового секса, кто-то рассказывал ей о том, как у него четыре года не было эрекции из-за того, что с ним сделала его бывшая жена. Джессика спрашивала себя, не лучше ли остаться дома одной. Свободная жизнь пришлась ей не по вкусу.

— Как прошел вечер? — войдя утром в магазин, спросила Джесси у Астрид, чтобы избежать встречных вопросов. У нее не было ни малейшего желания распространяться о Марио.

— Замечательный вечер. И он мне чем-то понравился. — Астрид выглядела счастливой, отдохнувшей и едва ли не удивленной. В отличие от Джесси, она не ожидала, что приятно проведет время. Ей было легче угодить.

— А как у тебя? Помнится, я разминулась с твоим кавалером на ступеньках.

— Верно. Жаль, что ты о него не споткнулась.

— Настолько плохо, да? — посочувствовала Астрид, что ранило еще больнее.

— По правде говоря, значительно хуже. Ничтожество. — По мнению Астрид, он так и выглядел. — Что ж, назад к чертежной доске.

Джесси вымученно улыбнулась, просматривая почту, сортируя письма и счета. Она остановилась только на секунду, глядя на незамысловатый белый конверт, прежде чем разорвать его пополам и бросить в мусорную корзину. Еще одно письмо от Яна. Каждый раз, когда Астрид видела, как Джесси избавляется от писем, ей было очень больно. Она спрашивала себя, знал ли Ян о таком обращении или лишь подозревал, что Джесси не читает его писем. Ей было любопытно, что в них.

— Не смотри так, Астрид. — Голос Джессики пробился в ее мысли.

— Как так?

— Словно я разбиваю твое сердце каждый раз, когда выбрасываю письма. — Она продолжила сортировку писем с непроницаемым выражением лица. Но Астрид заметила, как у нее слегка дрожат руки.

— Но почему?

— Потому что нам нечего сказать друг другу. Я не хочу ничего слышать, читать или раскрывать свою душу. Это вводило бы его в заблуждение. А я не хочу общаться с ним.

— Но почему бы не дать Яну возможность высказаться?

Глаза Астрид умоляли, и, отвечая, Джессика опустила взгляд.

— Это не имеет значения. Мне наплевать на то, что он говорит. Я так решила. Он ничего не может изменить, только больше запутает.

— Ты уверена, что хочешь получить развод?

Джесси подняла голову, посмотрев прямо в глаза Астрид.

— Уверена. — Несмотря на разных Марио, несмотря на одиночество и пустоту души, она по-прежнему не сомневалась в правильности своего решения. Но это не значило, что ей не было больно.

В магазин вошли две покупательницы. Катсуко не было на месте, и Астрид пришлось предложить им свою помощь. Джессика вошла в кабинет и осторожно прикрыла дверь. Астрид поняла: тема закрыта. Навсегда.

У них выдался нелегкий день, перешедший в тяжелую неделю, которая, в свою очередь, обернулась напряженным месяцем. Бутик находился в превосходной форме, люди делали покупки на лето.

Время от времени приходили открытки от Зины, которая уже была беременна. Катсуко решила вновь отрастить длинные волосы. Жизнь сводилась к привычным мелочам: кто отправляется в Европу, какой будет новая кромка одежды, красить фасад или нет, сажать ли новую герань в крошечном саду Катсуко? Джесси радовалась подобной чепухе. Оркестровка ее жизни долгое время оставалась такой мрачной, а теперь вновь вернулись Моцарт и Вивальди. Просто, легко и радостно. После решения о разводе для нее ничто не казалось трудным.

Складывалось такое ощущение, словно эта ужасная история не происходила вовсе. Кольцо с изумрудом ее матери вновь находилось в банке. Тучи над домом и магазином разошлись. Бутик прочно держался на ногах. Произошли, однако, некоторые изменения. Причем в гораздо большей степени, чем она хотела бы себе признаться. Изменилась и она сама. Она стала более независимой, менее напуганной и более зрелой. Жизнь продолжалась.

Однажды утром, когда все трое пили кофе в магазине, Джессика вдруг вскочила и стала копаться среди вешалок с одеждой.

— Планируешь сбросить пять — десять дюймов роста? — Астрид улыбнулась, наблюдая, как Джесси перебирает мелкие для нее размеры.

— Да замолчи ты. — Она с улыбкой глянула через плечо и свела брови. — Кэт, какой размер обычно носит Зина?

— Трудно сказать. Восьмой на бедрах и четырнадцатый на груди.

— Ужасно. Так все же какой?

— Восьмой.

— Его-то я и ищу. — Она бросила на Астрид победоносный взгляд. — Я подумала, стоит послать ей в подарок. Парень, за которым она замужем, — не богач, а ей будет трудно угодить в ее положении. Подойдет? — Из товаров на осень она вытащила три платья простого кроя в веселых тонах.

— Чудно! — Кэт отреагировала мгновенно, Астрид же выглядела задетой.

— Как мило с твоей стороны.

Джесси, казалось, пришла в замешательство, с улыбкой вручив их Катсуко.

— А-а-а, черт...

Все трое засмеялись, и Джесси вернулась к кофе.

— Отправь ей сегодня. Хорошо, Кэт? Как ты считаешь, может, послать что-нибудь для ребенка? — Ей хотелось сделать что-то приятное и для будущего малыша.

— Подождите пару месяцев. Кроме того, это — плохая примета. — Астрид, казалось, была не в своей тарелке. — А что за интерес к товарам для матерей?

— Решила, что если уж сама не стану матерью, то буду наслаждаться ролью тети. Кроме того, захотелось напроситься в крестные.

Астрид засмеялась, Катсуко тем временем аккуратно свернула платья и уложила их в коробку с желтой оберточной бумагой. Кэт бросила взгляд на Джесси, но та встала, чтобы уйти. Неожиданно она почувствовала себя одинокой. Впервые в жизни одинокой без ребенка. А почему бы и нет? Джессика предположила, что это потому, что она была готова вновь кого-то любить.

— Джесси, она будет в восторге. А кто сказал, что ты никогда не будешь матерью?

Катсуко была сбита с толку. Впервые Джесси открыто говорила о детях. Кэт подозревала, что она приняла какое-то решение в отношении детей, но Джесси редко раскрывала свою личную жизнь. Однако сейчас она, похоже, была не прочь поговорить. У нее не было больше Яна, которому можно поплакаться в жилетку. В последнее время она, казалось, искала, кому бы излить душу. Джессика села, прежде чем ответить.

— Я говорю, что никогда не буду матерью. Разве вы не видите, что у нас творится в последнее время? Глядя на теперешнюю молодежь, я не стала бы агитировать за потомство. Они должны это искоренить!

Две ее собеседницы засмеялись, Джесси одним глотком допила кофе.

— Слабоумные, болваны, простофили и кретины. Не говоря уже о тех, кто одурманил себя наркотиками. Сукины дети, обманывающие своих жен, и типы, не обладающие чувством юмора! Вероятно, вы ждете от меня, что я выйду замуж и рожу от кого-нибудь из этих милашек, а? — Затем ее лицо посерьезнело. — Кроме того, я слишком стара.

— Не смеши людей. — Астрид заговорила первой.

— Нет, честно. К тому времени, когда я наконец соберусь, мне будет тридцать четыре — тридцать пять. Слишком много. Нужно рожать в том возрасте, в каком сейчас Зина. Сколько ей? Двадцать шесть — двадцать семь?

Катсуко задумчиво кивнула и задала Джесси вопрос не в бровь, а в глаз:

— Джесси... сожалеешь, что у вас с Яном не было детей?

Прежде чем она ответила, повисла длинная пауза, и Астрид испугалась, что Джесси выйдет из себя, но, к счастью, этого не случилось.

— Не знаю. Может быть. Возможно, это — единственное, что я могу сказать, потому что я страшно от него далеко. Грустно: прожить так много лет с мужчиной и в результате — ничего. Какие-то книги, цветы, мебель, сломанная машина. Но ничего подлинного, вечного, ничего, что говорило бы о семье.

В ее глазах стояли слезы; она пожала плечами и встала. Джесси избегала их взглядов и, приняв деловой вид, направилась обратно в свой кабинет.

— Так бывает. А теперь вернемся к работе. И, Кэт, не забудь сразу послать платья Зине.

Они не видели ее до ленча, за все время ни Астрид, ни Кэт и словом не обмолвились о разговоре.

Но в целом они были счастливы. Джесси была неугомонной, сердилась на мужчин, с которыми встречалась, но не чувствовала себя несчастной. Они не причиняли ей душевных страданий, в ее жизни не было кризисов. Астрид встречалась все с тем же человеком, с которым познакомилась ранней весной. Она получала от новой страницы своей жизни больше удовольствия, чем ей хотелось бы в этом признаться. Он водил ее по театрам, коллекционировал работы неизвестных молодых скульпторов и имел небольшой домик в Мендочино, где они проводили уик-энды, поэтому Джесси не видела подругу с пятницы до понедельника.

Джесси тоже была загружена по горло: по субботам она работала в «Леди Джей», и у нее всегда имелся новый кавалер. Проблема заключалась в том, что среди них не было старого знакомого — того, кого она знала достаточно долго, чтобы чувствовать себя с ним комфортно. Она устала от постоянных объяснений. Да, я катаюсь на лыжах. Да, играю в теннис. Нет, я не люблю ходить пешком. Да, я вожу машину. Нет, у меня нет аллергии на моллюсков. Я предпочитаю твердые матрасы, ношу узкие туфли восьмого размера, платья десятого размера, во мне пять футов и десять с половиной дюймов, мне нравятся кольца, сережки, ненавижу рубины, люблю изумруды... Сродни поиску новой работы.

У нее вновь нарушился сон, после отдыха на ранчо она держалась подальше от снотворного и транквилизаторов. Джесси понимала, что таблетки — не выход... и однажды... однажды... появится кто-то, и она попросит его остаться. Может быть. Она даже учла вероятность того, что никто так и не появится. Никто, кого она могла бы полюбить. Ужасная мысль. Неожиданно она начала сильно сожалеть о том, что у нее не было детей. Она всегда считала, что располагает правом выбора. Теперь весь ее выбор ушел в никуда.

Но, наверное, это не имело значения. Джессике стало любопытно, пережила ли она уже все, что было отпущено на ее долю судьбой. Семь лет с Яном, взрыв в конце супружеской жизни, бутик, новые друзья. Вероятно, так оно и есть. В ее теперешнем существовании была монотонность, успокоение и отсутствие цели. Все, что ей нужно было сделать, укладывалось в следующее: встать, пойти на работу, пробыть в магазине весь день, закрыть его в половине шестого, вернуться домой и переодеться, с кем-нибудь поужинать, пожелать спокойной ночи и лечь спать. А на следующий день все повторится. Она устала, но не была подавлена. Джессика не была счастлива, но не испытывала страха и одиночества.

Через Мартина Ян прислал весточку: он просил не продавать дом, если в этом возникнет необходимость, он выкупит ее половину, ему не хотелось отдавать его в чужие руки. Так Джессика и продолжала в нем жить, но теперь это было всего лишь жилище. Она поддерживала в нем порядок, он отвечал ее запросам, отличался комфортом, был знаком до мелочей. Она собрала все вещи Яна, сложила их в его кабинете и заперла дверь. После чего в доме пропала половина его былой индивидуальности.

— Доброе утро, мадам. Хотите, устрою свидание? — Астрид вошла в магазин с букетиком ландышей. — Господи, какой у тебя мрачный вид.

Джессика попыталась улыбнуться и поморщилась, сожалея о том, что накануне вечером они допили бутылку белого вина. Джесси было приятно видеть Астрид в приподнятом настроении.

— Ладно, мисс Солнечный свет. Что за свидание? — Она улыбнулась. Невозможно было без улыбки смотреть на Астрид.

— С мужчиной.

— Надеюсь. Ты хочешь сказать, свидание вслепую?

— Нет, думаю, он не слеп, Джессика. Ему только тридцать девять. — Женщины рассмеялись, и Джессика пожала плечами.

— Хорошо, почему бы и нет? Каков он из себя?

— Очень милый, но не очень высокий. — Астрид осторожно посмотрела на Джесси. — Это имеет значение?

— А мне придется наклоняться, чтобы разговаривать с ним?

— Астрид засмеялась и покачала головой:

— Нет. Он на самом деле очень хороший. Он в разводе.

— Похоже, сейчас все разведены. — Джессику постоянно удивляло число неудачных браков. Прежде она и не подозревала об этом, пока сама не подала на развод.

В тот четверг они пообедали вчетвером, поклонник Астрид был восхитителен. Элегантный, веселый и красивый. Он был первым мужчиной, который действительно понравился Джесси за последнее время. У него была такая же приятная наружность, как и у Яна, но в волосах пробивалась седина, а лицо украшала аккуратная бородка. Он много путешествовал, был меломаном, знатоком и ценителем искусства, забавно рассказывал о своих приключениях и прекрасно относился к Астрид. Она нашла себе идеального человека.

Поклонник Джесси оказался приятным, добрым и невыносимо скучным. Разведенный, с тремя детьми, он работал в кредитном отделе банка. К тому же в нем было пять футов семь дюймов, а Джесси пришла на каблуках. Она возвышалась над ним почти на голову. Но когда Астрид предложила потанцевать, Джесси не нашла в себе смелости отказаться. По крайней мере ее не тянули силой. Он пожал ей руку, сказал, что позвонит, в то время как она сделала себе в голове пометку не ждать его звонка, и он отправился домой один. Джесси была уверена, что к следующему утру не вспомнит его имя. Так зачем беспокоиться?

Она разделась и легла в постель, однако прошло два часа, прежде чем ей удалось уснуть. Когда на следующее утро зазвонил телефон, Джессике показалось, что она только что закрыла глаза. Это был Мартин Шварц.

— Джесси?

— Нет. Вероника Лейн,— ответила она хриплым после сна голосом.

— Извини, я разбудил тебя.

— Ничего. Все равно вставать на работу.

— У меня есть кое-что для тебя.

— Мой развод? — Она села в постели и потянулась за сигаретами, чувствуя себя недостаточно подготовленной для такого рода известий.

— Нет. Его не будет еще четыре месяца. Кое-что другое. Чек.

— За что, черт возьми?

— На десять тысяч долларов.

— Господи. Но почему? И от кого?

— От издателя твоего мужа, Джессика. Книга разошлась.

— О-о. — Она осторожно выдохнула и нахмурилась. — Положи деньги на его счет, Мартин. Ради Бога, это не мое.

— Твое-твое. Он выписал чек на тебя.

— В таком случае верни их. Мне они не нужны. — Руки ее тряслись, голос дрожал.

— Ян хочет возместить тебе расходы на мой гонорар и гонорар Грина, ну и за другое.

— Смешно. Скажи ему, что я не хочу. Я оплатила все счета, он не должен мне ни цента.

— Джессика... Ян оформил передачу.

— Мне наплевать. Вычеркни. Порви. Сделай что хочешь, но мне они не нужны.

Ее голос сорвался на крик.

— Разве ты не можешь принять их ради него? Похоже, для Яна это много значит. Для него это дело чести. Он считает, что должен их тебе.

— Он заблуждается.

— Возможно, Ян и не прав. — Мартин чувствовал, как тонкая полоска пота щиплет бровь. — Может быть, он хочет преподнести тебе чек как подарок.

— Я допускаю такую возможность. Но в любом случае, Мартин, я не приму чек.

Голос Мартина был умоляющим, и Джессика яростно покачала головой, когда раздавила окурок.

— Послушай. Все очень просто. Он ничего мне не должен. Я ничего от него не хочу. Я рада, что книга разошлась, думаю, для него это — подарок судьбы. Пусть сохранит деньги и оставит меня в покое. Они ему понадобятся, когда он выйдет. Вот и все, Мартин. Я не желаю о них слышать. Точка. Договорились?

— Договорились. — Он произнес это как побежденный, и разговор закончился.

Джессика вся тряслась у аппарата, Мартин сидел, рассматривая вид из окна, размышляя о том, как сообщить об отказе Яну. У него были такие радостные глаза, когда он говорил о возврате денег Джессике.

У Джесси день не заладился. Кофе убежал, из душа шла только холодная вода, она ударилась ногой о край кровати, а разносчик забыл оставить утреннюю газету. К тому времени когда Джесси добралась до магазина, она пришла в ярость.

Астрид робко посмотрела на нее.

— Ладно-ладно. Знаю. Тебе он не понравился.

— Кто? — Джесси глянула на подругу непонимающе.

— Парень, с которым мы тебя вчера познакомили. Я и не подозревала, что он так скучен.

— Да, но я завелась по другому поводу, так что поставим точку. — Потом, подняв глаза, она заметила обиженное и смущенное, как у ребенка, лицо Астрид. — О черт, извини, Астрид. У меня просто паршивое настроение. Сегодня все идет наперекосяк. Утром звонил Шварц.

— Зачем? — Лицо Астрид мгновенно стало озабоченным.

— Книга Яна распродана.

— Ну и что?

— Ничего. Если не считать того, что он пытается отдать мне деньги, а я — против, вот и все. — Она налила себе чашку кофе и села.

— Теперь ты поняла, что ему приходилось чувствовать, пользуясь твоими деньгами.

— Что ты хочешь сказать?

— Все ты поняла. Иногда легче отдавать, чем брать.

— Ты говоришь как Бетани.

— Могу и хуже.

Джесси кивнула и прошла в свой офис. Она оставалась там до ленча. Астрид постучала в дверь в половине первого. Она боролась с улыбкой... не зная, что скажет Джесси. Астрид состроила подобающую моменту официальную мину и казалась почти угрюмой, когда Джесси открыла дверь.

— Что такое?

— Джесси, у нас проблема.

— А сами вы не можете разобраться? Я проверяю накладные.

— Извини, Джесси, но сие мне не по зубам.

— Ужас. — Джесси бросила ручку на стол и прошла в зал.

Астрид с волнением следила за ней. Она расписалась в квитанции. Может быть, Джессика убьет ее, но она должна была сделать это ради Яна.

Джесси посмотрела по сторонам. В магазине не было никого, кроме разговаривавшей по телефону Катсуко.

— Ну? Кто здесь? И в чем проблема? — В ней поднималась волна раздражения.

— В доставке, Джесси. Очень суетились, чтобы не разгружать внутри. Сказали, что их дело — доставка на улицах, пробормотали о транспортной накладной и были таковы.

— Черт бы их побрал! Они изводили меня этим в прошлом месяце, я им сказала, что если...

Джесси рывком открыла дверь и с пылающими глазами вышла наружу, осматривая тротуар. И тут она его увидела. Припаркованный на подъездной аллее, неподалеку от «ягуара» Астрид.

Элегантный маленький гоночный «морган» с черными обводами и красными кожаными сиденьями. Верх опущен. Красота да и только, еще в лучшем состоянии, чем ее прежний автомобиль. Джессика, казалось, потеряла дар речи, потом посмотрела на Астрид и расплакалась. Она знала, что машина от Яна.

Глава 30

Благодаря настойчивым усилиям Астрид Джессика согласилась оставить себе машину. Как одолжение ему. Она никому бы не призналась в том, как сильно понравился ей «морган». Джессика по-прежнему не читала писем Яна.

В июне она решилась на пятидневный отпуск и отправилась с визитом на ранчо к тетушке Бет.

— Астрид, я заслужила отпуск. Он пойдет мне на пользу. Она не могла избавиться от смутных колебаний.

— Не оправдывайся передо мной. Я возьму три недели в июле. — Астрид летела в Европу со своим поклонником, но никому ничего не говорила. Она сохраняла свои отношения в тайне даже от Джесси, которая задавалась вопросом, не боится ли Астрид дурного глаза.

Джесси уехала рано утром в среду. Тетушка Бет обрадовалась ее приезду.

— Так-так-так, у тебя новая машина, как я посмотрю. Очень милая. — Она услышала, как машина Джесси зашуршала по гравию, и вышла ее встретить. Солнце всходило над холмами.

— Подарок от Яна. Его книгу опубликовали.

— Очень красивый подарок. А как ты, дорогая? — Она нежно обняла Джесси, и та нагнулась, чтобы чмокнуть ее в щеку. Они крепко взялись за руки. Обе были рады встрече.

— Лучше и быть не может, тетушка Бет. А ты превосходно выглядишь!

— Старею. И становлюсь придирчивее, как мне сказали. — Взявшись за руки, они вошли в дом.

В нем все было по-прежнему, как и два месяца назад. Джессика, осматриваясь по сторонам, вздохнула.

— Ощущаю себя дома. — Она бросила взгляд на тетушку Бет и заметила, как ее внимательно разглядывают проницательные голубые глаза.

— Как ты, Джессика? Астрид очень мало рассказывает, а твои письма — еще меньше. Чашечку чая?

Джессика кивнула, и тетушка Бет налила ей «Эрл Грей».

— У меня все в порядке. Когда вернулась от тебя, подала на развод, но об этом я сообщала в первом письме.

Тетушка Бет бесстрастно кивнула, ожидая продолжения.

— Жалеешь?

Джессика поколебалась доли секунды, прежде чем ответить, и отрицательно покачала головой:

— Нет, нисколько. Я сожалею о прошлом больше, чем хотелось бы. Постоянно пережевываю его, живу им, возвращаюсь к нему. Такая вот бессмыслица.

Она казалась грустной, когда поставила чашку с чаем и посмотрела на Бетани.

— Ты права, моя дорогая. Это действительно бессмысленно. Нет ничего больнее, как оглядываться на счастливое прошлое, которого больше нет. Или просто на прошлое. Ты получаешь от него известия?

— В каком-то смысле да, — уклончиво ответила Джессика.

— Что ты имеешь в виду?

— Он мне пишет, а я рву его письма и выбрасываю.

Тетушка Бет изогнула бровь.

— До или после того, как прочитаешь их?

— До. Я их не распечатываю. — Она почувствовала себя в дурацком положении и отвела взгляд.

— Ты боишься его писем, Джессика?

Тетушке Бет она могла доверить правду.

— Да. Я боюсь взаимных упреков, объяснений и стихотворений, которые мне непременно понравятся. Слишком поздно. С этим покончено. Я поступила правильно и не хочу никаких обсуждений. Я видела подобные сцены — сущая бессмыслица. Ян лишь заставит меня почувствовать себя виноватой.

— Ты делаешь это для себя. Но знаешь, что я подумала? Если бы Ян не сидел в тюрьме, стала бы ты настаивать на разводе?

— Не знаю. Может быть, в конце концов все этим бы и закончилось.

— Но разве ты не пользуешься ситуацией, Джессика? Если бы твой муж был свободен, то потребовал бы объяснений. В его нынешнем положении Ян может только писать тебе, а ты даже не соблаговолишь прочитать его письма. Думаю, это невежливо, трусливо и просто непорядочно с твоей стороны.

Весь вид Бетани подкреплял резкость ее слов.

— Я не понимаю ситуации с машиной. Ты сказала, что Ян подарил тебе новую. Ее ты приняла... а письма, выходит, — нет?

Джессику передернуло от такого умозаключения.

— Это ошибка Астрид. Она считает, что я обязана хранить автомобиль для него. Ян хотел вернуть мне деньги, потраченные на суд, а я не приняла чек от нашего адвоката. Тогда Ян распорядился, чтобы Мартин купил мне машину. Как я понимаю, остаток денег, полученных от продажи книги, он сохранил.

— И ты не поблагодарила его за машину? — Каждое слово Бетани звучало материнским упреком.

— Нет.

— Понимаю. И что теперь?

— Ничего. Через три месяца получу развод. И уже ничего не повернешь вспять.

— И ты не хочешь встретиться с ним? — спросила с сомнением в голосе тетушка Бет. Джессика решительно покачала головой. — Думаю, ты пожалеешь об этом, Джессика. Нужно попрощаться. В противном случае в твоей душе навсегда останется осколок, который принесет тебе немало тревог. Ты не можешь вычеркнуть семь лет жизни, не сказав мужу «до свидания». Или тебе это не по силам? Ну, похоже, ты для себя все решила.

Бетани сидела, наблюдая за склоненной головой Джесси, пока та играла с котом.

— Ты решила для себя, не так ли? — Миссис Уильямс намеревалась докопаться до истины, хотя бы ради Джесси.

— Я... ну да... черт возьми. Тетушка Бет, я не знаю. Порой я ничего не могу сказать. Я сделала свой выбор и пойду до конца, но время от времени... полагаю, это всего лишь сожаление.

— А если нет, детка? Может быть, сомнение. Возможно, ты на самом деле не хочешь с ним расставаться.

— Хочу... но... но я так сильно по нему скучаю. Он — единственный на всем белом свете, кто хорошо знает меня. Мне так не хватает его, наших разговоров. По всей видимости, я даже не знала Яна как следует, а только думала, что знаю. Возможно, он все время меня обманывал. Не исключено, что та женщина была любовницей Яна и обвинила его в изнасиловании потому, что рассердилась из-за чего-то другого. Или он ненавидел меня за то, что я платила по счетам, а может быть, именно поэтому оставался моим мужем. Я просто ничего больше ни о чем не знаю. Если не считать того, что я скучаю по Яну. Но вполне возможно, что того, к чему я так стремлюсь, в жизни никогда не существовало.

— Почему бы тебе не узнать его мнение? По-моему, сейчас ему самое время выложить тебе всю правду. Или ты ее и боишься?

— Может быть, ее-то я и не хочу услышать.

— Так и будешь продолжать рвать письма. А что собираешься делать, когда его освободят? Переедешь в другой город и сменишь имя?

Джессика засмеялась над нелепым предположением.

— Возможно, тогда он не захочет со мной разговаривать, — произнесла она неуверенно.

— Не надейся. Джесси, ты понимаешь, что говоришь? Ты утверждаешь, что этот человек никогда тебя не любил, что в тебе не было ничего, что он мог бы любить, кроме возможности оплачивать счета. Разве так?

— Наверное. — Глаза Джессики наполнились печалью. — Какая теперь разница?

— Огромная. Видишь ли, существует различие между уверенностью в том, что тебя любили, и предположением, что тебя использовали. А что, если Ян действительно использовал тебя, но при этом любил? А ты разве нет, Джессика? Так поступает большинство людей, которые любят друг друга, и это не обязательно плохо. Всего лишь часть сделки: удовлетворять потребности друг друга — финансовые, эмоциональные, любые.

— Я никогда не смотрела на это под таким углом. Самое смешное, что я всегда думала, будто я его использую. Ян не боится быть один, а я — да. Я ощущала себя такой потерянной, лишившись родителей. У меня не было никого, кроме Яна. Я могла принять какое угодно решение, добиться всего на свете, гордиться собой... пока у меня был Ян. Он поддерживал меня, поэтому я могла продолжать обманывать весь мир и себя, будто я — железная. Я использовала его в своих целях, но не подозревала, что Ян догадывается обо всем.

Ей было стыдно признаться.

— Ну и что? У всех свои слабости, нет ничего дурного в том, чтобы пользоваться силой человека, которого любишь. Пока ты не используешь ее во вред. А что теперь? Ты стала сильнее?

— Сильнее, чем думала.

— И счастлива?

Они добрались до самой сути дела. Джессика секунду помедлила и отрицательно покачала головой:

— Нет. Моя жизнь так... так пуста, тетушка Бет. Бессмысленна. Иногда я спрашиваю себя, зачем мне жить. Ради чего? Для себя? Чтобы одеваться каждое утро и переодеваться в шесть вечера? Чтобы поужинать с каким-нибудь бездушным тупицей, от которого дурно пахнет? Чтобы поливать цветы? Для чего я живу? Ради магазина, который мне сейчас безразличен?.. Ну, что?

Тетушка Бет замахала рукой, и она прервалась.

— Не могу это вынести, Джессика. Ты говоришь, как Астрид. А все это — чепуха. У тебя есть все, ради чего стоит жить. У тебя есть молодость. Посмотри на меня, я по-прежнему радуюсь жизни, а не просто завидую другим. Даже в моем возрасте.

— В таком случае завидую тебе. Я просыпаюсь по утрам и порой задаюсь вопросом: «Зачем?» Остальное время я просто передвигаюсь, как робот. Но что, черт возьми, у меня есть?

— То, чего ты достигла.

— И чего же? Ты имеешь в виду бутик, дом, спортивную машину. Но у меня нет детей, мужа, нет семьи, никого, кто любил бы меня и кого бы могла любить я. Господи, так зачем весь сыр-бор?

— Тогда найди подходящего мужчину, Джессика. Разве ты уже не пыталась?

Глаза тетушки Бет сверкнули, Джессика сквозь слезы рассмеялась и пожала плечами.

— Неужели ты не замечаешь, что творится вокруг? Один хуже другого. — Слезы отметили свой путь по ее щекам. — Они — мерзкие. И... никто меня не понимает.

На последних словах Джессика закрыла глаза и наклонила голову.

— То же самое говорила и Астрид, а посмотри на нее сейчас. — Тетушка Бет обошла сзади кресло Джессики и ласково погладила ее по голове. — А сейчас прыгает, как школьница, пытаясь быть благоразумной и прекрасно проводя время. Она такая же осторожная, как восход солнца. Однако я рада за нее. Наконец-то дочь снова счастлива. И ты найдешь свое счастье, моя дорогая. Нужно только подождать.

— Долго? — Джессике вновь казалось, что ей двенадцать лет и она задает трудный вопрос всезнающему взрослому.

— Зависит от тебя.

— Но как? Как? — Джесси повернулась в кресле, чтобы встретиться взглядом с Бетани. — Они такие противные. Молодые считают себя суперменами и норовят уложить тебя в постель, разбрасывают где попало свои вещи и прячут наркотики в твоем доме. С ними ты ощущаешь себя счетчиком на автостоянке. Опускают десятицентовик и приходят позже... может быть... если помнят, где припарковались. От этого я чувствую себя безмолвным ничтожеством. Да и старые ничем не лучше... Но Ян никогда не был... о черт. Как все утомительно! Люди, которых я знаю, нагоняют на меня скуку, как и те, кого я не знаю.

— Джесси, дорогая, ты меня утомляешь подобной чепухой. Тебе нужна смена обстановки. Это очевидно. Тогда почему бы не уехать из Сан-Франциско на некоторое время? Тебе не приходила в голову подобная мысль?

Джесси горестно кивнула, и тетушка Бет одарила ее взглядом, который она приберегала только для самых испорченных детей.

— Ты не думала о том, чтобы вернуться в Нью-Йорк?

— Нет... я не знаю. Будет хуже. Может быть, горы, побережье или сельская местность. Что-то в этом роде. Тетушка Бет, я так устала от людей.

Джессика со вздохом откинулась в кресле, вытерла слезы и вытянула ноги. Бетани казалась раздраженной.

— О-о, замолчи. Знаешь, в чем беда, Джессика? Ты испорченная девчонка. У тебя был муж, который носил тебя на руках, и ты чувствовала себя с ним женщиной, любимой женщиной, у тебя был бутик, который нравился вам обоим. Из-за своей собственной глупости у тебя больше нет мужа, ты выжала все, что могла, из магазина, и, может быть, и дом отслужил свое. Так избавься от него. От всего. Начни новую жизнь. Я так и сделала, когда получила развод, а мне было шестьдесят семь. Джессика, если я смогла, то и ты сможешь. Я приехала сюда, купила ранчо, познакомилась с новыми людьми и с тех пор замечательно провожу время. А если через пять лет оно надоест мне, тогда я продам его и займусь чем-нибудь еще, если буду жива. Так как ты собираешься поступить? Пора уже чем-то заняться!

Глаза Бетани сверкали.

— Я подумывала о том, чтобы сбыть с рук магазин, но я не могу продать дом. Половина его принадлежит Яну.

— Тогда почему не сдавать его?

Отличная мысль. Ей она раньше не приходила в голову. Джессика была слегка удивлена своими собственными слова-

ми. Продать магазин? Как же она дошла до такого? Или она
все время подспудно обдумывала такую возможность? Слова
сами сорвались с языка:

— Мне надо все обдумать.

— Вот отличное место для того, чтобы думать. Я рада, что
ты приехала сюда из города.

— И я. Без тебя я была сама не своя. — Джессика
подошла к Бетани и обняла ее. Тетушка Бет становилась глав-
ной опорой в ее жизни.

— Ты голодна?

— Немножко.

— Отлично. Мы вместе сможем сжечь обед. — Они приготовили гамбургеры и артишоки с голландским соусом, любимым
блюдом тетушки Бет, на этот раз ничего не сожгли. Потом про-
сидели за ужином почти до полуночи, обсуждая менее важные
темы, чем те, которые затронули сразу после приезда Джессики.

Джессика вытянулась на кровати в полюбившейся розовой
комнате и наблюдала за огнем, пылавшим в камине, когда к
ней пробрался знакомый кот. Хорошо вернуться сюда. Снова
дома. Единственное место, от которого она не уставала.

Когда Джесси поднялась на следующее утро, тетушка Бет
уже уехала кататься верхом. На кухне лежала записка с пояс-
нениями, какую лошадь она могла взять, если захочет размять-
ся. Она достаточно хорошо изучила окрестности в свой
предыдущий приезд, поэтому решила отправиться на прогулку.

В начале двенадцатого Джессика выехала на прекрасной
гнедой кобыле. Она надела широкополую соломенную шляпу,
а в маленькую седельную сумку положила книгу и яблоко. Ей
хотелось немного побыть одной. После получаса езды она нашла небольшой ручей и привязала лошадь к ветке дерева. Ко-
была, похоже, не возражала, и Джесси, разувшись, отправилась
побродить по воде. Она смеялась, напевая себе под нос. Необык-

новенное чувство свободы охватило ее. Только тогда Джессика заметила наблюдавшего за ней мужчину. От неожиданности
она испугалась. Незнакомец был высок, со вкусом одет в желтовато-коричневый костюм для верховой езды. Заметив ее ис-
пуганный взгляд, он смущенно улыбнулся и заговорил с
английским акцентом:

— Извините. Я хотел дать знать о своем присутствии
раньше, но вы выглядели такой счастливой, жаль было нару-
шать ваше веселье.

Джессика обрадовалась, что не сняла рубашку.

— Я зашла на чужую территорию?

Она босая стояла в ручье с закатанными рукавами, волосы
были небрежно уложены в пучок на макушке. Ему она казалась
видением. Золотоволосой греческой богиней в современном одея-
нии. Нечасто видишь таких женщин даже здесь, в провинции.
Стоящую босиком в ручье на склоне холма. Это настолько напоминало полотна восемнадцатого века, что вызвало у незнакомца
желание спуститься и дотронуться до нее. А может, и поцеловать.
От этой мысли он снова улыбнулся, наблюдая за ней.

— Боюсь, что это я нарушил границу чужих владений.
Утром отправился покататься верхом, не слишком хорошо ори-
ентируясь в данной местности.

Акцент выпускника привилегированного учебного заведения. Возможно, Итона. Предполагаемый нарушитель был джентль-
меном до мозга костей. Джессику поразило его сходство с
Яном. Незнакомец был выше, немного шире в плечах, но лицо...
глаза... наклон головы... очень светлые волосы, светлее, чем у
Джесси. Но тем не менее в нем было что-то от Яна. Она
отвернулась и села, чтобы обуться, прежде аккуратно опустив рукава. Мужчина продолжал разглядывать ее со скромной улыбкой.

— Вам не нужно уходить из-за меня. В любом случае мне пора возвращаться. Но скажите, вы здесь живете?

Джессика медленно покачала головой, распустила волосы и подняла на него глаза. Он был очень привлекателен.

— Нет, я в гостях.

— Правда? Я тоже.

Он назвал имена хозяев, у которых остановился, но Джессика не помнила, чтобы тетушка Бет их упоминала.

— Вы еще долго будете здесь гостить?

— Несколько дней. А потом мне нужно возвращаться.

— В?.. — Он был очень любознателен.

— В Сан-Франциско. Я там живу. — Она предвосхитила его следующий вопрос, настала ее очередь. А почему бы и нет? — А вы? — Мысль о расспросах занимала ее.

— Я живу в Лос-Анджелесе. Но, по правде говоря, через месяц переезжаю в Сан-Франциско.

Она чуть не рассмеялась, выслушивая ответ. Его акцент и манера говорить напоминали пародию на чопорных англичан. Он выглядел таким стопроцентным британцем, стоя на холме в безупречном костюме и похлопывая хлыстом по ладони, что казался хрестоматийным портретом жителя Туманного Альбиона.

— Я сказал что-то смешное?

— Нет, сэр. — Джессика с еле заметной улыбкой стала подниматься к нему на холм. Его лошадь была привязана совсем близко к тому месту, где он стоял.

— Моя фирма переводит меня в Сан-Франциско. Я приехал из Лондона три года назад и сыт Лос-Анджелесом по горло.

— Вам понравится Сан-Франциско, это — восхитительный город.

Совершенно безумный разговор двух незнакомых людей в какой-то глуши; они вели себя так, словно находились на Пятой авеню или на Юнион-стрит, а то и на Фобур-сент-Оноре. Джессика прыснула со смеху, обнаружив, что стоит рядом с ним.

— Похоже, я вас развлекаю без всяких усилий с моей стороны.

Она снова улыбнулась и мягко сказала:

— Этому многое способствует.

— Понимаю. — Он протянул руку, глядя торжественно, но в его глазах по-прежнему плясала улыбка. — Позвольте представиться. Джеффри Бейтс.

— А я — Джессика Кларк.

Стоя под деревом, они обменялись рукопожатием, и она в который раз ему улыбнулась. Вблизи он не так напоминал Яна. Но по-своему был очень красив, этот мистер Джеффри Бейтс из Лондона. Он думал о том, как же ему нравится ее улыбка. А она, похоже, не скупилась на нее.

Джеффри мгновение поколебался, прежде чем задать следующий вопрос, но в итоге решился.

— Кстати, где вы остановились?

Джессика снова улыбнулась.

— У матери моей подруги, — ответила она уклончиво.

Он удивленно посмотрел на нее.

— И вы не скажете мне, у кого? Я обещаю не уронить ваше достоинство, появившись незваным к обеду.

Джессика ответила смехом и почувствовала себя глупо, лицо англичанина стало серьезным. До него только что дошло, что она вполне могла путешествовать не одна. Он бросил взгляд на ее левую руку и незамедлительно почувствовал облегчение, увидев, что Джессика свободна от колец, особенно незатейливых золотых колец. Но Джеффри разглядел бледный след там, где она семь лет носила обручальное кольцо, прежде чем снять его несколько месяцев назад.

— Я остановилась у миссис Бетани Уильямс.

— Похоже, я слышал, как кто-то упоминал ее имя. — Он казался необыкновенно воодушевленным. — Подсадить?

Джессика стояла рядом со своей лошадью, когда Джеффри спросил ее, и она повернулась с удивленным видом.

— Благодарю. Или я должна сказать «да»? — Ей показалось, что он смутился, когда она легко села в седло. Глупый вопрос для такой высокой женщины, как она, но потом Джессика заметила, каков был его рост. Джеффри был по крайней мере на четыре или пять дюймов выше Яна... Даже Ян не был таким высоким... «Даже»... Почему она по-прежнему считала его эталоном? Как будто на нем свет клином сошелся.

— Можно мне навестить вас у миссис Уильямс?

Джессика кивнула, насторожившись. Это действительно был необычный способ знакомства, и она не имела ни малейшего представления о том, кто он и чем занимается.

— Я там не задержусь.

— Тогда мне придется навестить вас в самом ближайшем будущем, не так ли?

Настойчивый, мерзавец! Джессика улыбнулась своим мыслям. Но он совсем не походил на отъявленного мерзавца, скорее — на порядочного человека. Где-то между тридцатью и сорока, с нежными серыми глазами и мягкими шелковистыми волосами. На мизинце правой руки у него было маленькое золотое кольцо с гравировкой. Джессика подумала, что, присмотревшись, она могла бы разглядеть, что на нем изображено, но ей было неудобно проявлять такое пристальное внимание. Все на Джеффри было в строгом соответствии с этикетом и выглядело элегантно. К бриджам для верховой езды он надел черные лакированные ботинки и тончайшую синюю рубашку с шарфом. Желтовато-коричневый твидовый пиджак висел на ветке дерева. В этих местах Джеффри казался неописуемо красивым пришельцем, с каждой минутой производя на Джессику еще большее впечатление. То же самое он чувствовал по отношению к ней, хотя Джессику и смущали ее растрепавшиеся волосы.

— Приятно было с вами познакомиться. — Она собралась было уехать.

— Вы не ответили на мой вопрос. — Джеффри держал свою лошадь под уздцы, наблюдая за Джесси.

Она знала, что он имел в виду. Ей нравился его стиль.

— Да. Можете заглянуть к нам.

В молчании он отступил назад с ослепительной улыбкой и кивнул. Это ей тоже в нем понравилось. По пути на ранчо Джессику без всякой причины одолевали приступы смеха.

Глава 31

— Дорогая, ну как, неплохо прогулялась?

— Весьма. Я встретила очень странного человека.

— Да? И кого же? — Тетушка Бет была неподдельно заинтересована. Необычных мужчин можно было пересчитать по пальцам, и они были весьма редки в этих краях, если не считать чудаковатых личностей, проживающих на некоторых ранчо.

— Он настоящий англичанин, приехал к кому-то в гости. И к тому же очень симпатичный.

Тетушка Бет улыбнулась, увидев выражение ее лица:

— Так-так. Высокий, привлекательный незнакомец с темными волосами на моем ранчо? Бог ты мой! И где же он? Сколько ему лет?

Джессика захихикала.

— Я первая увидела. И кроме того, он не с темными волосами. Он — блондин, гораздо выше, чем Ян.

— Тогда он — твой, моя дорогая. Мне никогда не нравились высокие мужчины.

— А я его обожаю.

Тетушка Бет со всей серьезностью посмотрела поверх очков для чтения:

— У тебя небольшой выбор.

Обе снова засмеялись и стали любоваться пылающим заходом солнца над холмами. Прошел еще один тихий мирный вечер.

На следующее утро Джессика поднялась в семь часов. У нее было страстное желание прогуляться, но на этот раз не на гнедой кобыле. Она сварила себе кофе — в кои-то веки встала раньше, чем тетушка Бет, — и тихо, как только могла, уехала в «моргане». Джессика никогда прежде много не ездила по округе, но теперь ей не терпелось исследовать прилегающую местность.

Солнце поднялось уже высоко, когда она нашла его. В очень печальном состоянии. И тем не менее сохранившим свою красоту. Он выглядел так, словно кто-то потерял его в высокой траве, а потом за десятилетия поисков махнул на него рукой. И что вы думаете? Вот он перед ней: в одиночестве, нелюбимый, с кривой надписью на двери: «Сдается внаем». Небольшой, с идеальными пропорциями дом в викторианском стиле. Джессика попробовала открыть дверь, но та была заперта. Она стояла на ступеньках, обмахиваясь широкополой шляпой, и улыбалась. Она не знала, чему именно улыбалась, но пребывала в превосходном настроении. И была невероятно счастлива.

По пыльной сельской дороге она мчалась домой со скоростью пятьдесят миль в час. Тетушка Бет разбирала почту и, удивленная, перевела на нее взгляд, когда Джессика ворвалась в гостиную.

— Ну и где же ты была? Ты так рано уехала. — Взгляд голубых глаз был полон лукавства и восторженных предположений.

— Подожди, скажу тебе, что я нашла!

— Еще одного мужчину на моей земле? И на сей раз — француза! Я так и знала. Дорогая, от долгого пребывания на солнце у тебя развились галлюцинации. — Тетушка Бет сочувственно фыркнула, а Джессика расхохоталась, подбросив высоко в воздух свою шляпу.

— Нет, не мужчину! Тетя Бет, дом! Невероятный, прекрасный, восхитительный дом в викторианском стиле! Я от него без ума.

— Господи, Джесси, не тот ли, о котором я подумала? Старый дом Уилингов рядом с Северной дорогой?

— Понятия не имею, знаю только, что я влюбилась в него с первого взгляда.

— И ты его купила, а твой дизайнер должен прилететь завтра первым рейсом из Нью-Йорка.

Тетушка Бет отказывалась быть серьезной.

— Нет. В самом деле. Он — милый. Ты когда-нибудь отключалась от повседневной рутины, чтобы взглянуть на него? Вот я — да, этим утром около часа пробыла там, почти столько же я просидела на ступеньках крыльца. Интересно, как он выглядит внутри? Он был заперт. Я даже попробовала заглянуть в окна.

— Бог его знает, каков он внутри. Никто в нем не жил почти пятнадцать лет. По правде говоря, он был симпатичным, но участок небольшой, так что никто на него не позарился. Сейчас ты, вероятно, сможешь приобрести побольше земли вместе с домом, поскольку Паркеры — что живут сразу за ним — решили продать приличный участок. Почти сорок акров, если мне не изменяет память. Но насколько я знаю, дом Уилингов так и остается незаселенным. Год за годом. Агенты по продаже недвижимости показывали его мне, когда я приехала, чтобы купить ранчо, но он не вызвал у меня ни малейшего интереса. Какого черта нужно покупать дом в викторианском стиле в непролазной глуши?

— Но, тетя Бет, он такой красивый! — Джессика выглядела юной и романтичной.

— Ах, заблуждения молодости. Возможно, нужно быть молодой и влюбленной, чтобы захотеть купить такой дом. Мне тогда было нужно что-то более практичное. Но я понимаю, почему он тебе так приглянулся.

Бетти заметила радостное сияние ее зеленых глаз.

— Джессика, а что именно у тебя на уме? — Сейчас ее голос был тихим и серьезным.

— Пока не знаю. Но я обдумываю. Много разного. Не исключено, что это пока лишь бредовые идеи, но что-то назревает.

Джессика определенно выглядела довольной собой. Не-сравненное утро, что-то перевернулось в ее душе, о чем она еще не догадывалась, но была жизнерадостной и энергичной, словно заново родившейся. В самом деле, сумасшествие да и только. Отрывок из Библии, который она когда-то выучила в воскресной школе, пришел ей на ум, в то время как она сидела на ступеньках, любуясь домом: «Смотри! Прошлое отжило. Да обернется все будущим». Она продолжала об этом размыш-лять и знала, что все — правда. Прошлое осталось за кор-мой... даже ужас суда... даже Ян...

— Ну, Джесси. Дай мне знать, коль скоро у тебя что-то проклюнется. Или до того, если я буду в состоянии помочь.

— Еще нет. Но может быть, позднее.

Тетушка Бет кивнула и вернулась к своей корреспонден-ции, а Джесси пошла к себе наверх, напевая что-то вполголоса. Потом она остановилась и оглянулась на Бетани:

— Как мне осмотреть тот дом внутри?

— Позвони агентам по продаже недвижимости. Они бу-дут в ужасе. Думаю, они показываются здесь раз в пять лет. Посмотри в телефонной книге. «Гувер каунти риэлти». Потря-сающе оригинальное название.

Тетушке Бет становилось любопытно... но она не могла при-нять Джесси всерьез. Преходящая фантазия, мимолетный порыв. Но несомненно, это ее развлечет. Даже мысли о чем-то другом, помимо скуки собственной жизни, пойдут ей на пользу.

Джеффри Бейтс позвонил в полдень, когда Джессики не было дома, и еще раз — в пять, когда она только что верну-лась. Джеффри вежливо осведомился, не мог бы он заглянуть к ним ненадолго или пригласить ее к тем людям, у которых он остановился. Джесси предпочла встретиться с ним у Бетани. Она была в приподнятом настроении.

Он был очаровательным, забавным, невероятно воспитанным и любезным с тетушкой Бет, что ей польстило. Джеффри казался еще более сногсшибательным, чем о том предупреждала Джесси: в яркой спортивной фланелевой куртке и свободных габардиновых брюках цвета слоновой кости, синей рубашке и аскотском галстуке. Потрясающе элегантный и располагающий к себе. Из них получилась бы замечательная пара, оба — высокие, светловолосые, с врожденной грацией. Они привлекали бы к себе всеобщее внимание.

— Сегодня в поисках вас, Джессика, я объехал холмы, и все тщетно. Где вы скрывались?

— В доме с ванной глубиной в четыре фута и кухней, позаимствованной в музее.

— Играя в Златовласку, смею предположить. Три медведя пришли до того, как вы покинули дом? А какова была на вкус каша?

— Объедение. — Она рассмеялась и слегка покраснела, когда Джеффри взял ее за руку. Но он держал ее всего лишь секунду.

— Вчера в холмах вы явились мне прекрасным видением. Вы выглядели как богиня.

— Тетушка Бет сказала, что у меня на жарком солнце появились галлюцинации.

— Да, но ты по крайней мере не упоминала о том, что увидела небожителя. — Бетани поставила его на место, чтобы посмотреть, как он с этим справится. Оказалось, превосходно.

Джеффри был очень любезен и оставил их незадолго до обеда, пригласив обеих на ленч к своим хозяевам. Тетушка Бет отказалась, сославшись на дела, а Джессика с удовольствием приняла приглашение. Он уехал в шоколадного цвета «порше», а Джессика посмотрела на Бетани с девичьим блеском в глазах.

— Ну, что ты думаешь?

— Слишком высокий. — Тетушка Бет пыталась напустить на себя суровый вид, но не смогла, так как лицо помимо ее воли расплылось в улыбке. — Во всем остальном я целиком и полностью одобряю. Он неподражаемо обаятелен, Джессика! Просто неподражаемо.

Бетани говорила так же восторженно, как чувствовала себя Джесси. Она пыталась с этим бороться, что стоило ей немалых трудов.

— Он — милый, да? — Она на мгновение посмотрела задумчиво и ловко сделала на полу пируэт. — Но не такой милый, как мой дом.

— Джессика, ты сбиваешь меня с толку! Я слишком стара для подобных игр! Какой дом? И как ты можешь такого мужчину сравнивать с домом?

— Без труда, потому что я — злобная. И я говорю о моем доме. О том, который я сегодня сняла на все лето!

У тетушки Бет вытянулось лицо.

— Джессика, ты сняла на лето дом Уилингов?

— Да, а если он мне понравится, я останусь там и дольше. Тетушка Бет, я счастлива здесь. Ты была права: пришло время перемен.

— Да, детка, да. Но менять на что-то подобное? Такая жизнь для старухи, а не для тебя. Ведь не можешь же ты запереть себя в деревне. С кем ты будешь разговаривать? Чем займешься?

— Разговаривать я буду с тобой и к тому же снова вернусь к живописи. Я забросила это занятие много лет назад, а я так люблю рисовать. Могла бы и тебя изобразить на холсте.

— Ах, Джессика, Джессика! Всегда так легкомысленна! Иногда ты меня пугаешь. В прошлый раз ты со всех ног помчалась домой, чтобы получить развод, а что ты делаешь теперь? Пожалуйста, дорогая, поразмысли над всем хорошенько.

— Думаю уже сейчас и еще долго буду думать. Я сняла его всего лишь на лето, а там — посмотрим. Это не навечно. Сделаю попытку. Единственное непоколебимое решение я приняла в отношении бутика: я продам его.

— Бог ты мой, ты столько времени отдавала магазину. Тебя не будет потом грызть сожаление? — Тетушку Бет эта новость потрясла невероятно.

Она как-то предложила продать магазин, но не подумала, что Джессика воспримет ее совет серьезно. Что же она наделала?

— Абсолютно. Я собираюсь продать «Леди Джей» Астрид. В любом случае предложу его ей, когда вернусь.

— Она купит. Можешь быть уверена, Джессика. Не могу сказать, что я сожалею. Полагаю, для нее так будет лучше. А ты не пожалеешь? Похоже, он много для тебя значит.

— Значил, но сейчас это часть прошлого, от которой я избавилась. Не думаю, что буду жалеть о нем.

— Надеюсь.

Что-то изменилось, они обе чувствовали это. Впервые за долгое время Джесси ощущала в себе полноту жизни, а не крайнюю степень утомления.

— Он приспособлен для жизни?

— Более или менее, после основательной уборки.

— А что с мебелью?

— Поживу в спальном мешке. — Она ни капли не была этим озабочена.

— Не смеши людей. У меня есть ненужная мебель в сарае и кое-что на чердаке. Сама выбирай. По крайней мере создашь себе комфорт.

— И счастье.

— Джесси... я на это надеюсь. И попытайся не двигать гор в ближайшем будущем. С толком используй отведенное тебе время. Думай. Взвешивай свои решения.

— Как раз то, что ты делаешь?

Тетушка Бет не могла сдержать веселья:

— Нет. Но считается, что такие советы старушки должны давать молодым девушкам. Я всегда влетаю сломя голову и делаю, что хочу, а потом поправляю ограду. Сказать по правде, мне по душе, что ты будешь рядом все лето.

Пожилая женщина нежно улыбнулась, и Джессика стала задумчивой.

— А что, если я останусь и после того, как кончится лето?

— О, тогда я отважу тебя от своих дверей и стану стрелять по тебе из кухонных окон. Как ты думаешь, что я буду делать? Буду рада, конечно. Но я не стану поощрять твой приезд сюда только ради меня. Я не делаю этого даже для Астрид.

Но на самом деле она считала, что Джесси здесь не осядет. К концу лета ей надоест однообразная жизнь... а англичанин, который переезжал в Сан-Франциско, выглядел очень многообещающим.

Он приехал на следующий день, чтобы отвезти Джесси на ленч. Вернулась она невероятно воодушевленная. Ей понравились новые знакомые, им пришлась по душе ее затея остаться на лето. Джессика получила приглашение заглядывать к ним в гости в любое время, когда она пожелает. Пятидесятилетние супруги часто приглашали друзей из Лос-Анджелеса, и Джеффри был одним из них...

— Насколько я понимаю, я буду проводить здесь много времени нынешним летом.

— Да-а?

— Да. А к тому же сюда чертовски далеко добираться из Сан-Франциско. Джессика, вы могли для летних прогулок выбрать место поближе.

Она еще не сообщила ему о том, что предполагала переехать сюда насовсем. Джесси рассмеялась, глядя ему в лицо, когда он высадил ее у дома тетушки Бет.

— В связи с этим, мисс Кларк, когда вы собираетесь вернуться в город?

— Завтра. — Но обращение «мисс Кларк» лишило ее спокойствия... Мисс? Звучало так чуждо. Так... так пусто.

— Я тоже завтра собираюсь в Лос-Анджелес. Но если честно... — Он смотрел сверху вниз и был определенно доволен собой. — Я планирую в среду быть в Сан-Франциско. Как насчет обеда?

— С удовольствием.

— И я тоже. — Джеффри казался поразительно серьезным, когда они шли к дому и он спокойно взял ее под руку.

Глава 32

Астрид была ошеломлена предложением Джессики, однако живо ухватилась за идею. Она мечтала приобрести бутик с того дня, как увидела его в первый раз.

— А ты уверена?

— Совершенно. Забирай. Я скажу тебе, сколько стоят наличные товары, поговори с моим адвокатом и назначим цену.

Она обсудила все с Филипом Уолдом, и спустя два дня они договорились о цене. Астрид не колебалась.

Своих адвокатов она попросила подготовить бумаги. Бутик переходил к ней за восемьдесят пять тысяч долларов. Как Астрид, так и Джесси были довольны сделкой. Единственным неприятным моментом для Джесси было то, что Астрид изменила название на «Леди А». Для клиентов оно будет звучать почти так же. Но он больше не будет тем же, чем был. Он будет принадлежать Астрид. Подошел конец целой эпохи в жизни Джессики.

Они сидели в офисе в глубине магазина, обсуждая планы распродажи, когда в дверях с улыбкой появилась Катсуко.

— Кто-то хочет видеть тебя, Джесси. Могу добавить, очень симпатичный.

— Да? — Она высунула голову из двери и увидела Джеффри. — О-о! Привет. — Джессика поманила его в кабинет и представила Астрид, объяснив, что миссис Уильямс приходилась ей матерью.

— Вы знакомы с моей мамой? — Астрид была удивлена. Ее мать не знала никого, похожего на Джеффри.

— Я имел удовольствие познакомиться с ней в этот уик-энд, на ранчо. — Брови Астрид поползли вверх, и она бросила удивленный взгляд на Джессику, но Джеффри быстро продолжил: — Я навещал друзей.

И тут Астрид поняла, почему Джессика планировала провести лето в скрипучем домике в викторианском стиле. Она чуть было не спросила, не поэтому ли подруга продала магазин. Астрид чувствовала себя так, словно пропустила кульминацию событий. У Джессики были от нее секреты? Она осмотрела Джеффри, бросавшего на Джессику теплые взгляды, и прикусила язык, чтобы не задавать лишних вопросов. Как? Когда? Что дальше? Был ли он... собирался ли...

Он обратил на себя внимание еще одной блистательной улыбкой.

— Можно вас пригласить на ленч, милые леди? — Ему даже удалось утешить Катсуко взглядом сожаления: он знал, что кому-то нужно остаться в магазине.

Его манеры были безупречными. Астрид это понравилось. Она почти что уговорила себя пойти из любопытства на ленч, но не хотела делать этого из-за Джесси. Но та быстро рассеяла ее сомнения.

— Даже не искушай нас, Джеффри. Мы обсуждаем деловые вопросы о продаже магазина и...

— Ради Бога, Джессика! — Астрид прервала искренние протесты подруги. — Не глупи. О бизнесе мы можем поговорить и потом. У меня все равно есть дела. Мне нужно съездить в одно место. — Тут она печально посмотрела на Джеффри. — Но вы можете смело отправляться на ленч. Я буду ждать вас здесь около двух или половины третьего.

— Лучше в половине третьего, миссис Боннер.

Джеффри быстро нашелся с ответом. Джессике оставалось лишь наблюдать за ним. Ей импонировало то, как ловко он справился с ситуацией. Джеффри привык держать в своих руках бразды правления, что было видно по его поведению.

Джессика чувствовала себя с ним в безопасности. Теперь, когда с ней не нужно было нянчиться, его внимание превращалось в роскошь, а не в жизненную необходимость. Она наслаждалась подобной разницей и сама не заметила, как начала думать о Яне. Но быстро спохватилась и выбросила непрошеные мысли из головы.

Они устроились в ресторане на открытом воздухе на Юнион-стрит. После Итона Джеффри закончил Кембридж, у него была страсть к лошадям, он пилотировал свой собственный самолет и планировал путешествие в Африку. Сразу бросалось в глаза, что он очень увлечен Джесси. Каждый раз, когда Джеффри улыбался своей великолепной улыбкой, ее сердце замирало.

— Должен признаться, Джессика, здесь, в городе, ты выглядишь совсем по-другому.

— Удивительно, как я меняюсь, расчесав волосы. — Они оба улыбнулись при воспоминании о их первой встрече. — Здесь я даже ношу туфли.

— Правда? Позвольте взглянуть.

Он приподнял край скатерти, чтобы бросить взгляд на ее ноги, и заметил пару светло-коричневых замшевых туфелек от Гуччи. По цвету они почти совпадали с замшевой юбкой, которую она надела с оранжево-розовой шелковой блузкой. Этот оттенок очень нравился Яну, и ей пришлось сделать над собой усилие, чтобы надеть ее утром. Ну и что, если Яну она нравилась? Это не повод отказываться от красивой вещи. Она месяцами не носила эту блузку, как будто тем самым отвергала мужа. Сейчас все это казалось глупым.

— Красивые туфли и прелестная блузка.

Джессика залилась краской от комплимента, в основном потому, что он напомнил ей о Яне. Что-то в Джеффри...

— О чем ты только что подумала? — Он заметил тень, набежавшую на ее лицо.

— Ни о чем.

— Как не стыдно обманывать? Явно не пустяк. Что-то грустное? — Вот как это выглядело со стороны.

— Конечно, нет. — Джесси была смущена его проницательностью.

— Ты никогда не была замужем, Джесси? Большая удача найти такую женщину, свободную и ничем не связанную. Или все это только мои предположения?

Он хотел знать это с того самого момента, когда они встретились.

— Ты сделал правильное предположение. Я свободна и ничем не связана. И была замужем.

Он словно читал ее мысли.

— Дети?

— Нет. Ни одного.

— Хорошо.

— Хорошо? — Странное замечание. — Джеффри, ты не любишь детей?

— Очень люблю. Чужих. — Он улыбнулся безо всякого смущения. — Я — замечательный дядюшка. Но из меня получился бы неважный отец.

— Почему ты так думаешь?

— Я часто переезжаю с места на место. Я слишком эгоистичен. Когда я люблю женщину, то ненавижу делить ее с кем-либо, а если ты собираешься стать матерью, то будешь разрываться между мужем и ребенком. Возможно, во мне самом слишком много от ребенка, но я хочу получать удовольствие от длинных, наполненных романтикой вечеров, неожиданных поездок в Париж, катания на лыжах в Швейца-

рии без трех маленьких сопливых коротышек, кричащих в машине... Я могу представить тысячу отвратительных, ужасно эго-
истичных причин. Но все они — совершенно честные. Тебя
это шокирует?

Джеффри не извинился за то, что говорил, но готов был
смириться с тем, что она может этого не одобрить. Он давным-давно прекратил искать оправдания и следил за тем, чтобы не допустить «ошибки». В этом не было сомнения.

— Нет, не шокирует. То же самое чувствовала и я.

— Но?

— Что ты хочешь сказать?

— В твоем голосе прозвучало «но». — Произнесено было
так мягко, что Джессика улыбнулась.

— Правда? Я не уверена. У меня были четкие представления на этот счет. Но... я не знаю... Я во многом изменилась.

— Изменения — это естественный процесс, когда разво-
дишься. Но вдруг ты осознаешь, что хочешь иметь детей? Я
бы скорее предположил, что тебе нужна свобода.

— Не обязательно. Я не делала никаких грандиозных изменений в политическом курсе, касающемся детей. Я просто-
напросто стала задавать себе много вопросов.

— Мне кажется, Джесси, — он нежно взял ее за руку, —
ты будешь счастливее без детей. Ты очень похожа на меня.
Решительная, свободная, получаешь удовольствие от работы.
Я не могу представить тебя, кудахчущей над маленьким суще-
ством в пеленках.

Она улыбнулась при этой мысли.

На ленч начала прибывать вторая волна посетителей. Они
сидели уже почти два часа. Странно — ни с того ни с сего
начать с ним разговор о детях. У Джессики было такое ощущение, что данная тема важна для него, и он хотел пораньше

устранить возможное препятствие. И конечно, он разделял все взгляды, которые она так дорого ценила в прошлом.

Джессика вытянула ноги и допила вино, не зная, возвращаться ли ей в магазин. Проведенное вместе время было настолько приятным, что Джессике не хотелось расставаться с Джеффри.

— Джессика, на следующей неделе я собираюсь по делам в Париж. Тебе что-нибудь привезти?

— Какая волнующая перспектива. Париж... — Ее глаза засветились при этой мысли. — Дай подумать... Ты можешь привезти мне... Лувр... Нотр-Дам... Елисейские поля... — Она засмеялась.

— Вот это мне нравится. Женщина, которая знает, чего она хочет. По правде говоря, как насчет того, чтобы отправиться вместе со мной?

— Ты шутишь?

— Разумеется, нет. Меня не будет три или четыре дня. На такой срок можешь ты исчезнуть?

Да, но с почти незнакомым человеком? Одному Богу известно, кто он такой.

— У меня были планы поехать в Нью-Йорк, но теперь необходимость в этом отпала... а... Париж?

Она не знала, что ответить. После всех этих типов, которые оставили неприятный осадок в ее душе, появился он, посланный небом мужчина, который мечтал взять ее с собой в Париж.

— Нам не... — Он казался застенчивым, но милым. — Нам не обязательно жить в одном номере. Если тебе будет удобнее...

— Джеффри! Ты — ангел. И прекрати говорить такие вещи, или я наплюю на правила хорошего тона и начну вести себя неприлично. Я очень тронута твоим предложением, но я на самом деле не могу.

— Давай подождем и посмотрим. Ты можешь и передумать.

Здорово. Джеффри был замечателен. Париж? Джессика чуть было не согласилась, но... почему нет? Почему, черт возьми, нет? Париж?.. Господи, это было бы роскошно, но... почему она чувствовала себя так, как будто изменяла Яну? Какая теперь разница? Она — свободна. Он даже не узнает. Но... ей казалось, что Ян был рядом... с болью в глазах, словно не хотел, чтобы она уезжала. Джессика попыталась стряхнуть с себя наваждение и улыбнулась Джеффри.

— Спасибо за предложение.

— Мне так хочется, чтобы ты поехала. Познаешь прелесть неожиданных поездок. Я от них в восторге! Что хорошего, если нужно тащить с собой няню и четырех негодников или оставить их дома, испытывая при этом чувство вины? Быть дядей гораздо проще. У тебя есть племянники или племянницы?

Она спокойно покачала головой.

— Братья или сестры?

— Нет. У меня был брат, но он погиб на войне.

Джеффри на мгновение потерял дар речи.

— Вторая мировая или корейская? В любом случае он, должно быть, гораздо старше тебя.

— Нет. Вьетнам.

— Конечно. Как я сразу не догадался? Вы были очень близки? — Он крепко сжал руку Джесси, словно хотел поддержать ее. Задумчивость Джеффри импонировала Джесси.

— Да. Мы были очень близки. Мне было страшно больно, когда его не стало. — Впервые она могла спокойно говорить об этом. Последние несколько месяцев закалили ее.

— Извини.

Она кивнула и улыбнулась.

— А сколько у тебя братьев и сестер?

— Две сестры и очень скучный брат. Сестры совершенно ненормальные. Но очень забавные.

— Ты по-прежнему проводишь много времени в Европе?

— Довольно-таки. Несколько дней здесь, несколько — там. Мне так больше нравится. Кстати, Джессика, разве я не должен отвезти тебя назад в магазин на встречу с Астрид?

— Господи. Я совсем забыла. Ты прав! — Она с сожалением покосилась на часы и снова ему улыбнулась. Они замечательно провели вместе время. — К тому же я нарушила все твои планы.

— Да я... — Джеффри посмотрел на нее с озорной улыбкой. — Нет у меня здесь никаких дел. Я приехал исключительно ради тебя.

Он выпрямился на стуле и засмеялся, довольный собой.

— Да? — Джессика была ошеломлена.

— Совершенно точно. Надеюсь, ты не против?

— Нет. Лишь удивлена. — Очень удивлена. Что бы это значило? Он приехал, чтобы увидеть ее... и предложение о поездке в Париж... черт возьми. Неужели он, как и все остальные, рассчитывал получить компенсацию за обед?

— О-о, какое у тебя выражение лица, Джессика!

— Какое? — В ее голосе был и смех, и смущение. А вдруг он догадался, о чем она думала? Джеффри, похоже, преуспел в чтении ее мыслей.

— Хочешь узнать?

Они оба рассмеялись, Джеффри бросил внушительный счет на поднос официанта и встал, чтобы помочь Джесси надеть жакет.

— Прошу прощения за мои мысли. — Джесси с усмешкой наклонила голову.

— Еще бы. — Но выходя, Джеффри по-дружески обнял ее, они засмеялись и поддразнивали друг друга всю дорогу до магазина. Астрид ждала их, и на ее лице появилась улыбка облегчения, когда они вошли. Ей было приятно снова видеть Джесси счастливой и с мужчиной.

— А сейчас я вас оставлю для ваших встреч, дел и всего остального. Джессика, когда тебя забрать?

— Отсюда? — Она выглядела удивленной. Странно вновь почувствовать чью-то заботу, когда тебя сопровождают, тебе помогают, подвозят и доставляют назад. Джесси так соскучилась по всем этим знакам внимания, что не знала, как теперь вести себя.

— Или мне лучше встретить тебя после работы?

— Как хочешь. — Она посмотрела на него со счастливой улыбкой, и на мгновение они замолчали. Джессика хотела предложить ему свою машину, но не могла решиться. Нет... не «морган».

— Почему бы мне не дать тебе время вернуться домой и передохнуть? Можно, я заберу тебя оттуда?

Раз уж он знал, что она немного своевольна... Они оба засмеялись, и Джессика кивнула:

— Отлично.

— Скажем, в семь? Ужин в восемь.

— Превосходно.

Потом ей неожиданно пришла в голову мысль. Джеффри был уже почти у дверей, и она быстро его догнала:

— Ты хорошо знаешь Сан-Франциско?

— Не очень. Но надеюсь, что найду, не заблужусь. — Он, казалось, получал удовольствие от ее заботы.

— Как ты смотришь на то, чтобы совершить экскурсию в конце дня?

— С тобой?

— Конечно.

— Замечательная идея.

— Великолепно. Где ты будешь около пяти?

— Где скажешь.

— Хорошо. Я подберу тебя в пять у отеля «Сент-Фрэнсис». Идет?

— Очень даже. — Он отдал ей честь и быстро сбежал вниз по ступенькам магазина, когда Джессика обернулась к Астрид.

Почему-то ей было трудно сосредоточиться на делах.

— Ну как, Джесси?

— А? — Астрид улыбнулась. — А, черт.

— Не говори мне, что ты влюбилась.

— Ничего подобного. Но он — замечательный человек. Разве не так? — Ей требовалось одобрение Астрид.

— Похоже на то, Джесси.

Джессика перевела взгляд на свою подругу и захихикала, как школьница. Казалось, стрелки совершили не один полный круг по циферблату с тех пор, как они уладили деловые вопросы, обе женщины были удовлетворены результатами. Джессика радостно поднялась со своего кресла, сделала пируэт на каблуке и посмотрела на часы.

— А сейчас мне пора. — Она взяла сумочку и, запечатлев на щеке Астрид поцелуй, задержалась на мгновение в дверях. — Через пятнадцать минут мне надо будет подобрать Яна.

Торопливо помахав рукой, она выскочила за дверь и побежала по ступенькам — даже не осознав того, что сказала. Астрид покачала головой и спросила себя, сможет ли Джессика хоть когда-нибудь с ним расстаться. Ей было интересно, как обстояли дела у Яна. Мысли о нем охладили ее восторг по поводу появления у Джесси нового поклонника.

А Джесси тем временем уже выезжала из подъездной аллеи, чтобы направиться на встречу с Джеффри.

Глава 33

— Я опоздала? — Она казалась обеспокоенной, когда затормозила у «Сент-Фрэнсис». По пути к отелю Джессика попала в пробку. Тем не менее Джеффри выглядел счастливым и отдохнувшим.

— Я здесь уже несколько часов.

— Лгун.

— Боже мой! Какое безобразие — так назвать человека! — Но он был безмерно рад ее видеть и позволил себе наклониться и легко поцеловать ее в щеку.

Ей нравилось его дружеское отношение. Легкие прикосновения к ее руке, быстрые поцелуи в щеку. Так это меньше внушало ей страх. Они становились друзьями. Она влюблялась в него.

— Куда ты меня повезешь?

— По всему городу. — Джессика с удовольствием поглядывала на него, когда подъехала к Нобхилл.

— Вот так раз. Где мы сейчас, я знаю. Это — мой отель.

Она показала собор, Пэсифик-Юнион клаб и три самых шикарных гостиницы в городе. Оттуда по Калифорния-стрит они проскочили на Эмбаркадеро, к Ферри-билдинг, полюбовались панорамой доков. Поднялись к площади Джирарделли и консервному заводу, потом, проехав Рыбацкую пристань (где она остановилась и купила ему полную чашку мелких креветок и большой кусок хлеба), Джесси указала ему на скопление модных магазинов одежды.

— Целое путешествие. Дорогая, я ошеломлен.

Джессика также великолепно провела время. Оттуда они отправились понаблюдать за стариками, играющими в итальянские кегли на краю залива, а затем к гавани для яхт и яхтклубу «Сент-Фрэнсис», за чем последовала успокаивающая поездка мимо кварталов больших и дорогих особняков. Потом они перевели дух в парке Золотых ворот. Она во всей полноте чувствовала каждый момент. Ласковые лучи закатного солнца золотили луга, лужайки и цветы. Любимое время дня Джессики.

Они шли мимо нескончаемых газонов с цветами по петляющим пешеходным дорожкам, обогнули небольшое озеро, любовались крошечными водопадами и остановились у японской чайной на открытом воздухе.

— Джессика, потрясающая экскурсия.

— К вашим услугам, сэр. — Она сделала реверанс, а Джеффри положил ей руку на плечо.

Прекрасный день, и у нее появлялось чувство, словно она узнала его гораздо лучше. Ей нравились его отзывчивость, его склад ума, чувство юмора и нежность, с которой он заботился о ней. И он так походил на нее. Джеффри обладал той же непринужденностью в поведении, таким же страстным стремлением к независимости. Ему нравилась его работа, и, конечно, он не испытывал затруднений со средствами. Он казался отличным компаньоном. На какое-то время, во всяком случае. И Джеффри был мил по отношению к ней. Джессика научилась быть ему за это благодарной, не слишком опираться на него.

— Джессика, а что тебе больше всего нравится делать? — Они потягивали зеленый чай с японским домашним печеньем.

— Больше всего на свете? Рисовать, наверное.

— Правда? — Он удивился. — Ты хорошо рисуешь?

Глупый вопрос, однако всегда срывается с языка, хотя совершенно бессмысленный. Бездари всегда себя хвалят.

— Ну и как же ответить мне? — Они оба рассмеялись, и Джессика поделилась с ним последним печеньем. — Не знаю, насколько я талантлива, но мне нравится рисовать.

— А что именно?

— Пейзажи. Что угодно. Я пишу маслом и акварелью.

— Ты должна показать мне свои работы.

Джеффри произнес это снисходительно, словно не воспринимал ее увлечение живописью всерьез. У него была умиротворяющая манера говорить, которая заставляла ее ощущать себя маленькой девочкой. Странно, что сейчас, когда Джессика научилась быть взрослой, появился человек, который позволил бы ей оставаться ребенком. Но она уже не хотела этого.

Когда чайная закрылась, они медленно побрели назад к машине, Джеффри, похоже, впервые ее разглядел.

— Знаешь, Джессика, ведь это настоящее чудо. Мечта коллекционеров. Где ты ее взяла?

— Это — подарок, — с гордостью произнесла она.

— Бог ты мой, какая роскошная.

Она кивнула, а Джеффри бросил на нее взгляд, не задавая вопросов. Он знал, что человек, подаривший автомобиль, много значил в ее жизни, скорее всего это был муж. Джессика не относилась к тому типу людей, которые принимают дорогие подарки от первого встречного. Джеффри уже понял это. Она отличалась особым воспитанием и собственным стилем.

— Ты когда-нибудь летала? Я хочу сказать, сама управляла самолетом? — Джесси засмеялась и отрицательно покачала головой. — Хочешь попробовать?

— Ты серьезно?

— А почему бы и нет? Это совсем не трудно. Ты запросто научишься.

— Как интересно. — У него была уйма забавных идей, и ей они понравились. И он ей понравился. Они провели незабываемый вечер. Еда в ресторане «Этуаль» была превосходной, музыка в баре приглушенной, а Джеффри восхитителен. Ему удалось создать атмосферу близости и непринужденности.

После обеда они танцевали у «Алексиса». Тот день совершенно не походил на организованные с помощью Астрид свидания вслепую. Джеффри отлично танцевал. Ее окружала роскошь, романтика и приятное волнение. Джессике не хотелось возвращаться домой и заканчивать этот восхитительный вечер в одиночестве. Джеффри тоже пугала мысль о скором расставании.

В молчании они подъехали к ее дому, на пороге он нежно поцеловал Джессику. Джеффри в первый раз поцеловал ее по-настоящему. Приятная теплая волна окатила Джесси с головы до ног. Джеффри обладал невероятной притягательной силой. Он медленно оторвался от нее с едва заметной улыбкой, застывшей в уголках рта.

— Джессика, ты — совершенство.

— Хочешь зайти выпить? — Она сомневалась в своих чувствах, и то, как она это произнесла, дало ему возможность догадаться о ее сомнениях. Джессика надеялась, что он откажется. Она не хотела... пока. Но Джеффри был так привлекателен, а с тех пор прошло столько времени.

— Ты уверена, что не слишком устала? Уже так поздно, юная леди.

Джеффри выглядел таким нежным, таким задумчивым, таким сильным... как Ян. Она заставила себя вернуться к настоящему и улыбнулась, глядя в его глаза.

— Я не очень устала. — Однако в ней чувствовалась легкая напряженность, которую он прекрасно видел. Джеффри улыбнулся ей, когда она открыла дверь ключом. Он не представлял для нее никакой опасности. Он хотел много большего, чем она могла дать за одну ночь, и не собирался ее торопить. Джеффри точно знал, чего хотел, и стремился добиться ее навсегда.

Джессика включила торшер, а он зажег свечи, когда разлил коньяк в два роскошных бокала.

— Как коньяк?

— Отличный. Как и вид из окна. Вот это дом. — Однако Джеффри не был удивлен. Он ожидал чего-то подобного. — И какая прекрасная хозяйка... вкус.. стиль... элегантность... красота... ум... женщина с тысячей достоинств.

— И с распухшей головой, если ты не прекратишь расточать комплименты. — Она протянула ему бокал с коньяком и опустилась в свое любимое кресло. — Отсюда открывается замечательный вид.

— Да. Я буду искать что-то подобное через несколько недель.

— Неужели? — Она не могла сдержать порыв смеха. — Или ты выдумал и ту историю с переездом в Сан-Франциско?

Он по-мальчишески улыбнулся.

— Вовсе нет. А трудно найти такой дом?

— Как повезет.

Джеффри посмотрел в ее глаза и перевел взгляд на бокал с коньяком, в то время как она пристально наблюдала за ним.

— Возможно, я сдам его тебе на лето. — Джессика дразнила его, и он вопросительно изогнул бровь.

— Ты — серьезно?

— Нет. — Ее глаза погрустнели, когда она посмотрела на свечу. — Ты не будешь здесь счастлив, Джеффри. — И Джесси не хотела его присутствия в «их» доме. От этого она ощущала некий дискомфорт.

— Джессика, а ты счастлива здесь?

— Я не думала об этом.

Она опять посмотрела ему в глаза, и он с удивлением обнаружил притаившуюся в них боль. Неожиданно для себя он почувствовал груз прожитых лет.

— Для меня теперь это просто дом. Крыша, череда комнат, почтовый адрес. Все остальное ушло.

— В таком случае тебе стоит переехать. Мы могли бы подыскать... Я подыщу... место попросторнее. Ты не задумывалась о том, чтобы продать его?

— Нет, только о том, чтобы сдать. Я не вправе его продать.

— Понимаю. — Он отпил коньяка и снова улыбнулся ей. — Скоро я уйду. Иначе завтра ты будешь чувствовать себя разбитой. Тебя кто-нибудь уже пригласил на завтрак?

— Нет. — Джессика улыбнулась при мысли об этой затее.

— Отлично. Тогда почему бы нам не позавтракать вместе где-нибудь в занимательном месте, прежде чем я улечу в Лос-Анджелес? Я могу приехать за тобой на такси.

Ей понравилось его предложение. Она предпочла бы приготовить для него завтрак сама и сидеть обнаженной напротив него за кухонным столом или жонглировать земляникой и свежими сливами на подносе в постели. Но она задалась вопросом, а проделывал ли кто-нибудь подобное с ним. Он выглядел так, словно никогда не расставался с халатом или шелковой пижамой. Но в нем проглядывала определенная чувственность.

— А что ты ешь на завтрак? — Совершенно ненормальный вопрос, но Джессика хотела знать. Для нее вдруг все стало важно. Все, что касалось его, имело для нее значение.

— Что я предпочитаю на завтрак? — Он казался довольным. — Обычно что-нибудь легкое. Яйца-пашот, тосты из ржаного хлеба, чай.

— И все? Даже не ешь бекон? Никаких вафель? Гренок, поджаренных в масле? А папайя? Только яйца-пашот и тосты? Ух ты.

Он ответил взрывом хохота на ее ремарку и принял условия игры.

— А что более экзотичное ты употребляешь по утрам, моя дорогая?

— Арахисовое масло и абрикосовый джем, положенный на сдобную булочку. Или сливочный сыр и желе из гуавы на рогаликах. Апельсиновый сок, бекон, омлет, яблочное масло, пончики с бананами.

Она позволила своему воображению пуститься вскачь.

— Ежедневно?

— Совершенно верно.

— Я тебе не верю.

— В этом ты прав... по большей части. Но арахисовое масло и сливочный сыр остаются. Тебе нравится арахисовое масло?

— Едва ли. На вкус оно напоминает жидкий цемент.

— А много ли ты его пробовал? — Она с интересом посмотрела на Джеффри.

— Чего?

— Жидкого цемента.

— Конечно. Очень вкусно с тонким пшеничным тостом. Ты не передумала позавтракать со мной? Уверен, мы предоставим тебе сколько угодно арахисового масла на рогаликах. Согласна?

— Превосходно.

Джесси вновь становилась сама собой, что очень забавляло его. Ему все в ней нравилось. Она сбросила туфли и подобрала ноги в кресле.

— Джеффри... — Она пыталась произнести это торжественно. — Ты читаешь книжки комиксов?

— Регулярно. Особенно о Супермене.

— Что? Не о Бэтмене?

— И о нем тоже, но Супермен всегда был моим любимым героем. — Джеффри прекратил на минуту их игру и посмотрел в свой бокал. — Джессика... ты мне нравишься. Ты мне очень нравишься.

Он удивил ее прямотой своих слов. Она была тронута тем, как Джеффри их произнес. Странная смесь торжественности и теплоты. Она и не предполагала, что возможно такое сочетание.

— Ты мне тоже нравишься.

Они сидели друг против друга, Джеффри не сделал ни малейшего движения, чтобы приблизиться к ней. Он не хотел спешить. Джессика была из тех женщин, которые подпускают к себе постепенно, хорошо узнав человека.

— Я мало знаю о твоей жизни, по сути — ничего, но каким-то образом чувствую, что тебе много пришлось пережить.

— Почему ты так думаешь?

— По тем вещам, о которых ты предпочитаешь не говорить. По тому, как временами ты идешь на попятный. По той стене, за которой иногда прячешься. Джессика, я не сделаю тебе больно. Обещаю.

Она ничего не сказала, лишь взглянула на него, подумав о том, как часто обещания оборачиваются ложью. Но она страстно желала, чтобы Джеффри опроверг ее сомнения, а он хотел попытаться.

Глава 34

— Как у тебя прошел вечер? — Астрид уже была в магазине, когда Джесси появилась там на следующий день. Она больше не приходила рано по утрам. Необходимость в этом отпала. И желание.

— Восхитительно. — Она сияла от счастья после завтрака с Джеффри, но ей не хотелось делиться этим с Астрид.

— Я бы сказала, что он к тому же очень и очень мил.

— Ладно, мама. Не дави. — Они обе рассмеялись над шуткой, и Астрид протестующе подняла руку.

— Кому нужно давить? Он сам за себя говорит. Ты влюблена, Джесси? — Астрид, как и Джессика, выглядела серьезной.

— Честно? Нет. Но он мне нравится. Он самый замечательный человек, которого я встретила за последнее время.

— В таком случае, может быть, остальное приложится. Дай ему шанс.

Джессика кивнула и посмотрела на свою часть почты. Ей уже было не по душе делить магазин с кем-то еще. Теперь все было по-другому. Словно затянувшийся финал. Она хотела попрощаться с «Леди Джей» и уехать из города. Это напоминало еще один развод. Кроме того, пришло очередное письмо от Яна. Джессика взяла конверт и отложила отдельно от остальных. Астрид заметила, но никак себя не выдала. В первый раз подруга не порвала его. Она заметила взгляд Астрид и пожала плечами, наливая себе чашку кофе.

— Знаешь, мне кажется, что я должна набросать ему пару строк и поблагодарить за машину. Мы разговаривали об этом с твоей мамой в прошедший уик-энд.

— И что же она сказала?

— Да ничего особенного. — Такой ответ лишь означал, что Джесси не была расположена все выкладывать. В итоге она выбросила письмо, которое он ей прислал.

Джессика и Астрид встречались с адвокатами в течение следующих двух дней, и все было улажено. В субботу утром Джесси обратилась к трем агентам по торговле недвижимостью с заявкой о сдаче дома на лето. Но она потребовала тщательно отобрать жильцов, так как оставляла там всю мебель. А кабинет Яна будет заперт. Она чувствовала, что должна так поступить ради него.

Была почти полночь, когда Джесси решилась написать ему письмо по поводу машины. Она черкнула пять-шесть строк, сообщив Яну о том, как она обрадовалась подарку, похвалив автомобиль, и пожурила его за то, что он не должен был этого делать. У нее ушло почти четыре часа на то, чтобы сочинить коротенькую записку.

Пять дней спустя дом был сдан в аренду с пятнадцатого июля по первое сентября, и Джесси уже совсем собралась — она надеялась уехать в течение недели. Джеффри высказал желание прилететь в Сан-Франциско и снова встретиться с ней и даже пригласил ее в Лос-Анджелес на уик-энд, но она была слишком занята. Джессика облюбовала для него два дома, а также квартиру. Однако она слишком увязла в своих делах. Ей не хотелось видеться с ним, пока она не закроет дом, не отдаст в другие руки магазин и не расстанется с прошлым. Джесси стремилась приехать к нему «чистой» и обновленной. Это был более трудный путь, но Джеффри еще не стал частью ее жизни. Как только она устроится на новом месте, они встретятся в деревне.

Джесси редко теперь заглядывала в бутик, разве что для того, чтобы ответить на вопросы Астрид. Но к тому времени та уже прекрасно во всем разобралась, и магазин работал четко; Катсуко была неоценимой помощницей. А Джесси простонапросто не хотела там больше появляться. Рабочие деловито меняли вывеску, всем покупателям были разосланы карточки с уведомлением о небольшом изменении в названии. Это все еще причиняло боль, но Джессика уговаривала себя, что все изменения, а особенно эти — к лучшему. Как только она окажется за чертой города, все грустные мысли выкинет из головы. Но чем она тогда займется? Живописью... На сколько ее хватит? Джесси не была готова стать еще одной бабушкой Мозес*. Но что-то непременно появится... Кто-то... Джеффри? Возможно, он и был разрешением всех ее проблем.

В пятницу днем Джессика в последний раз зашла в бутик. Она уезжала через два дня, в воскресенье. В доме она убрала все дорогие сердцу вещицы, ей не хотелось, чтобы они попали в поле зрения новых жильцов. А также фотографии Яна. Джесси так много их раскопала, когда упаковывала вещи. Все теперь причиняло ей боль. Похоже, каждая минута была наполнена болезненными напоминаниями о прошлом.

Она припарковала машину в подъездной аллее сразу позади автомобиля Астрид и медленно прошла в магазин. Он выглядел уже по-другому. Астрид добавила несколько новых вещей и симпатичную картину в кабинете, который стал теперь ее офисом. Все это было уже собственностью Астрид. А деньги от распродажи принадлежали Джесси. Смешно, как мало они для нее теперь значили. Девять месяцев назад, семь месяцев, шесть... она бы на коленях ползала за десятую часть этой суммы... а сейчас... они потеряли для нее свою ценность. Счета были оплачены, Ян ушел, а что нужно ей? Ничего. Джессика не знала, что делать с деньгами, и ей было все равно. До нее

---

* Американская художница, начавшая рисовать в преклонном возрасте.

еще не дошло, что она заработала огромную сумму на продаже магазина. Позднее она поймет и порадуется, позднее, но не сейчас. У нее по-прежнему было такое ощущение, словно она продала своего единственного ребенка. Верному другу, но все же... она бросила единственное, что воспитала и чему помогала расти.

— Мадам, для вас — почта. — Астрид с улыбкой вручила ей корреспонденцию. В последнее время она выглядела счастливой и гораздо моложе, чем в начале их знакомства. Трудно поверить, что Астрид только что отметила свое сорокатрехлетие. А в июле Джесси исполнится тридцать два. Время шло. Мчалось.

— Спасибо. — Джессика небрежно сунула письма в карман. Она просмотрит их позже. — Ну все, я собралась и готова ехать.

— И уже скучаешь по дому. — Астрид угадала верно. Она свозила ее на ленч, они выпили слишком много белого вина, и Джесси несколько приободрилась. Она вернулась домой в несравненно лучшем настроении.

Она распахнула окна и села на пол, туда, куда падал луч света, оглядываясь по сторонам в своей гостиной, где она так часто сидела с Яном. Джессика представляла его растянувшимся на диване, слушающим ее щебетание о магазине или рассказывающим о завязке новой главы. Вот чего ей не хватало — этого восторга от совместного наслаждения вещами, которые они любили. Смеха и превращения в двух сорванцов в теплый солнечный день или холодным зимним вечером, когда Ян разжигал огонь в камине.

Джессика размышляла, скользя взглядом по открывающемуся из окна виду на залив, и вспомнила о письмах, которые Астрид передала ей до ленча. Она нашла их в кармане жакета... Она надеялась... и — вот оно... письмо от Яна. Ее глаза быстро забегали по строчкам. Он получил ее письмецо с благодарностью за машину.

«...Я пишу сейчас для себя, задаваясь подчас вопросом, читаешь ли ты их. А потом, неожиданно, несколько быстрых, нервно набросанных строк от тебя, но ты сохранила машину. Это все, что имело значение. Ты даже не можешь себе представить, как я хотел, чтобы она принадлежала тебе, Джесс. Спасибо за то, что ты ее сохранила.

Как я предполагаю, ты не открываешь мои письма... Я знаю тебя. Рвешь, мнешь и выбрасываешь...»

Джессика улыбнулась, представив себе эту картину. Он, конечно, был прав.

«Но мне нужно писать их в любом случае, свистеть в темноте или разговаривать с самим собой. С кем ты теперь разговариваешь, Джесси? Кто держит тебя за руку? Кто развлекает и смешит? Или обнимает тебя, когда ты плачешь? Ты такая некрасивая, когда плачешь. Господи, как же я скучаю по тебе! Я представляю тебя сейчас за рулем нового «моргана» и твое письмо... написанное так, как будто ты оказываешь любезность лучшей подруге своей бабушки. «Спасибо, дорогой мистер Кларк, за исключительно чудную машину. Мне как раз нужна была такого цвета, чтобы она подходила к моей новой юбке, любимым перчаткам и шляпке». Дорогая, я люблю тебя. Надеюсь только, что теперь ты будешь счастливее. С кем угодно и где угодно. У тебя есть на то право. Я знаю, что ты, должно быть, в ком-то нуждаешься. Мое сердце обливается кровью при этой мысли, но тем не менее я не могу представить себя топающего ногами и поднимающего бурю. Что я могу сказать после всего? Ничего, кроме: «Удачи»... и я люблю тебя.

Меня огорчает, что сейчас, когда книга разошлась и я смог успокоиться и окинуть взглядом свою жизнь, тебя нет рядом, чтобы увидеть перемены. Здесь я повзрослел. Тюрьма — трудная школа, но я много о тебе узнал, как, впрочем, и о себе. Недостаточно просто зарабатывать деньги, Джесси. И мне наплевать, кто платит по счетам. Я хочу их оплачивать, но не думаю, что переживал бы язву каждый раз, когда ты будешь подписывать чек. Жизнь гораздо полнее и проще или может быть таковой. По странному совпадению, моя жизнь теперь полна, но при этом пуста без тебя. Дорогая, невозможная Джесси, я по-прежнему люблю тебя. Уходи, оставь меня в покое или возвращайся. Господи, как я хотел бы, чтобы ты вернулась! Но ты не вернешься. Я понимаю и не сержусь. Интересно, было бы все по-другому, если бы я не вышел из комнаты в тот день, оставив тебя там с телефонной трубкой в руке? Я все еще вижу твое лицо тогда... Но нет, все не из-за одного паршивого дня. Мы оба расплачиваемся за старые грехи — потому что я все еще верю, что мы оба страдаем от этой потери. Или ты уже освободилась от всего? Может быть, тебе все равно. Я не могу передать тебе то чувство пустоты, которое я испытываю, но это со временем пройдет, как я полагаю. Нам обоим будет все равно. Ведь это — не то, чего ждешь с нетерпением. Много хороших лет «из праха во прах». Уйдет. И я по-прежнему вижу, вижу и вижу тебя. Я прикасаюсь к твоим волосам и улыбаюсь, глядя тебе в глаза. Возможно, сейчас ты это даже чувствуешь — моя улыбка перед твоими глазами, пока ты куда-то уходишь. Отправляйся с миром, Джесси, дорогая, и остерегайся ящериц и муравьев. Они не укусят тебя, обещаю, а вот соседи могут вызвать полицию, когда ты кричишь. Держи лак для волос под рукой и относись к себе поспокойнее. Пока, Ян».

Джессика смеялась сквозь слезы, пока читала... Ящерицы и муравьи. Две вещи всегда пугали ее больше всего. Помимо одиночества. Но она жила с этим, так что, может быть, она привыкла бы к ящерицам и муравьям... Но к жизни без Яна?

Это будет гораздо труднее. Джесси не осознавала того, как сильно она соскучилась по его голосу, пока не прочитала письмо. Он был в нем. Его голос, интонации, смех, его рука, ласкающая ее волосы, пока он говорил. Взгляд, который заставлял ее ощутить себя в безопасности.

Не раздумывая, Джесси поднялась и пошла к столу. Там все еще оставалась бумага. Она взяла ручку и написала ему письмо, рассказав о том, что продала магазин и сняла на лето дом рядом с ранчо тетушки Бет. Джесси описала арендованный домик до мельчайших деталей, так, как он учил ее когда-то. У нее не оказалось литературных способностей, но зато появился навык делать подробные описания, настолько живые и яркие, что читатель мог без труда представить в своем воображении полную картину. Она хотела, чтобы Ян увидел поблекшие стены былого великолепия, заросшие сейчас ползучими растениями. Джессика собиралась очистить их и навести красоту. Это займет ее на какое-то время. Она дала ему адрес и упомянула о том, что сдала их дом в Сан-Франциско очаровательной бездетной паре. Они сохранят его в прежнем виде, она также не забыла подчеркнуть, что заперла его кабинет. Его картотека будет в полном порядке. И Джессика постарается остерегаться ящериц и муравьев. Все само лилось на бумагу. Будто она писала письмо давно пропавшему другу. Таким он всегда и был. Она приклеила на конверт марку и, дойдя до почтового ящика на углу, бросила письмо, потом заметила направлявшуюся домой Астрид. Она помахала ей рукой, Астрид свернула и остановилась на углу.

— Куда ты собралась, Джессика? Хочешь поужинать?

— Вы хотите сказать, что в кои-то веки вы не заняты, миссис Боннер? Я потрясена.

Джессика засмеялась, почувствовав на душе необычайную легкость. Она предвкушала отъезд. За прошедшие недели Джесси много раз спрашивала себя, а правильно ли она поступила. Но она знала, что была права, и радовалась этому. Она ощущала такое облегчение, словно наконец-то обрела покой. Ян все еще жил в ее душе. Даже сейчас. Джессика пыталась избавиться от мыслей о нем, когда улыбалась Астрид.

— Нет, милашка, я не занята. И мне захотелось полакомиться спагетти. Как идет упаковка?

— Все сделано. И не откажусь от спагетти.

Они поужинали в шуме и хаосе ресторана Ванесси и перешли в кафе на тротуаре, чтобы выпить капуччино. Начали появляться туристы, первая волна летнего наплыва; воздух был на удивление теплый.

— Ну, дорогая, как ты себя чувствуешь? Испуганной, несчастной или довольной?

— Ты имеешь в виду мой отъезд? И то, и другое, и третье. Это немного напоминает расставание с родным домом... — Новое расставание с Яном. Упаковка самых разных мелочей оживила столько воспоминаний, чувств, которые они похоронили. Она не станет распаковывать эти коробки вновь. Джессика отделила свои вещи от вещей Яна. Теперь будет просто, если они когда-нибудь надумают продать дом, это облегчит их сборы. Пожитки были сложены в разные кучи.

— Тебя ждет много дел на новом месте. Мама говорит, что в доме такой беспорядок.

— Да. Но ненадолго, — произнесла с гордостью Джессика. Она уже влюбилась в то место. Оно было как новый друг.

— Я попробую заскочить туда до нашего отъезда в июле.

— Я буду рада. — Джессика улыбнулась, чувствуя себя беззаботной и счастливой. Это ощущение не покидало ее весь вечер, словно она рассталась с зубной болью, от которой страдала месяцами.

— Джессика, сейчас ты выглядишь счастливой. Знаешь, сначала я чувствовала свою вину, забрав у тебя магазин. Я боялась, что ты меня за это возненавидишь.

Но Джессика только улыбнулась и тряхнула своей светловолосой гривой.

— Нет. Тебе не стоит беспокоиться. — Она похлопала подругу по руке. — Ты не забрала у меня бутик. Я продала его тебе. Должна была. Тебе или кому-то еще, даже если это и было больно. Я рада, что он — твой. Наверное, я его переросла. Я во многом изменилась.

Астрид кивком выразила согласие.

— Я знаю. Надеюсь, у тебя все получится.

— И я тоже на это надеюсь, — ответила она с едва ли не скорбной улыбкой.

Женщины допили кофе. Они напоминали двух солдат, которые вместе прошли через войну, и теперь им не о чем было говорить, кроме как делать редкие замечания о близящемся мире. Наступит ли он? Джесси надеялась на это. За последние месяцы они обе пережили многое. Астрид понимала, что теперь она получила то, чего так желала. Джессика же еще не была до конца уверена.

— Джесси, Джеффри давал о себе знать?

— Да. Он позвонил и сказал, что на следующей неделе приедет повидаться со мной.

Джеффри с присущей ему чуткостью понял, что в городе Джессике нужно было остаться одной.

— Это пойдет тебе на пользу.

Джессика кивнула и ничего не добавила.

На следующее утро дверной звонок зазвонил в четверть десятого. Ее вещи были упакованы, и Джессика в последний раз мыла тарелки после завтрака, вполглаза любуясь видом из окна. Она хотела запомнить все, подождать еще часок, а потом уехать. Быстро. У нее было почти такое же чувство, как в то утро, когда она уезжала в колледж: старая жизнь сложена в чулан, новая — впереди. Она собиралась вернуться назад, но вернется ли? Ей казалось, что она уезжала не просто на лето. Может быть — навсегда.

В дверь позвонили, Джессика вытерла руки о джинсы и, откинув волосы с лица, побежала открывать, босая, в полурасстегнутой рубашке. В таком виде ее больше всего любил Ян. Настоящая Джесси.

— Кто там? — Она стояла у двери, улыбаясь, предположив, что к ней, по-видимому, решила заглянуть Астрид или Катсуко. Последнее прости. Но теперь она будет смеяться, а не плакать, как случилось в магазине.

— Инспектор Хоугтон.

Внутри ее все окаменело. Дрожащими руками Джессика отперла дверь и открыла. Радостное настроение улетучилось без следа. Впервые за несколько месяцев в ее глазах вновь промелькнул страх. Удивительно, как быстро он вернулся. Месяцы медленного возрождения пошли прахом после одного-единственного звонка.

— В чем дело? — Ее глаза были похожи на зеленовато-серую поверхность болота, а лицо превратилось в восковую маску.

— Доброе утро. Я... гм... это неофициальный визит. Я... Я нашел брюки вашего мужа на складе и подумал, что неплохо бы передать их вам и посмотреть, как вы тут.

— Понимаю. Спасибо.

Со смущенной улыбкой он передал ей коричневый пакет. Джесси не улыбнулась в ответ.

— Решили попутешествовать?

Его взгляд перескакивал с сумок на коробки в холле, она посмотрела ему прямо в глаза. Негодяй. Как он посмел заявиться сюда? Джессика кивнула в ответ и опустила голову. Подходящий случай прекратить войну, протянуть с миром руку. Но она не могла. Хоугтон вызывал у нее желание закричать, поколотить его, расцарапать ему лицо. Она не могла выносить одного его вида. Ужас и ненависть захлестнули ее, как волна прилива, и ей захотелось сползти по стене, свернуться калачиком и зарыдать.

— Почему вы пришли сегодня?

В ее глазах было непонимание ребенка, он отвел взгляд, посмотрев на свои руки.

— Я подумал, что вам понадобятся мужчины... — Его голос оборвался, лицо окаменело. Он поступил неразумно, приехав сюда. Сейчас у Хоугтона не осталось сомнений на этот счет. Но его целыми днями подталкивало это желание. Желание увидеть ее. — Брюки вашего мужа валялись на складе, так что я подумал...

— Почему? Почему вы подумали? Разве он может прийти домой и надеть их? Или в тюрьмах больше не носят джинсы? В последнее время я не поддерживала с ним связь. Не навещала его.

Джессика сразу же пожалела о своих словах.

— О-о?

— Я была занята. — Она отвернулась.

— Проблемы?

Кровопийца. Она снова встретилась с ним глазами.

— А вам разве не все равно? — Она не позволит ему отвести взгляд.

— Может быть, и нет. Возможно... Извините. Знаете, на протяжении всего процесса мне было вас жаль. Вы, похоже, во всем ему верили. И оказались не правы. Теперь вы сами знаете, не так ли?

Джессику тошнило от его голоса.

— Нет. Я не заблуждалась.

— Присяжные подтвердили вину вашего мужа. — Он выглядел таким самодовольным, таким уверенным в «системе». Уверенным во всем, включая вину Яна.

Она хотела ударить его. Тяга была почти непреодолимой. Она крепко вцепилась в пакет из коричневой бумаги, который он ей передал, сжав кулаки.

— Вы... вы теперь свободны, миссис Кларк?

— Означает ли сие, что вы, инспектор, интересуетесь тем, развелась ли я?

Он кивнул и вытащил пачку сигарет из кармана пиджака.

— А почему вас это интересует?

— Любопытно. — Озабочен.

— Поэтому вы приехали? Из любопытства? Проверить, рассталась ли я с мужем? Это доставит вам удовольствие? — Она вспылила. — А почему вы не привезли это в магазин? — Она протянула пакет с брюками Яна.

— Я так и сделал. Вчера. Но мне сказали, что вы там больше не работаете. Верно?

Она кивнула:

— Не работаю. И что?

Джессика снова посмотрела ему прямо в глаза, и неожиданно год гнетущего страха исчез без следа. Инспектор мог попытаться сделать все, что ему вздумается, а она убила бы его. С удовольствием. Сущим облегчением было противостоять ему. Она посмотрела на него еще раз, и шесть месяцев боли перетекли в его глаза. Хоугтон увидел во всей неприкрытой наготе израненную душу женщины. Он глубоко затянулся сигаретой и отвернулся.

— Когда вы уезжаете? У вас есть время на ленч?

Господи. Ну разве не смешно, если не считать того, что это по-прежнему вызывало у нее желание заплакать. Не глядя на него, она медленно покачала головой и осторожно подняла голову. Слезы, стоявшие у нее в глазах, побежали по щекам. Все закончилось. Последние капли гнева, ужаса, страха и боли медленно катились по ее щекам: суд и присяжные, вердикт, арест и инспектор Хоугтон — все смешалось в безмолвных слезах на ее лице. Хоугтон не мог вынести такого зрелища. Это было гораздо хуже пощечины. Он пожалел, что приехал. Очень пожалел.

Джессика тяжело вздохнула, но никак не реагировала на слезы. Они нужны были ей, чтобы смыть всю грязь.

— Я покидаю этот город, чтобы избавиться от кошмара, инспектор Хоугтон. Зачем же, интересно, нам вместе идти на ленч? Чтобы поговорить о прошлом? Вспомнить о суде? Поговорить о моем муже?..

Рыдание прервало ее монолог, и она прислонилась к стене с закрытыми глазами, все еще сжимая бумажный пакет в руке. На нее вновь все обрушилось. Он вернул ей прошлое в коричневом бумажном пакете. Джессика приложила руку ко лбу, крепко зажмурила глаза и, осторожно вдохнув, снова их открыла. Инспектор исчез. Она слышала, как в этот самый момент захлопнулась дверь его машины, и спустя мгновение зеленый седан отъехал от ее дома. Она медленно закрыла входную дверь и села в гостиной.

Брюки, которые Джессика вытащила из пакета, имели большие дыры, аккуратно вырезанные в промежности — там, где полицейская лаборатория исследовала материал на наличие спермы. Когда она посмотрела на них, то вспомнила, как первый раз увидела Яна в тюрьме, в белых пижамных брюках. Те, что она держала в руках, были прощальным подарком.

Теперь Джессика поняла, почему уезжает из города. И была рада. Пока она останется здесь, все останется с ней. В том или ином виде. Она всегда будет спрашивать себя, не появится ли Хоугтон вновь. Когда-нибудь. Где-нибудь. Как-нибудь. А сейчас он исчез. Навсегда. Так же, как и ее кошмар. И суд. Все. Даже Ян. Она должна была оставить все. Ей не по силам отделить хорошее от плохого. Неожиданно для себя самой Джессика уже не сердилась на Яна или инспектора Хоугтона. Она вытерла лицо, посмотрела по сторонам и, увидев комнату, поняла кое-что. Это больше не принадлежало ей. Ни брюки, ни проблемы, ни инспектор, даже неприятные воспоминания. Они не составляли ее собственность. Все это было для нее кучей мусора. Она уезжала. Она уехала.

Все осталось в прошлом. Его бумаги в кабинете и ее корешки от чеков, разложенные по ящичкам в подвале. Она оставляла их навечно. С собой она брала самые красивые моменты, нежные воспоминания из далекого прошлого: портрет Яна, который написала, когда они только что поженились — она не могла оставить его новым жильцам, — любимые книги, обласканные сокровища. Только хорошее. Джессика решила, что у нее хватит места только для этого. К черту инспектора Хоугтона. Она была почти рада, что он пришел. Теперь она знала, что обрела свободу.

Глава 35

Уехать из Сан-Франциско было легче, чем она думала. Джессика не позволяла себе думать. Она просто-напросто выбралась на шоссе и продолжала вести машину. Никто не махал ей вслед носовыми платками, не заливался горючими слезами, чему она была несказанно рада.

После визита инспектора Хоугтона Джесси выпила чашку чая, закончила с посудой, обулась, в последний раз проверила дом и окна и была такова.

Поездка на юг влила в нее жизнь, она ощущала себя юной и безрассудно смелой, когда подъехала к пришедшему в упадок дому у старой Северной дороги. Войдя внутрь и увидев, какие изменения внесла тетушка Бет, Джесси была тронута ее заботой. В доме не было ни единого пятнышка, а спальный мешок, который она завезла раньше, оказался ненужным. В спальне появилась узкая кровать с ярким лоскутным стеганым одеялом, бережно свернутым в ногах. Тем самым, из ее спальни в доме тетушки Бет. В углу расположился письменный стол, а две лампы наполняли комнату уютным светом. В кухне лежали съестные припасы, в гостиной разместили два кресла-качалки и большой стол, у камина — огромное мягкое кресло. Повсюду стояли свечи, у камина были сложены дрова. У нее было все, что нужно для жизни.

Обед с тетушкой Бет на следующий день стал праздничным событием. Джесси провела первую ночь в новом доме одна. Так она хотела. Бродила из комнаты в комнату, как маленький ребенок, не чувствуя одиночества, только восторг. Начало нового приключения. Она ощущала себя родившейся заново.

— Ну, как он тебе понравился? Собралась возвращаться? — Тетушка Бет довольно фыркнула над чашкой чая.

— Ни за что на свете. Я готова остаться здесь навсегда. Тебе спасибо, дом такой уютный.

— Чтобы сделать его по-настоящему уютным, моя дорогая, тебе потребуется много сил.

Однако то, что Джессика привезла с собой в двух коробках, немного ей помогло. Фотографии, ящики для декоративных растений, маленькая мраморная сова, коллекция ценных книг, два ярких рисунка и портрет Яна. Там же — простыни и медные подсвечники, разный хлам, с которым она не смогла расстаться. Она украсила дом растениями и яркими цветами. В конце недели добавила к своим старым сокровищам новые, приобретенные на аукционе. Два низких грубо обтесанных стола и овальный домотканый ковер нашли свое место в гостиной. С каждым днем дом все больше приобретал жилой вид. Джессика сложила книги в сундуки, а рисовальные принадлежности разместила в углу, однако у нее не находилось свободной минутки, чтобы порисовать. Она была слишком занята домом.

Работник с ранчо, присланный тетушкой Бет, провел уикэнд, выдергивая сорняки и подравнивая траву. Вместе они даже обнаружили полуразрушенный бельведер за домом. Кроме того, ей захотелось повесить качели. Одни, чтоб свисали с высокого дерева возле бельведера, где она могла сильно раскачиваться и наслаждаться заходом солнца, другие — у парадного крыльца, вроде тех, на которых сидят юные парочки теплыми летними ночами, уверенные, что они — одни-единственные на всем белом свете.

Письмо от Яна пришло в субботу утром. Джессика бродила на новом месте уже шесть дней.

«Вот ты где, смешная девчонка, с запыленными волосами и пятном на носу, с гордой ухмылкой от той чистоты и порядка, в которые ты превратила весь этот хаос. Сейчас я вижу тебя, босоногую и счастливую, с кукурузным початком во рту. Или в туфельках от Гуччи и содрогающуюся при одной мысли о подобном? А как на самом деле? Я отлично представляю дом, хотя не могу вообразить тебя счастливой в спальном мешке на полу. Только не говори мне, что вот до чего ты дошла! Но звучит симпатично, Джесси, и пойдет тебе на пользу. Хотя я был потрясен, узнав о магазине. Не будешь ли ты по нему скучать? Однако ты получила чертовски много денег. Что ты будешь делать с такой кучей баксов? До меня дошли слухи о кинопостановке по моей книге. Не принимай это всерьез. Одни разговоры. Хотя, с другой стороны, я бы никогда не подумал, что ты продашь магазин. Каково тебе было? Больно, полагаю, а может, принесло облегчение? Пора заняться другим. Путешествовать, рисовать, наводить чистоту в том дворце, который ты повесила себе на шею на все лето — или дольше? Что-то такое проскользнуло в твоем последнем письме. Похожее на любовь к дому, к природе вокруг и к тетушке Бет. Она, должно быть, замечательная женщина. А как муравьи и ящерицы? Держатся от тебя на расстоянии? Или все еще пользуются твоим любимым лаком для волос?»

Счастливая ухмылка не сходила с ее лица, когда она читала. Однажды в гостиничном номере во Флориде Джессика попыталась убить ящерицу с помощью лака для волос. Они вынуждены были уйти из комнаты, однако ящерке он понравился.

Джесси закончила читать письмо и присела у большого стола, присланного тетушкой Бет. Она хотела рассказать ему о тех вещах, которыми Бетани завалила дом, и о безделушках, найденных на аукционе. Нельзя, чтобы у него складывалось впечатление, будто она спит на полу.

Переписка шла сама по себе, без намека на остановку с их стороны. Джессика не думала об этом, она просто писала, чтобы сообщить Яну новости. Она радовалась успеху его книги, с нетерпением ждала ее экранизации. Может быть, на сей раз все удастся. Джессика очень надеялась на это.

Она была удивлена своим длинным ответом. Шесть мелко исписанных страниц. Джессика заклеила конверт, не забыв о марке, уже в сумерках. На древней плите приготовила ужин и сразу отправилась спать. А на следующее утро, встав очень рано, приехала в город, чтобы отправить письмо, потом заглянула на чашку кофе к тетушке Бет. Но та уехала кататься верхом.

День выдался спокойным и красивым. Джесси сделала несколько набросков, пока сидела, болтая ногами, на крылечке. В комбинезоне, красной футболке и босая, она ощущала себя старшей сестрой Гека Финна. Солнце припекало ее лицо, а волосы напоминали золотые вьющиеся нити, собранные на макушке.

— Здравствуйте, мадемуазель.

Джессика подпрыгнула, из ее рук выпал альбом для набросков. Она считала, что поблизости никого нет. Но, подняв глаза, засмеялась. Рядом стоял Джеффри.

— Господи, как ты меня напугал! — Она легко спрыгнула с крыльца, когда он поднял ее альбом и посмотрел на нее с удивлением.

— Великий Боже, ты умеешь рисовать! Но что гораздо важнее, ты — совершенство, и я тебя обожаю.

Он ласково обнял ее, и Джессика улыбнулась ему, стоя босыми ногами в высокой траве возле дома. Она еще не вырвала все сорняки.

— Джессика, как ты красива!

— Такой? — Она смеялась над ним, а он не отпускал ее из своих рук. Она только сейчас начала понимать, как же она по нему скучала.

— Да, я тебя обожаю такой. Когда я увидел тебя впервые, ты была босой, твои волосы были уложены наверху, как у греческой богини.

— Боже мой!

— Не собираешься ли ты предоставить мне возможность познакомиться с достопримечательностями, после того как держала меня на расстоянии вытянутой руки все это время?

— Конечно, конечно! — Она радостно рассмеялась и величественно указала на дом: — Не соблаговолите войти?

— Минутку. — Прежде он сгреб ее в свои объятия для долгого нежного поцелуя. — А теперь я готов осмотреть дом.

Она остановилась и оценивающе на него посмотрела.

— Нет, не готов.

— Не готов? — Джеффри казался смущенным. — Почему нет?

— Сначала сними галстук.

— Сейчас?

— Немедленно.

— Прежде, чем мы войдем? — Она настойчиво кивнула, и, улыбаясь ей, он снял темно-синий галстук в белую крапинку, который, как Джессика правильно угадала, был от Диора.

— Симпатичный галстук, но тебе он здесь не понадобится. Обещаю, что никому не расскажу о твоем поступке.

— Обещаешь?

— Торжественно клянусь. — Она подняла руку, и Джеффри поцеловал ее. Ощущение в середине ладони было восхитительным.

— О, как мило.

— Ах ты, дразнилка. Ну ладно, а так пойдет?

Джессика снова оглядела его с ног до головы и покачала головой.

— Что еще?

— Сними пиджак.

— Ты невозможна. — Тем не менее он сбросил пиджак, перекинув его через руку, и кивком отсалютовал ей. — Миледи, вы довольны?

— Вполне. — Она скопировала его акцент, и он засмеялся.

Джесси провела Джеффри по дому, показывая комнату за комнатой, затаив дыхание, опасаясь, что ему может не понравиться. А она так хотела, чтобы он полюбил ее дом, который был символом всех произошедших в ней изменений. Дом казался пустоватым, но Джесси была от него в восторге. Она чувствовала себя здесь свободнее, чем в Сан-Франциско.

— Твое мнение? Не слишком обставлено, верно? — Она улыбнулась, когда Джеффри фыркнул.

— Хорошо, хорошо, не смотри так обиженно. Милый дом, отличное место на лето.

А как на всю жизнь? Она еще и слова не произнесла вслух, но уже сомневалась в этом. Но какое это имело значение? Если он в нее влюблен, то сможет прилетать сюда на своем самолете. Неделю она будет проводить в одиночестве, рисовать, гулять, размышлять и навещать тетушку Бет, а уикэнды с ним.

— Так что ты об этом думаешь?

Она подскочила, когда он прервал ход ее мыслей.

— У тебя на лице самая озорная улыбка на свете.

— Правда? — Но Джессика не могла поделиться с ним тем, что было у нее на уме. Это должно медленно прорасти, она не могла преждевременно набросать ему все в общих чертах.

— Я люблю тебя и твой маленький домик. Он — чудный. — Но он произнес это как-то буднично, и она была разочарована. Он хотел как лучше, но не получилось.

— Хочешь чая? — Был жаркий день, но Джеффри любил горячий чай вне зависимости от погоды. Его или виски. Или мартини. Джесси уже знала.

— С удовольствием. А ведь у меня, Джессика, есть для тебя сюрприз.

— Серьезно? Я люблю сюрпризы! Дай сейчас же. — Она снова выглядела маленькой девочкой, когда тяжело плюхнулась на диван и приготовилась ждать.

— Не сейчас. Но я подумал, что сегодняшний вечер будет особенным.

— Да? — Ей тоже хотелось чего-то особенного, что проявлялось в ее улыбке, однако Джеффри подождал, пока она не угасла.

— Я хочу взять тебя в Лос-Анджелес, на вечеринку в консульстве. Я подумал, что тебе может понравиться.

— В Лос-Анджелес? — Но почему Лос-Анджелес? Она хотела остаться на природе.

— Будет отличный вечер. Конечно, если ты не хочешь...

— Нет, нет... С удовольствием... но я...

— Ну хорошо, а что мы будем делать здесь? Полагаю, неплохо заскочить ненадолго в город. Я хочу познакомить тебя со своими друзьями. — Джеффри так мило сказал об этом, что Джесси почувствовала бы себя неловко, отказав ему. Просто-напросто она хотела насладиться тихим вечером вдвоем с ним в новом доме. Но будут и другие вечера. Много других вечеров.

— Хорошо. Звучит заманчиво. — Она хотела постичь сущность затеи. — Какого рода вечеринка?

— С белым галстуком. Поздним ужином. Там должно быть много важных людей.

— Белый галстук. Но это означает фраки!

— Как правило, да!

— Но, Джеффри, что я надену? У меня здесь ничего нет. Только загородные вещи.

— Я подумал, что тут может быть загвоздка.

— Так что мне делать? — Она ужаснулась. Белый галстук?

Господи! Джесси не видела их со времен балов дебютанток, на которые ее заставляла ходить мать пятнадцать лет назад. А у нее не было ничего даже отдаленно похожего на соответствующий туалет. Все модные вещи остались в Сан-Франциско.

— Джессика, если ты не будешь очень на меня злиться, я осмелюсь... — Джеффри казался более встревоженным, чем ей приходилось видеть прежде. Он знал, что у нее отличный вкус, и ужаснулся тому, что же он натворил. — Надеюсь, ты не рассердишься на меня, но я только что подумал, что при сложившихся обстоятельствах... правда, я...

— Что, черт возьми, происходит? — Она была наполовину изумлена, наполовину испугана.

— Я купил тебе платье.

— Что? — Она была потрясена.

— Знаю, это может показаться смешным, но я прикинул, что у тебя здесь ничего нет...

Она смеялась над его выходкой. Она не сердилась.

— Ты не сердишься?

— Как я могу?

Никто с ней прежде так не поступал. Конечно же, не мужчина, которого она едва знала. Каким удивительным человеком он оказался!

— Как мило с твоей стороны. — Она обняла его и снова рассмеялась. — Можно мне посмотреть на него?

— Конечно. — Джеффри бросился к двери и спустя пять минут вернулся, так как оставил машину далеко от дома. Он хотел сделать ей сюрприз, а «порше» не очень соответствовал атмосфере таинственности. Джеффри возвратился с необъятной коробкой в руках и большим пакетом, в который, похоже, вошли несколько коробок размером поменьше.

— Что ты сделал?

— Я отправился по магазинам. — Он выглядел довольным собой, свалив все покупки на диван.

Джесси неторопливо раскрыла большую коробку и от изумления потеряла дар речи. Самая тонкая ткань, которую она когда-либо видела, — тончайший шелк, который струился сквозь ее пальцы, а на ощупь казался теплым. Платье цвета слоновой кости, которое будет подчеркивать совершенство ее загорелой фигуры. Вынув его из коробки, Джессика увидела, что оно облегало одно плечо, оставляя второе открытым. Бросив взгляд на этикетку, она нашла объяснение и дизайну, и материалу. Джеффри купил ей платье от кутюр, которое стоило ему по меньшей мере две тысячи долларов.

— Господи, Джеффри! — Она не могла вымолвить ни слова.

— Тебе оно нравится?

— Ты надо мной издеваешься? Оно великолепно. Но как ты мог?

— Так оно тебе нравится или нет? — Джеффри был не в состоянии разобраться в том, что она говорила.

— Конечно. Я от него без ума. Но я не могу его принять. Это чертовски дорогое платье.

— Да? Тебе оно понадобится сегодня вечером. Если тебе нравится, я хочу, чтобы ты его носила. Оно тебе как раз?

Джессика умирала от желания посмотреть, как оно будет на ней сидеть, как она будет себя в нем чувствовать. Хоть на минутку.

— Я примерю. Но себе не оставлю. Это совершенно точно.

— Чепуха.

Она ушла, чтобы надеть обновку, а когда вернулась, то улыбалась. Представшее перед ним видение заставило его также расплыться в улыбке.

— Бог ты мой, ты потрясающе красива, Джессика.

Платье, казалось, было сделано специально для нее.

— Подожди, тебе нужно примерить и это.

Джеффри нырнул в пакет с вещами и вытащил обувную коробку.

Атласные босоножки цвета слоновой кости с изящными каблучками. Опять точно впору. Джеффри несомненно знал, что покупать. Крошечная серебряная сумочка, отделанная бисером. Все вместе — ослепительно. Они оба стояли ошеломленные. Джеффри любовался ею, а она — восхитительным нарядом. Джесси привыкла к хорошей одежде, но подарки Джеффри были неординарны в своей красоте. И неслыханно дороги.

— Ну, вот все и улажено. — Он выглядел решительным и довольным. — Где мой чай?

— Не думаешь ли ты, что в таком наряде я подам чай?

— Нет. Сними.

— Да, и, думаю, надолго. Оно так дорого, что я просто не могу себе его позволить.

— Можешь, закончим обсуждение. Точка.

— Джеффри, я...

— Замолкни. — Поцелуем он прервал поток протестов.

У Джесси появилось такое чувство, словно у нее перехватили инициативу. Когда Джеффри хотел, он был очень сильным.

— А теперь подай мне чай.

— Ты невозможен. — Она сняла платье и принесла ему чай. В конце концов он победил.

В шесть часов Джесси вышла из душа, накрасилась и уложила волосы, затем надела платье. Где-то в глубине души у нее затаилось смутное подозрение, будто она продавала себя. Двухтысячное платье — не маленький подарок. Каким-то образом Джеффри сделал так, чтобы оно казалось ей не дороже шарфа или носового платка, но это не платочек.

Когда двадцать минут спустя Джессика показалась в дверях спальни, он был сражен. Дом, конечно, не был приспособлен к такого рода грандиозным посещениям и приемам. Джеффри вернулся к своим друзьям, чтобы переодеться, и приехал обратно в безупречном фраке с белым галстуком. Манишка была идеально накрахмалена. Он походил на киногероя тридцатых годов. Джессика улыбнулась, увидев его:

— Сэр, вы прекрасно выглядите.

— Мадам, вы и понятия не имеете, как вы сногсшибательны.

— Должна признаться, все превосходно. Но я чувствую себя Золушкой. Ты уверен, что в полночь я не превращусь в тыкву?

Джессика все еще была смущена такой экстравагантностью, но по какой-то причине не придавала этому значения. Приключение начинало забавлять ее.

— Ты готова, дорогая?

Обращение «дорогая» прозвучало впервые, но она была не против. Джесси могла к нему привыкнуть. Она посчитала, что может привыкнуть ко многому, если постарается.

— Да, сэр. — Она посмотрела на свои обнаженные руки и пожалела, что у нее нет ни украшений, ни перчаток. На приеме такого ранга необходимы длинные перчатки и драгоценности... драгоценности...

— Подожди-ка секунду, Джеффри. — Ведь она привезла их с собой, что совершенно вылетело у нее из головы.

— Что-то случилось?

— Нет, нет.

Джессика таинственно улыбнулась и бегом вернулась в спальню. Там она нагнулась, чтобы выудить крошечный сверток, привязанный к нижней части кровати. Единственное место для тайника, которое пришло Джессике в голову. Но ей так хотелось привезти их с собой. Она быстро вынула сверток и открыла его, вытащив замшевый футляр, из которого выпал драгоценный камень. Еще более красивый, чем обычно. На мгновение ее сердце замерло, когда она его увидела. Он воскресил в памяти так много печальных воспоминаний, а сколько радостных — и не перечислить. Вот оно на маминой руке... потом она забирает его для Яна... кладет обратно после окончания суда. Кольцо с изумрудом. Джесси никогда не могла заставить себя носить его просто как украшение, как вещь, как побрякушку. Но сегодня вечером был именно тот случай, когда она могла с гордостью надеть его как семейную реликвию. Совершенство. Слезы подступили к ее глазам, когда кольцо оказалось у нее на пальце. Джесси не сомневалась, что мама одобрила бы ее выбор.

— Джессика, чем ты там занимаешься? Нам нужно еще доехать до Лос-Анджелеса. Поторопись!

Она улыбнулась сама себе. Именно то, что ей было нужно. Она захватила с собой еще пару жемчужных сережек, которые Ян подарил ей много лет назад. Бросив последний взгляд в зеркало и улыбнувшись, Джессика крикнула:

— Иду!

— Все в порядке?

— Замечательно.

— Готова?

— Да, сэр.

— И кстати, я забыл дать тебе вот это,— сказал он, протянув ей две коробочки — вытянутую плоскую и маленькую квадратную.

— Еще? Джеффри, ты с ума сошел! Что ты делаешь? — Словно сегодняшний день выпал на Рождество. Почему он был так щедр?

Джессика не нуждалась в его подарках, однако он выглядел таким обиженным, когда она отказывалась, что она не выдержала и открыла коробочки. Ни один мужчина прежде не преподносил ей ничего подобного.

Она начала с вытянутой плоской коробки, и тут Джеффри неожиданно произнес:

— Джессика, как мило. Какое необычное украшение. — Он любовался кольцом ее матери. Тогда она подняла дрожащую руку к его лицу. — Оно много для тебя значит, верно? — Она кивнула, а потом, после паузы, его голос смягчился: — Твое обручальное кольцо?

— Нет. — Она с гордостью посмотрела на него. — Моей мамы.

— Правда?.. Она... — Так вот почему Джессика никогда не упоминала о своей семье. Она рассказала ему о брате, но никогда — о родителях. Теперь он понял.

— Да, она и мой папа умерли почти одновременно... Но я никогда... никогда не носила его.

— Очень признателен, что ты надела его ради меня.

Он нежно приблизил к себе ее лицо и с величайшей осторожностью поцеловал, что вызвало в ней трепет. Потом отстранился и улыбнулся:

— Продолжай. Посмотри, что в коробочках.

Она совершенно о них забыла. В длинной плоской коробочке лежали перчатки, о которых она мечтала, одеваясь. Словно он читал ее мысли. В который раз.

— Ты обо всем позаботился! Как ты узнал мои размеры?

— Дама никогда не должна задавать такие вопросы, Джессика. Предположим, что я слишком хорошо знаю женщин.

— Ага! — Подобная мысль позабавила ее.

Она перешла к следующей коробочке, достаточно маленькой, чтобы уместиться у нее на ладони. Джеффри с интересом следил за ней, когда она сняла оберточную бумагу и добралась до крошечного темно-синего кожаного футляра. Открыв его, она восхищенно воскликнула:

— Господи, Джеффри! Нет! — Джесси не знала, была ли она рада или разгневана.

Он осторожно взял коробочку из ее рук и, вынув бриллиантовые серьги-слезинки, приложил их к ее ушам.

— Как раз то, что тебе нужно. Надень.

Завуалированный приказ? Джессика сделала шаг назад и посмотрела ему в глаза:

— Джеффри, я не могу. Я правда не могу. — Бриллианты? Она едва его знала. А ведь серьги не крошечные. Рос-
кошные, но она была категорически против. — Джеффри,
извини.

— Не глупи. Примерь. Если не понравятся, можно вернуть.

— Но представь себе, что будет, если я одну потеряю.

— Джессика, они — твои.

Но она молча покачала головой, твердо стоя на своем.

— Пожалуйста.

Джеффри выглядел таким удрученным, что ее охватило
раскаяние. Но она не могла принять от него бриллианты... Она
уже взяла платье, которое было слишком дорогим подарком.
Но бриллианты? Не имеет значения, кто он такой, Джесси
помнила, кто она и что она могла себе позволить. Нет. Но
Джеффри смотрел на нее так грустно, что она на секунду
заколебалась.

— Только примерь их.

— Хорошо, Джеффри, но я не надену их на сегодняшний
вечер. И не возьму себе. Оставь их у себя. Может быть,
однажды... — Она хотела приободрить его, когда потянулась,
чтобы снять одну из своих сережек, и вспомнила, что на ней —
жемчуг, подаренный Яном. Он был не такой красивый, как
бриллианты, но нравился ей. Она примерила одну из сияющих
сережек-слезинок, и та вспыхнула морем ослепительных искр
в ее левом ухе... но в правом висела маленькая жемчужина от
человека, который когда-то любил ее... Яна...

— Тебе они не нравятся? — Голос Джеффри звучал подавленно.

— Нравятся. Но я должна к ним привыкнуть.

— Похоже, тебя что-то сильно огорчает.

— Не говори чепухи! — Она улыбнулась и, вручив ему сережку, поцеловала в щеку. — Никто еще не был так добр ко мне, Джеффри. Я не представляю, что со всем этим делать.

— Расслабься и получай удовольствие. — Он больше не настаивал. Они спрятали сережки в ящике стола. Джессика почувствовала облегчение от того, что не надела их. Джеффри был прав: сними она сережки Яна, это опечалило бы ее. Она еще не была к этому готова. Все придет со временем. Джесси по-прежнему дорожила некоторыми памятными вещами. Например, его портретом, который теперь висел над камином.

Прием был как в кинофильме из жизни миллионеров. Реки шампанского, батальоны одетых в ливреи дворецких и служанок в черном. Каждый фут инкрустированного мраморного пола заливал свет громадных люстр. Колонны, абиссинские ковры и мебель в стиле Людовика XV. Целое состояние в бриллиантах, изумрудах и сапфирах, сотни норок. Вечеринка, о которой читаешь, но на которую не можешь попасть даже мысленно. И вот она здесь, с Джеффри. Почти все присутствующие были либо англичанами, либо знаменитостями, либо и теми и другими одновременно. Джеффри, похоже, знал каждого из них. Кинозвезды, о которых Джесси только читала в газетах, подходили, чтобы его поприветствовать, обещали позвонить ему или оставляли след губной помады на его щеках. Бизнесмены и дипломаты, светские львы и политики, кинозвезды и знаменитости с сомнительной репутацией. Прием, на который многие стремились попасть годами. И она была там — с Джеффри, который, как выяснилось, был не «мистером», а «сэром».

— Почему ты мне не сказал?

— Потому, что это — ерунда. Не так ли?

— Нет. Это — часть твоего имени.

— Ну так теперь ты знаешь. И что изменилось? — Он, похоже, получал удовольствие, Джесси покачала головой. — Ну ладно. Как насчет того, чтобы потанцевать со мной, леди Джессика?

— Да, сэр. Ваше величество. Ваша светлость.

— Замолчи.

Прием продолжался до двух, и они оставались до самого конца. Было почти четыре, когда они вернулись в маленький домик, затерянный среди холмов.

— Теперь я знаю, что я — Золушка.

— Но тебе хоть было весело?

— Я провела вечер, который останется в памяти на всю жизнь.

Джессику кольнула мысль о том, что Джеффри вывозил ее для показа в свет — как красивую новую куклу, но ведь он всем ее представил, как она могла жаловаться? Многие ли поклонники дарят вам платья стоимостью в две тысячи долларов и серьги с бриллиантами? Ах, какой вечер. Джесси посмотрела на изумрудное кольцо, когда они оказались на свежем воздухе. Она была рада, что надела его. Не из-за того, что оно было с изумрудом, а потому, что кольцо принадлежало ее матери.

— Ты вся светилась сегодня вечером, Джессика. Я гордился тобой.

— А все — платье.

— Брехня.

— Что? — Она устало засмеялась и посмотрела на него с изумлением. — Сэр Джеффри сказал «брехня»? Вот уж не подумала бы, что ты можешь так выражаться!

— Могу. И делаю еще много такого, о чем ты и не подозреваешь.

— Звучит захватывающе. — Перед дверьми ее дома они обменялись заинтересованным взглядом. — Не знаю, что тебе предложить: бренди, кофе или аспирин. Так что же?

— Мы можем выбрать в доме.

В роскошном платье Джесси взлетела по ступенькам с изяществом бабочки. Даже в конце вечера она казалась прекрасным видением и доставляла невероятное удовольствие. По правде говоря, Джеффри решил больше не ждать. О такой женщине он мечтал долгие годы. Время пришло. Он знал, что она еще не готова к его предложению, но очень скоро и это препятствие будет позади. Он сделает ее жизнь счастливее. Время от времени Джеффри видел, как ее преследуют призраки прошлого, но пора было от них избавиться. Он в ней нуждался. Она прекрасно держалась на приеме. Все так говорили.

— Ты часто бываешь на таких мероприятиях? — Она подавила зевок и сбросила с ног босоножки, которые он ей подарил.

— Весьма. Тебе правда понравилось?

— Какой женщине не понравилось бы? Джеффри... о, извините, сэр Джеффри... — Джессика ухмыльнулась. — Словно на один день стать королевой. Там был весь свет. Должна признаться, я потрясена.

— И они.

— Чем?

— Тобой. Ты была самой красивой женщиной.

Но она знала, что это неправда, внимание в основном привлекало ее платье. Джеффри отлично снарядил ее для первого выезда в свет. На приеме присутствовали некоторые из признанных красавиц. Она едва ли составляла им конкуренцию. Те женщины находились в высшей лиге.

— Спасибо. — Легче было не спорить с ним. — Чаю?

— Нет, пожалуй. — Он задумчиво смотрел на нее, немного смущенный.

— Ты не мог бы разжечь камин? — Ей захотелось сесть и поболтать с ним, как она, бывало... Нет! Нельзя.

— Кто это? — спросил Джеффри, показав на мальчишеское лицо над камином, и Джессика улыбнулась. — Твой брат?

— Нет.

— Мистер Кларк? — Она кивнула, уже со строгим лицом.

— Ты все еще хранишь его портрет?

— Я его нарисовала.

— Это не причина. Ты по-прежнему мысленно с ним? — Почему-то Джеффри считал, что нет, хотя они никогда об этом не говорили.

— Нет. Больше нет.

— Отлично.

А потом он сделал то, от чего у Джессики оборвалось сердце. Очень спокойно, не сказав ни слова, не спросив ее, он снял портрет со своего места и поставил на пол, лицом к стене.

— Полагаю, пора от этого избавиться, дорогая. Ты согласна?

Но в его голосе не прозвучало вопроса, и на мгновение она оказалась слишком потрясена, чтобы ответить. Джесси хотела, чтобы портрет висел на прежнем месте. Он нравился ей. Она привезла его из Сан-Франциско. Или Джеффри прав? Неужели для Яна не осталось места? Не должно, и они оба это осознавали.

— Хочешь чаю? — Ей больше ничего не приходило в голову, вместо голоса послышался какой-то хрип.

— Нет. — С нежной улыбкой Джеффри покачал головой и медленно подошел к ней. Он остановился перед Джессикой и с любовью поцеловал ее.

Сейчас Джеффри был нужен ей. Он освобождал ее от чего-то, в чем она прежде чувствовала необходимость, чтобы выжить. А теперь она начинала нуждаться в нем. Он не мог отнять у нее Яна, но снял его портрет, и она позволила ему. Они стояли рядом, их губы слились в жадном поцелуе. Джеффри расстегнул крючок ее платья. Когда оно упало, задержавшись на талии, он стал осыпать поцелуями ее тело. Джессика подалась ему навстречу, однако что-то внутри нее противилось.

— Джеффри... Джеффри...

Он продолжал целовать ее, платье соскользнуло на пол. Изысканный дорогой шелк волнами вздымался у ее ног, когда он ласково, но настойчиво раздел ее. Джессика нащупала твердую накрахмаленную манишку, которая не поддавалась ей. Все, что она могла ощутить, — выпуклость в его брюках, но даже «молния» оказывала ей сопротивление. В следующее мгновение оказалось, что она стоит перед ним обнаженная, тогда как он был полностью одет — во фраке с белым галстуком.

— Господи, как ты красива. Джессика, любовь моя... красивая... элегантная маленькая птичка...

Джеффри медленно проводил ее в спальню, шепча по пути нежные слова, а она следовала за ним, словно во сне. Он заботливо уложил ее в постель, медленно снял фрак, пока она ждала его. Он говорил вкрадчивым тоном, и Джессика чувствовала себя в его власти. На нем все еще была накрахмаленная манишка, что делало его похожим на хирурга. Когда она повернула голову на подушке, что-то больно укололо ее. Она не сняла сережки. Джессика потянулась, чтобы избавиться от них, и жемчужины упали в ее руку. Жемчужные сережки... жемчуг Яна... а перед ней раздевается другой мужчина. Он раздел ее. Она была обнаженной, такой же, как и он через несколько секунд, а ведь это он снял портрет Яна со стены...

— Нет! — Она выпрямилась на кровати и уставилась на него, словно он только что плеснул ей в лицо холодной водой.

— Джессика?

— Нет.

Джеффри сел рядом с ней и обнял ее, но она сбросила его руки, по-прежнему сжимая жемчужные серьги.

— Не бойся, дорогая. Я буду нежен, обещаю.

— Нет, нет! — Слезы застилали ей глаза, за его спиной она потянулась к одеялу тетушки Бет и завернулась в него. Что с ней происходило? На секунду Джессика подумала, что сошла с ума. Всего лишь несколько минут назад она так сильно хотела его. А теперь была уверена в обратном. Она не могла. Теперь она все поняла.

— Джессика, что, черт возьми, происходит?

Она съежилась у окна, по щекам бежали слезы.

— Я не могу лечь с тобой в постель. Извини... Я...

— Но что произошло? Только минуту назад... — Он казался сбитым с толку. С ним такого никогда не происходило.

— Знаю. Извини. Похоже на безумие, просто...

— Что, черт возьми? — Джеффри стоял перед ней, лишенный присутствия духа. Его фрак странно выглядел на полу. — Что с тобой?

— Просто не могу.

— Но, дорогая, я люблю тебя. — Он снова подошел к ней и попытался обнять, но она не позволила.

— Ты не любишь меня. — Она чувствовала это, но не могла объяснить. Но что более важно, она не любила его. Джессика хотела его любить. Она знала, что должна его полюбить, понимала, что он относится к тому типу мужчин, от которых женщины без ума и которых умоляют жениться на них. Но не она — она не могла, и никогда в жизни не сможет.

— Что значит, я не люблю тебя? Черт побери, Джессика, я хочу жениться на тебе. Ты думаешь, я играю с тобой? Ты не та женщина, которую делают любовницей. Думаешь, я повез бы тебя сегодня на прием, если бы не был настроен серьезно? Не говори ерунды.

— Но ты меня не знаешь.

— Знаю достаточно.

— Нет, не знаешь. Ты ничего не знаешь.

— Можно судить по воспитанию.

— А как же моя душа? То, что я думаю, чувствую, кто я, что мне нужно?

— Мы узнаем больше друг о друге.

— Потом? — Она ужаснулась.

— Некоторые так и поступают.

— Но не я.

— Ты не понимаешь, что ты делаешь. И если у тебя есть хоть капля мозгов, то выйдешь замуж за человека, который говорит, что тебе делать и как. Так ты будешь гораздо счастливее.

— Нет, дело не в этом. Прежде я так и жила, Джеффри, но больше не хочу. Я хочу столько же отдавать, сколько и брать, хочу быть взрослой так же, как и ребенком. Я не желаю, чтобы меня подталкивали, выставляли напоказ и разодевали в пух и прах. Это как раз то, что ты вчера сделал. Знаю, ты хотел как лучше, но я была куклой Барби, и такую роль ты отвел мне в будущем. Нет! Как ты мог!

— Прости, если я оскорбил тебя. — Он наклонился и поднял фрак. Он задавался вопросом, а не была ли она немного не в себе. А Джессика вдруг почувствовала себя лучше. Она знала, что поступает правильно. Может быть, никто с ней не согласится, но она была в этом уверена.

— Ты даже не хочешь детей. — Смехотворное обвинение, высказанное в пять утра, стоя завернутой в лоскутное одеяло и разговаривая с мужчиной во фраке.

— А ты хочешь?

— Возможно.

— Чушь. Все это — ерунда, Джессика. Но я не собираюсь с тобой спорить. Тебе известно мое мнение. Я тебя люблю и хочу на тебе жениться. Когда утром ты придешь в себя, позвони.

Джеффри многозначительно посмотрел и покачал головой, потом, подойдя к ней, поцеловал ее в макушку.

— Спокойной ночи, дорогая. Утром тебе будет лучше.

Она не произнесла ни слова, но когда Джеффри ушел, сложила все его подарки в большую белую коробку, которую он принес. Утром она отошлет все туда, где он остановился. Может быть, она сумасшедшая, но у нее не было сомнений в правильности поступка. Она еще никогда за свою жизнь не была так уверена. Джессика положила жемчужные сережки на ночной столик, сна не было ни в одном глазу. Она стояла счастливая и нагая в гостиной, попивая дымящийся черный кофе, когда солнце осветило холмы. Портрет занял свое прежнее место над камином.

Глава 36

— Как твой кавалер?

После долгой прогулки верхом Джессика пила холодный чай с тетушкой Бет. Она была необычно спокойной.

— Какой кавалер? — Джессика не шутила.

— Понимаю. Будем играть в кошки-мышки или ему отказано? — Глаза тетушки Бет пробежали по ее лицу, и Джессика отважилась на улыбку. В самом деле, кошка и мышка.

— Ваша взяла. Впал в немилость.

— Какие-то особые причины? — Впервые она была удивлена. — Я видела вашу потрясающую фотографию, снятую на каком-то приеме в Лос-Анджелесе.

— Где, черт побери, ты ее видела?

— Ого-го. Он, должно быть, точно впал в немилость! В лос-анджелесской газете. Что-то о приеме в консульстве, правильно? Целая толпа знаменитостей ошивалась вокруг тебя.

— Я не заметила. — В голосе Джесси сквозило уныние.

— Я поражена.

Джесси тоже. Но скорее неприятно поражена. Она размышляла о том, кто еще видел фото. Ей не хотелось, чтобы ее имя связывали с Джеффри. Ну хорошо — как и все остальное, слухи в конце концов улягутся. Гораздо труднее придется Джеффри. Он должен встречаться со всеми этими людьми. А она — нет.

— Он сделал какую-то подлость или просто оказался скучным? Может быть, мне не следует совать нос в чужие дела?

— Конечно, нет. Я просто не могла, вот единственная причина. Я хотела заставить себя любить его. Но не смогла. Джеффри — совершенство. У него есть все. Что он только не делал ради меня! Но... я... я не могу объяснить это, тетушка

Бет. У меня такое чувство, будто он пытался вылепить из меня то, что ему было нужно.

— Неприятное чувство.

— Я не могла избавиться от ощущения, что он проверяет меня, как скаковую лошадь. Мне было так... так одиноко с ним. Разве это не сумасшествие?

Джессика рассказала Бетани о платье и серьгах с бриллиантами.

— Я должна была быть без памяти от радости. А получилось наоборот. Все напугало меня. Слишком... не знаю. Мы — чужие.

— Любой человек сначала кажется чужим. — Джессика задумчиво кивнула и допила охлажденный чай. — Он казался достаточно привлекательным, но если нет особого влечения, какого-то волшебства... то все теряет смысл.

Фраза заставила Джессику мыслями вернуться к той ночи.

— От страха я не слишком вежливо пошла на попятный. Я чуть не рехнулась. — Она улыбнулась при этом воспоминании, Бетани засмеялась.

— Что, вероятно, только пошло ему на пользу. Он выглядел таким пристойным.

— Несомненно. На нем был фрак, когда я начала выпендриваться и чуть ли не швыряться вещами. На следующий день я отослала назад все его подарки.

— Ты зашвырнула их к нему в окно? — Бет выглядела невероятно довольной, имея все основания надеяться, что Джессика так и поступила. Мужчинам нужны острые ощущения.

— Нет. — На мгновение Джессика залилась краской. — Я распорядилась, чтобы их доставил один из помощников с твоего ранчо.

— Так вот чем они занимаются днем.

— Извини.

— Я шучу. Уверена, кто бы это ни был, он получил огромное удовольствие.

Они посидели еще недолго, Джессика стала хмуриться.

— Знаешь, что меня еще раздражало?

— Я вся сгораю от нетерпения услышать.

— Прекрати меня дразнить, я серьезно. — Однако ей была по душе словесная пикировка с Бетани. — Он не хотел иметь детей.

— Так же, как и ты. Чем же это тебя раздражало?

— Хороший вопрос, но что-то со мной происходит. По-моему, мысль о детях меня больше не пугает. Я все еще думаю, что... не знаю. В любом случае я слишком стара, но я...

Джессика знала, что была не слишком стара, однако хотела, чтобы кто-то посторонний сказал ей об этом.

— Ты хочешь ребенка? — Бет была ошеломлена. — Ты это имеешь в виду?

— Не знаю.

— Ну конечно, в твоем возрасте еще не слишком поздно. Тебе нет и тридцати двух. Но должна признаться, я поражена.

— Почему?

— Потому что твой страх проник так глубоко. Вот уж не думала, что ты когда-нибудь будешь настолько уверена в себе, чтобы выдержать это соревнование. А что, если у тебя родится красивая дочурка? Подумай об этом. Для матери подобное может быть очень тягостным.

— И по всей видимости, весьма стоящим. Я не слишком банальна? Какое-то время меня раздражали подобные доводы, но не хватало смелости поделиться с кем-нибудь своими сомнениями. Для всех я деловая женщина, модница, детоненавистница, а сейчас — счастливая разведенная жена. Наступает момент, когда полностью меняешься внутри, однако никто не спешит отдирать прежние ярлыки.

— Тогда сожги их. Да, конечно, кое-что у тебя есть: ты избавилась от мужа, от магазина и от города. Осталось изменить совсем немного. — Бетани говорила печально, но с любовью к Джессике. — И к черту все ярлыки. Есть много того, что нам не под силу изменить, но если что-то и можно, не сомневайся и получай от этого удовольствие.

— Ты только представь себе — иметь ребенка... — Джессика сидела, улыбаясь, погруженная в свои мысли.

— Лучше ты представь себе. Я уже и вспомнить-то не могу да и не уверена, хочу ли. Я никогда не была настроена особенно романтично по поводу детей, однако очень сильно люблю Астрид.

— Знаешь, похоже, я прожила несколько глав из своей жизни, а теперь готова двигаться дальше. Не безжалостно расстаться с прошлым, а всего лишь продолжать движение вперед. Как в путешествии. Мы достаточно долго находились в одной и той же местности, пора трогаться. Вот что произошло. Я просто-напросто шла к другим пунктам, к другим потребностям, тетушка Бет, я чувствую себя заново родившейся. Единственное, что у меня вызывает грусть, — мне не с кем поделиться своими переживаниями.

— У тебя могло бы получиться с Джеффри. Только подумай, что ты упустила!

Однако в глубине души тетушка Бет считала, что Джессика ничегошеньки не потеряла. В том человеке было недостаточно огня, отваги и сокровенных мечтаний. Он шел по проторенной тропе. Помимо всего прочего, как с ним было бы скучно. Она знала, что Джесси поступила правильно. Бетани задумалась на минуту о непредсказуемости реакции Джесси.

— Что-то еще беспокоило тебя в последнее время?

— Не уверена, что поняла.

— Поняла-поняла. Вполне. Ты не только уверена в том, что я имею в виду, но и в остальном. Осмелюсь заметить, что именно в этом и заключалась проблема с Джеффри, не правда ли? Дело было не в нем.

Джессика хохотала, но не призналась бы ни в чем.

— Ты слишком хорошо меня знаешь.

— Да, и ты наконец начинаешь узнавать себя. Я рада. Но что ты собираешься с этим делать?

— Я думала о том, чтобы исчезнуть на пару дней.

— Тебе ведь не нужно мое разрешение, правда? — Тетушка Бет смеялась, а Джессика отрицательно покачала головой.

Она выехала в шесть на следующий день, когда солнце взошло над холмом тетушки Бет. Ей предстоял долгий путь. Шесть часов, возможно, семь, а она хотела быть там вовремя. Джессика надела светлую рубашку и юбку, в которой было прохладнее, чем в брюках. Она прихватила с собой полный термос охлажденного кофе, сандвичи, целую сумку яблок, а также орешки и печенье, которые несколько дней назад принес работник с ранчо. Она была полностью снаряжена. И полна решимости. А также — страха.

За последние два месяца они обменивались письмами два-три раза в неделю. Их содержание очень изменилось. Прошло четыре месяца с тех пор, как Джессика последний раз виделась с ним. Четыре месяца с тех пор, как Ян повернулся к ней спиной и вышел. За это время многое изменилось. Они оба стали осторожнее в своих письмах. Заботливыми, испуганными, даже безрассудно веселыми. Взрывы смеха проникали на каждую страницу, равно как и глупые замечания, случайные упоминания о прошлом, дурачество и снова осторожность, будто каждый из них боялся слишком сильно раскрыться другому. Они придерживались безопасных тем: ее дом, его книга. По-прежнему не было известий о контракте на экранизацию романа, но книга должна была выйти осенью. Джессика беспокоилась по поводу контракта, а Ян волновался за нее, как она устроилась в новом доме. Он никогда не забывал называть его «ее» домом, как оно и было. На данный момент.

Теперь они были посторонними людьми, не сплетенными вместе в одну ткань. Их разделило то, что с ними произошло, то, что они сделали друг с другом, а также то, что ни один из них не мог больше притворяться. Джесси спрашивала себя, можно ли вернуться к исходной точке после всего. Может быть, и нет, но она должна была знать наверняка. Сейчас, не ожидая понапрасну. Вдруг Ян больше не думал встречаться с ней? Тон его писем был таким, словно он уже смирился с подобной перспективой. Ян никогда не напрашивался на свидание. Но он его получит. Она хотела видеть его, взглянуть ему в глаза, чтобы понять, а не только натыкаться в письмах на эхо его голоса.

Джессика подъехала к знакомому зданию в половине второго. Ее проверили, обыскали сумочку, и она прошла внутрь, чтобы заполнить требование. Джесси присела и прождала нескончаемые полчаса, в то время как ее глаза беспокойно перескакивали с настенных часов на дверь. Сердце ее билось, как паровой молот. Она была здесь. И до смерти напугана. Что она ему скажет? Может быть, Ян даже не захочет ее увидеть — вот почему он не упоминал о свиданиях. Сущим безумием было примчаться сюда... сумасшествие... глупость...

— Посещение к Яну Кларку... посещение к Яну Кларку. — Голос охранника монотонно выкрикивал его имя, и Джессика подскочила со своего места, стараясь идти медленно, когда подошла к охраннику в форме, стоявшему на часах у двери комнаты свиданий. Это была другая дверь, не та, через которую она проходила раньше. Оглянувшись, Джесси поняла, что

Ян содержался теперь в другом блоке. Возможно, сегодня между ними не будет стекла.

Охранник отпер дверь, проверил штемпель на запястье, который ей поставили при входе, и сделал шаг в сторону, пропуская ее вперед. Дверь вела на заставленную скамейками и огражденную клумбами лужайку без видимых ограждений — лишь длинная полоса ухоженного газона. Джессика медленно переступила порог, обратив внимание на пары, бродящие по дорожкам с каждой стороны лужайки. И тут она увидела Яна, уставившегося на нее с дальнего конца площадки. Словно сцена из кинофильма. Ее ноги вдруг налились свинцом.

Джессика стояла, замерев на месте, — так же, как и он, пока по его лицу не стала расползаться широкая улыбка. Ян был похож на долговязого нескладного парня, который смотрел на нее во все глаза и улыбался сквозь слезы — точно так же, как и она. Сумасшествие: полквартала газона разделяло их, но они не двигались с места... она должна была... она приехала сюда, чтобы увидеть его, поговорить с ним, а не просто стоять здесь и пожирать его глазами с потерянной улыбкой. Ноги сами понесли ее по дорожке, Ян начал приближаться со своей стороны, его улыбка становилась шире, и вот она наконец оказалась в его объятиях. Вот — Ян. Тот Ян, которого она знала. Он пах Яном, на ощупь был им. Ее подбородок устроился на привычном месте на его груди. Она была дома.

— Что произошло? У тебя закончился лак для волос или тебя достали ящерицы?

— И то и другое. Я пришла, чтобы ты мог спасти меня. — Джессика, как и Ян, с трудом подавила слезы. Их улыбки напоминали яркий солнечный свет под летним дождем.

— Джесси, ты — ненормальная. — Он крепко обнял ее, Джессика засмеялась.

— Не иначе. — Она сильнее прижалась к нему. Ей было так хорошо, она положила руку ему на голову и ощутила шелк его волос. Это был он. — Слава Богу, с тобой все в порядке. — Джессика слегка отстранилась, чтобы посмотреть на него.

Ян выглядел неважно. Кожа да кости, немного усталый, слегка загорелый и невероятно потрясенный. Он снова привлек Джессику к себе, положив ее голову себе на плечо.

— Ну-ну, малышка. Когда ты начала мне писать, я не мог этому поверить. Я распростился со всякой надеждой.

— Знаю, я — мерзавка. — Она ощущала свою вину за долгие месяцы молчания. Теперь, глядя ему прямо в глаза, Джесси видела, как сильно это ранило его. Но ей пришлось так поступить. — Я отъявленная мерзавка.

— Да-а, но такая симпатичная. Ты замечательно выглядишь, Джесси. Ты даже прибавила в весе.

Ян, держа жену на расстоянии вытянутой руки, осмотрел ее с ног до головы. Он не хотел ее отпускать. Он боялся, что она вновь исчезнет. Ему хотелось вцепиться в нее, чтобы удостовериться, что она настоящая. Что она вернулась. И вновь принадлежит ему. Но может... может быть, она приехала только для того, чтобы... обсудить развод и попрощаться. В его глазах неожиданно промелькнула тщательно скрываемая боль, и Джессику охватило беспокойство. Но она не знала, что сказать. Пока не знала.

— Это все жизнь в деревне.

— Судя по твоим письмам, она же сделала тебя счастливой. Давай присядем. У меня все поджилки трясутся. Я едва стою на ногах.

Джессика засмеялась и вытерла слезы.

— Ты дрожишь! А я-то боялась, что ты не захочешь меня видеть!

— И не насладиться тем, как мне будут завидовать другие? Не смеши.

Он заметил, что она надела золотую лимскую фасолинку, и взял ее за руку. Они нашли скамейку и сели, все еще держась за руки. Одну руку он положил ей на талию, ее кисть дрожала в другой его руке. Слова полились потоком. Она не могла больше сдерживаться. Ее словно прорвало.

— Ян, я люблю тебя. Без тебя так паршиво. — Прозвучало банально, но именно для этого она сюда приехала. Джессика была в этом уверена. Она знала, чего хотела. По собственной воле, а не по необходимости. Он был нужен ей, но как-то по-другому. Теперь она понимала, как сильно в нем нуждалась.

— Мне твоя жизнь не кажется паршивой, скорее наоборот. За городом, дом... но... — Ян посмотрел на нее с благодарностью. — Я рад, если она паршивая, даже если она чуть-чуть паршивая. Господи, Джесс, я так рад. — Он снова сжал ее в объятиях.

— Ты меня хоть немножко любишь? — Она произнесла это тоном маленькой девочки, давно забытым. А вдруг она ему больше не нужна? Что она тогда будет делать? Вернется к таким, как Джеффри и кудрявый драматург-недоумок из Нью-Йорка? А пустота в доме, бельведер, качели и весь мир, предназначенный для Яна, но без него? К чему возвращаться? Разглядывать его портрет? Думать о его голосе? Носить жемчужные сережки, которые он ей подарил?

— Эй, красотка, ты никак задумалась. О чем, интересно?

— О тебе. — Она посмотрела ему прямо в глаза. — Ян, ты все еще любишь меня?

— Больше, чем могу в этом признаться. А ты как думала? Джесси, я люблю тебя сильнее, чем прежде. Но ты хотела развода, и мне это кажется справедливым. Я не мог просить тебя пройти через это.

Он неопределенно махнул рукой в сторону тюрьмы. В его глазах проглядывала тревога.

— Что с тобой? Ты сможешь пережить заключение?

— Я устроился значительно лучше, чем мог предположить. С того самого времени, как закончил книгу. Сейчас мне разрешают преподавать в школе, и я на пороге...

Ян поколебался, посмотрел на небо и глубоко вздохнул.

— Я на пороге досрочного освобождения в сентябре. Меня могут выпустить. Честно говоря, я почти уверен, что выпустят. С тех пор как я здесь, они каким-то чудом провели калифорнийский законопроект о лишении свободы на срок, зависящий от поведения заключенного. А у меня, осужденного в первый раз, довольно большие шансы, если, конечно, они будут сговорчивыми. Так что, похоже, скоро я смогу вернуться домой.

— Когда?

— Наверное, недель через шесть. Может быть, через три-четыре месяца. В худшем случае — через шесть. Но дело в другом, Джессика. Как быть с нами? Мое пребывание в тюрьме — не единственная наша проблема.

— Но ведь многое изменилось.

Ян знал, что это правда. Он понял это из ее писем, по тому, что Джессика сделала, а теперь видел все по ее лицу. Она стала более женственной. Но что-то подсказывало Яну, что Джессика по-прежнему принадлежала ему. Она похорошела. Сделалась богаче, полнее, сильнее. Она обрела цельность натуры. И если Джессика по-прежнему нуждалась в нем, то у них все получится. Он тоже повзрослел.

— Ты права, Джессика, многое действительно изменилось, но не все.

Ян взглянул на нее, размышляя о фотографии, которую видел в газете. Ему на глаза попалась та же статья, что и тетушке Бет. И если у нее мог быть сэр Джеффри, как бишь его, то почему, черт возьми, он все еще был нужен ей?

— Ян, мне достаточно того, что выпало на мою долю. Я все обдумала. Лучше и быть не может. Я не желаю лучшего. Ты — это все, чего я хочу.

— Но у меня нет ни цента.

— Ну и что?

— Послушай, я получил аванс в размере десяти тысяч долларов за книгу, но половина его ушла на твою новую машину, а когда я выйду, остальных пяти тысяч хватит ненадолго. Тебе опять придется содержать меня. И, знаешь, я должен писать. Сейчас я абсолютно уверен в этом. Даже если мне придется работать официантом в какой-нибудь забегаловке, чтобы зарабатывать на жизнь. Я никогда не брошу литературный труд ради респектабельности.

Ян выглядел грустным, однако голос звучал твердо. Джесси одолевало нетерпение.

— Кто, черт возьми, думает о респектабельности? Я заработала состояние, продав магазин Астрид. Какая разница, кто и как зарабатывает... ну так что? Как по-твоему, что я буду делать с деньгами? Мы могли бы замечательно ими распорядиться.

Джессика думала о доме. И о других вещах.

— Например? — Он улыбнулся звукам ее голоса и крепче прижал Джесси к себе.

— Все, что угодно. Купить дом за городом, отремонтировать его. Отправиться в Европу... завести ребенка. — Она повернулась к нему, улыбаясь.

— Что ты сказала?

— Ты слышал.

— Не уверен. Ты не шутишь?

— Думаю, нет. — Джессика загадочно улыбнулась и поцеловала его.

— Чем это вызвано?

— Простой процесс, дорогой. Я выросла с тех пор, как видела тебя в последний раз. И как раз об этом недавно думала. Я осознала кое-что еще. Я не просто хочу ребенка. Я хочу твоего ребенка. Нашего. Ян... Я просто хочу тебя, с детьми, без детей, с деньгами или без... Не знаю, как тебе еще сказать. Я люблю тебя.

Две крупные слезинки сбежали по ее щекам, она смотрела на него так напряженно, что он не хотел ее отпускать.

Ян обнял ее и прижал к себе с радостной улыбкой.

— Джесс, мне это снится? Такого не может быть на самом деле. Я слишком долго об этом мечтал. Этого не произойдет. Я хочу, чтобы так было, но... Скажи мне, это — правда?

— Правда... но ты мне сломаешь руку.

— Извини. — Ян на мгновение отстранился, и они оба рассмеялись. — Дорогая, я люблю тебя. Мне все равно, даже если ты не захочешь ребенка. Я люблю тебя, где бы ты ни жила — в том ветхом пустом доме, который ты купила, или во дворце. А еще я думаю, что ты — прелесть. Не знаю, что заставило тебя приехать сюда, но я безмерно рад.

— Так же, как и я.

Джессика вновь обвила его руками, укусив за ухо, и прошептала ему на ухо: «Я люблю тебя». А он ухватил ее за нос. Так давно Ян не прикасался к ней, не держал ее в руках, не ощущал ее. Даже покусывание принесло ему наслаждение. Все это было теперь роскошью.

— Господи, Ян, да что с тобой?

— Что ты хочешь сказать? — Он выглядел обеспокоенным.

— Ты даже не заревел от боли, когда я укусила тебя. Разве ты меня больше не любишь? — Но в ее глазах плясали смешинки. Как никогда за последние годы, подумал Ян.

— Ты приехала сюда, чтобы я на тебя кричал?

— Конечно. Так и я могу кричать на тебя, обнимать тебя и целовать, а еще молить о том, чтобы ты поскорее возвращался домой. Пожалуйста, ты вернешься? Вернешься?

Господи. Двенадцать часов назад она сомневалась, что он по-прежнему нуждался в ней. Нуждался! Слава Богу, да!

— Да, да. К чему такая спешка? Что у тебя там, змеи в доме? Пауки? Поэтому-то ты и хочешь, чтобы я приехал, верно? Истребитель — я тебя знаю.

— Чепуха. Никаких пауков, ни змей, ни... — Она ухмыльнулась. — Ага! Муравьи! Муравьи. На днях я вошла в кухню, чтобы сделать сандвич с арахисовым маслом, и кричала так громко, что... Над чем ты смеешься? Черт тебя побери, над чем ты смеешься?

Ни с того ни с сего Джессика тоже заразилась его весельем, Ян держал ее в своих объятиях, целуя, и они оба хохотали сквозь слезы. Война была окончена.

Восемь недель спустя он вернулся домой.